D1234352

Мирзакарим НОРБЕКОВ
Геннадий ВОЛКОВ

УСПЕХ

НА ВАШУ ГОЛОВУ
И КАК ЕГО ИЗБЕЖАТЬ

Москва
АСТ · Астрель
2005

УДК 159.9
ББК 88.37
Н82

Оформление обложки — дизайн-студия «Дикобраз»
Художник Борис Пушкарев
Литературные редакторы Марина Серебрякова, Александр Куликов

Норбеков, М.
Н82   Успех на вашу голову и как его избежать / Мирзакарим Норбеков, Геннадий Волков. — М.: АСТ: Астрель,
2005. — 391, [9] с.: ил.
    ISBN 5-17-027154-9 (ООО «Издательство АСТ»)
    ISBN 5-271-10846-5 (ООО «Издательство Астрель»)

УДК 159.9
ББК 88.37

Мирзакарим Норбеков, Геннадий Волков

УСПЕХ НА ВАШУ ГОЛОВУ И КАК ЕГО ИЗБЕЖАТЬ

Зав. редакцией *Т. Минеджян*
Художественный редактор *Л. Сильянова*
Технический редактор *Т. Тимошина*
Корректор *И. Мокина*
Компьютерная верстка *Д. Полиновского*

ООО «Издательство Астрель»
129085, г. Москва, пр-д Ольминского, 3а

ООО «Издательство АСТ»
667000, Республика Тыва, г. Кызыл, ул. Кочетова, 28

Наш электронный адрес: www.ast.ru; E-mail: asrpub@aha.ru ru
E-mail редакции: artshist@astrel.ru; tatyanam@astrel.ru

Общероссийский классификатор продукции
ОК-005-93, том 2;953000 — книги, брошюры

Санитарно-эпидемиологическое заключение
№ 77.99.02.953.Д.000577.02.04 от 03.02.2004

Подписано в печать 26.11.2004. Формат 84×108$^{1}/_{32}$.
Усл. печ. л. 21,0. Доп. тираж 50000 экз. Заказ № 28.

Отпечатано с готовых диапозитивов в типографии
ФГУП "Издательство "Самарский Дом печати"
443080, г. Самара, пр. К. Маркса, 201.
Качество печати соответствует качеству предоставленных диапозитивов.

От редакции

Уважаемые читатели!

По вашим многочисленным отзывам о книгах М.С Норбекова мы знаем, что каждый раз, беря в руки его новую работу, вы ожидаете увидеть что-то интересное и неординарное. Что получилось на этот раз, судить вам.

На наш взгляд, эта книга таковой является, потому что она – первый опыт Мирзакарима Норбекова в разделенном соавторстве.

Это – диалог двух авторов. Читая книгу, вы незаметно для себя становитесь их собеседником.

Мысленно соглашаясь или споря с ними, поддерживая их беседу, вы найдете ответы на свои внутренние вопросы, научитесь вырабатывать решение, делать выбор. Одним словом, эта книга может стать для вас хорошим опытом общения.

В любом общении необходимо уметь слушать и слышать собеседника, понимать, что он говорит. Чтобы диалог легко читался, мы решили оформить книгу специальным образом.

В ней используются два разных шрифта – для текста **М.С. Норбекова такой:**

абвгдежзийклмнопрстуфхцчшщъыьэюя;

и для текста **Г.В. Волкова такой:**

абвгдежзийклмнопрстуфхцчшщъыьэюя.

Авторство читаемого фрагмента вы сможете установить по разному написанию шрифтов, а также по различному «звучанию» текстов.

Например:

Наша задача на сегодняшний день – сделать так, чтобы этот человек с высокими помыслами, который в вас находится, имел еще и материальную власть. Только тогда он сможет противостоять злу, насилию, несправедливости!

Остается лишь произвести «внутренние раскопки» и предъявить себе и миру, что же именно составляет ваше подлинное индивидуальное внутреннее сокровище, а что без сожаления можно отбросить как внешнюю шелуху и упаковку.

Сначала обратите внимание на различное начертание шрифтов.
Первый – принадлежит Мирзакариму Норбекову, второй – Геннадию Волкову.

В этой книге много притч, анекдотов, мыслей древних философов и ученых. Здесь тоже имеет значение авторство пересказа. Обратите внимание на оформление.

Такая пиктограмма отмечает анекдоты и притчи, рассказанные М. Норбековым.

Такая (их большинство) – рассказанные Г. Волковым.

А теперь мы предлагаем вам прочитать следующие фрагменты текста и внутренне «прислушаться» к «звучанию» текста.
Подключите интуицию, и отследите внутреннее состояние, возникающее при чтении каждого фрагмента в отдельности. Это будет своеобразной проверкой и, одновременно, тренировкой шестого чувства.

Примеры:

Только, пожалуйста, не надувайтесь на нас! Все имеет скрытый смысл и к тому же не является стопроцентной правдой! Так что *не поддавайтесь на наши провокации...*

?

Как может человек даже очень культурный, но слабый духом и не сосредоточенный целиком на интересах дела, бороться с промышленным шпионажем и защищаться от угроз разорения конкурентами?

Как он будет регулировать отношения не только с органами финансового контроля, но и с рэкетом?

Для натур нежных и скромных есть другие профессии, где именно их черты характера востребованы.

?

Дорогие мои! Человек может быть счастливым, только если он правильно выбрал сферу своей деятельности!

Найдите собственное дело, ради которого вы готовы отдать собственную жизнь. И тогда все у вас получится!

?

Ну как? Удалось «услышать» голоса авторов? Смогли вы установить, какой «голос» кому принадлежит?

Если нет, то вернитесь к первому примеру и сопоставьте написание шрифтов. Как мы уже говорили, в этой книге у каждого автора свой почерк, свой стиль изложения, свой голос, свои пристрастия.

Пусть эта книга будет для вас своеобразным тренажером на умение слушать и слышать, понимать и принимать точку зрения каждого собеседника, а также во всем находить для себя рациональное зерно.

Тренируйтесь каждую минуту, и вы достигнете огромного успеха в жизни.

Об авторах

Мирзакарим Норбеков

Доктор психологии, доктор педагогики, доктор философии в медицине, профессор, действительный член и член-корреспондент ряда российских и зарубежных академий, автор многих запатентованных изобретений и открытий в науке.

Автор о себе!

Штатный клоун всех балаганов!

Страдаю запущенной формой мании величия, хотя даже не умею писать, а читать – тем более!

Образование – неоконченное начальное, так как был отчислен из первого класса средней школы за многоженство!

Был приглашен на должность штатного шпиона всех секретных служб, включая КГБ, ЦРУ, НКВД и ЁПРСТ!

Во всех партиях состою интимным членом!

Капиталист, пролетарист, феминист в одном лице.

Самый отзывчивый сплетник, и вообще жутко добрый негодяй! Правое ухо – растопырено, левое – приклеено задом наперед.

О других личных качествах и внешних отличительных признаках вы знаете.

Печать личная – офсетная!

© Все мои права кем-то на себя защищены!

Геннадий Волков

Седьмое поколение подМосковских жителей.
Специалист машиностроения, фондового рынка и рынка недвижимости.
Доктор экономики и менеджмента, член-корреспондент Международной академии менеджмента.

Автор о себе

Умею читать, писать и считать чужие миллионы. Вышел в топ-гоп-стоп-менеджеры.

А еще способен скакать на верблюде, стрелять мимо цели, делать массаж и принимать роды.

Имею все те же мнимые и явные изъяны, что и у моего дорогого соавтора. Это нас и магнитит – встречно и прочно.

Склонен ко всем неалкогольным напиткам и безалкогольным женщинам.

Не люблю виртуальности, поэтому силу пальцев рук чаще тренирую физическими упражнениями, нежели долбанием по клавиатуре компьютера.

Хобби – сон в любое время дня и ночи. В перерывах – древняя история и каратэ (что в переводе означает «пустые руки», то есть «ничегонеделание»).

Благодарности

Выражаю глубокую признательность всем, чьи труды и познания каким-либо образом были использованы в пределах этой книги. А также авторам фольклора и афоризмов, составителям справочников и бюллетеней, представленных для нашей с вами общей пользы.

Особая благодарность Мирзакариму Санакуловичу за приглашение к этой совместной работе.

Введение

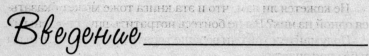

Будьте о-очень осторожны, покупая эту и другие книги в надежде, что они помогут вам состояться в жизни! На каждой строчке в процессе чтения у вас может возникнуть комплекс неполноценности.

Апостолы экономики, имеющие звания профессоров, почетных и действительных членов разных академий, создают умные трактаты. И написаны они так, что от сочетания красивейших слов на глазах выступают слезы умиления!

Эти ученые мужи рассказывают, как стать богатыми, преуспевающими людьми, а сами с работы идут пешком к своему жалкому домишке и каждый месяц считают дни до очередной зарплаты. Они мало что умеют сами, но хотят ка-а-ждого обучить экономике и вообще научить жизни.

Эксперименты такого теоретизирования много раз проводились, и все время заканчивались загубленными людскими судьбами – вспомним хотя бы революцию и коллективизацию.

Эти теоретики видят только оболочку. Суть же бывает в другом. А тратить свою одну-единственную жизнь на эксперименты какого-то одного доктора экономических наук или даже целого сборища докторов наук…

Умоляю вас, ради всего святого, выбросите все эти книги, не имеющие ничего общего с реалиями жизни!

Если вы сейчас стоите в книжном магазине и читаете эти строки, прервитесь на секундочку и посмотрите по сторонам.

Видите ряды томов с огромным количеством названий?

«Как быстро заработать бабок!»

«Как эффективно избавиться от дедок!»

«Как получить миллиард!»

«Как…как… да как же в конце концов?!»

Везде сплошь лампы, пардон, книги Аладдина – взял, потер, и в мгновение ока сбылось все, что вы хотели!

Не кажется ли вам, что и эта книга тоже может оказаться одной из них? Вы не боитесь потратить впустую деньги?

Подумайте, стоит ли вообще терять время на то, что вы и без нас знаете?

Так что, уважаемый собеседник, мы вам настоятельно рекомендуем – положите книгу на полку, оставьте нас здесь на… Нам так хорошо лежится под историческим слоем пыли!

Если же вы не пошли, куда мы вас отправляли, а все же решили через книгу с нами пообщаться, то мы горько вздыхаем и предупреждаем: в таком случае приготовьтесь к нашим крепким высказываниям!

Но прежде чем уйдете из этого магазина, мы с удовольствием проведем антирекламу на все книги, в том числе и свою!

Цель наших добреньких советов – сберечь ваше время и деньги и обезопасить вашу организацию от такого идиота, как вы.

Обиделись?

И правильно сделали!

А как вас еще назвать, если вы собрались поступать так же, как написано в этих книгах?!

Совет номер один.

Беря с полки томик, посмотрите в его конец. Если там есть библиографический указатель, то с любовью положите этот труд назад на полку.

Если человеку есть что сказать, ему не нужно прибегать к помощи чужого ума. Вы согласны?

Бойтесь тех, кто преподносит чужие знания как свои собственные!

Между прочим, нас это временами тоже касается!

Исключения есть: сказанное не имеет отношения к классическим энциклопедиям и справочникам.

Совет номер два.

Если труд написан о больших деньгах и капитале, узнайте, является ли сам автор богатым человеком. Если он в списках достаточно обеспеченных людей не значится, значит, его книга – отрава для вашего сознания!

Адрес, по которому стоит посылать такие книги, вы уже знаете!

Совет номер три.

Остерегайтесь трудов сверхумников, которые жили за счет гуманитарной помощи друзей, семьи, институтов, академий и государства.

Не будем останавливаться на мелких именах, просто скажем об одном сверхумнике, чтобы вы могли сделать вывод об остальных.

Жил да был много лет назад один бородатый и волосатый, но ухоженный красавец. Существовал и писал он за счет покровительства своего друга-промышленника.

В благодарность за материальную поддержку впоследствии он сделал друга своим соавтором. И столько всего написали они обо всем! Об успехе, о деньгах, о несовершенстве государства...

Один из академических трудов этого дуэта всех времен и народов называется «Капитал».

На протяжении 73 лет народ одного известного всем государства пытался воплотить их теорию на практике.

Сотни миллионов людей пострадали, но все равно ничего не вышло!

А сколько таких карлов, марксов, фридрихов и энгельсов перед вами на книжной полке находится?.. И каждый день выстраиваются все новые и новые…

Мораль ясна?

Из всех существующих книг вам следует отобрать одну-единственную СВОЮ. Будьте максимально критичны. Не давайте никому, в том числе и нам, вешать лапшу на ваши прелестные ушки-локаторы!

Но что же тогда следует читать?

На секундочку задумчиво прищурьтесь и вспомните, каких богатых людей в истории человечества вы знаете?

Вспомнили? Отлично!

Теперь резко распахиваем глаза и всматриваемся в книжные ряды. Есть ли здесь те фамилии?

Если есть – именно эти книги берите! Если нет – бегите отсюда, родимый! Нечего среди пустой болтовни терять время! Займитесь более полезными делами! Идите в другие магазины, ищите там!

Правда, такие книги на вес золота, потому что очень немногие из их авторов сами достигли состояния миллиардера или, на худой конец, миллионера. Но если вы где-то найдете их мемуары, каким бы глупым вам ни показалось написанное там, эти «глупости» соответствуют истине, потому что это их практический опыт.

Каждая выдающаяся личность, добившаяся в экономике больших успехов, в чем-то похожа на «идиота». Значит, равнение на реализованных «идиотов»!

Правда, у того, кто умеет работать, часто просто нет времени писать!

Книги Билла Гейтса, Рокфеллера, Моргана, Ли Якока и других были написаны их помощниками. А когда информация проходит через сознание посторонних людей, она приобретает вид полуистины. На это тоже делайте скидку.

Ну что, запугали вас? Удивительно, если после всего вышесказанного вы дочитали до этого места! Ну, если так, разрешите представиться!

Мы тоже не писатели, не ученые... не кочегары мы, не плотники... А кто? Просто два непьющих друга-«собутыльника».

Мы – друзья или можно сказать – два идиота, которые независимо друг от друга чего-то в жизни добились. Но подход к успешному решению проблем у нас противоположный.

Может быть, поэтому мы постоянно не согласны друг с другом. Эти разногласия нам надоели, и мы взялись за книгу, где каждый высказал свои представления об успехе.

Немного подумав, мы решили нацепить маски и распределить роли.

В наших руках было две спички – одна надкушенная, другая обгоревшая.

Договорились, что тот, кому выпадет более короткая спичка, будет гудеть роль ученого, экономиста, историка, одним словом – Умника.

Тому, в чьих руках окажется обгоревшая спичка, достанется самое легкое – играть Брюзгу, ворчуна, нытика, матершинника и влезателя туда, куда не просят, и тогда, когда не надо.

Геннадию повезло – он у нас в этой книге стал Умником.

Мне – еще больше! Мало того, что у меня здесь своя часть есть, так я еще с удовольствием и в чужую периодически влезаю.

Все наши взгляды, изложенные в этой книжке, исходят из собственной практики и опыта близких друзей. Но предупреждаем – ни в коем случае это не должно являться для вас абсолютной истиной!

Так что, третьим будете?..

Да?

Тогда ставим на стол еще один граненый стакан. Что предпочитаете – кильку в масле или в томатном соусе?

Вот соленый огурчик, хрен с редькой в обнимку...

Так «тяпнем» же за ваш успех!..

Глава I
ПОЗНАЙ
СЕБЯ

Лень наша любимая

Вы так долго плывете по течению, что аж перестали тонуть в воде!

М. Нобреков, 3004 год.
Весеннее творческое обострение!

Проведем малюсенький тест на вашу ленивость.

Дайте свое определение богатого человека.

Кто он такой?

Если вы на этот вопрос ответите, знайте, вы – не ленивый человек, вы – другой!

Разрешите вам немного помочь: предоставлю варианты ответов из тех, что чаще всего слышу. Выберите то, что вам по душе.

Итак, богатый человек – это:

1. Ворюга
2. Бандит
3. Бессовестный
4. Козел
5. Мошенник

6. Умный
7. Гений
8. Везунчик
9. Счастливчик
10. Молодец

Можете продолжить самостоятельно – по мере своей испорченности!

Итак, ответы:

1. Ворюга.

Вы назвали его ворюгой...

Что, хреново оттого, что он раньше вас что-то себе оттяпал, и ничего не оставил?!

2. Бандит.

Это в вас говорит трусость, родной мой! Трусость перед работой внутри вас попискивает – исподтишка, из-под кровати...

3. Бессовестный.

Правильно, он совершенно бессовестный! Разве не подло, что он сам что-то имеет, а с вами, бедным сиротинушкой, ничем не делится?!

4. Козел.

Что, аппетит разыгрался? «Капустки» захотелось?!

5. Мошенник.

Зависть – это страшная штука! Вы согласны?

6. Умный.

А зачем себя-то унижаете?!

7. Гений.

Хорошо, что вы себя там узнали! Подобие тянется к подобию!

8. Везунчик.

Знайте! Это вам подсказала собственная лень, дорогой вы мой!

9. Счастливчик.

О! А это уже зависть взвыла благим матом!

10. Молодец.

И Вы молодчина!!! Так держать! Было бы побольше таких, как вы!

Ну что, продолжим?

Для того чтобы стать богатым, нужно не только иметь собственное мнение, но и желание, стремление трудиться!

Потому что «иметь собственное дело» означает, что вы должны пахать, пахать и пахать. А это пугает, не так ли?!

Давайте посмотрим, что есть противоположность «пахоте».

Пристроился под мышку какой-нибудь организации – сидишь там, время от времени получаешь свою зарплату. Тепло, светло, и мухи не кусают!

Но...

Запомните: сидя на зарплате, вы никогда не сможете стать богатым, потому что полностью зависите от своего окружения.

Получая фиксированную сумму, вы получаете возможность реализовать свою мечту: не думать, не шевелить тем местом, к которому прикреплены ноги...

Утром встали, намалевали себе умное личико и цок-цок-цок – пошли на службу. Целый день сидите, делая вид, что работаете. Потом цок-цок-цок – обратно домой. Ну, еще по дороге в магазин зайдете.

За вас кто-то думает, за вас постоянно кто-то что-то... Вот это ложное чувство отсутствия ответственности за свою жизнь и приводит к тому, что вы вечно живете в своих несбывшихся мечтах и ненависти по отношению к реализовавшимся людям.

Где выход?

А выход там, в утробе лени, где вы безмятежно покоитесь. Во всем виновата только лень – ни больше ни меньше!

Лень в желании познать окружающий мир в целостности, со всеми его достижениями и несовершенствами, со всем его рынком и бизнесом.

А для того, чтобы увидеть мир целостно, надо работать над собой, надо знакомиться с самим собой, надо познавать себя. Что, опять лень?

Сидя на берегу, не научишься плавать. Не занявшись делом, не узнаешь, на что способен.

А открывать собственное дело – это как раз и означает преодолевать тот страх перед миром за пределами «обломовского» дивана, который и создает лень.

Заставили себя быть свободным от привычно-уютной подушки – на день, на час, хоть на пять минут? Значит, очередную зону освободили от лени, значит, вы действуете, вы живете!

Пока вы не начнете побеждать лень ежедневно в мелочах, во всех ее проявлениях – забудьте о любом достатке, забудьте о любой духовности, о любом богатстве.

Вы можете сейчас возразить:

– А меня материальная сторона не интересу-у-ет, я хочу заниматься чистой духовностью!

Ну и дурак! Это первая реакция самого ленивого человека, который занимается самообманом!

Ваше сострадание, ваши восклицания: «Я не хочу, чтобы в мире были войны, чтобы в мире была нищета, чтобы в мире было насилие!» – ничего не стоят!

Хоть миллион таких как вы, громко пищащих сострадальцев, поставьте по одну сторону баррикады или на одну чашу весов – толку от этого не будет.

А вот всего лишь одно душевно черствое, но материально состоятельное «существо» может сделать для народа гораздо больше, чем всеобщий рев, миллионная демонстрация «высокодуховных» людей. Вы согласны?!

Наша задача на сегодняшний день – сделать так, чтобы этот человек с высокими помыслами, который в вас находится, имел еще и материальную власть. Только тогда он сможет противостоять злу, насилию, несправедливости!

Беззащитная доброта, беззащитная любовь, сострадание, не подкрепленное материальной поддержкой, выглядят очень жалко.

Представьте себе, вы висите над пропастью, еле хрипя от изнеможения: «Помогите…»

Приходит человек и, истерично заламывая руки, обращается к Богу:

– Господи, ну помоги этому несчастному грешнику!

Смотря на вас глазами, излучающими доброту, с отчаянным состраданием будет шептать:

– Я так сочувствую твоему горю и все-все понимаю… Надейся на лучшее! Держись – и не вздумай опускать руки! Бог всем помогает! Проси, и тебе будет дано! Стучи, и да откроется тебе!

После своей тирады с чувством исполненного долга он уходит – пора трапезничать. А вам стало от этого легче?

Вот что такое духовность в чистом виде.

Если бы этот человек вначале протянул руку и вытащил вас из пропасти, а потом сказал бы все, что хотел сказать, вот тогда это – духовность в сочетании с материальностью.

Давайте сейчас взглянем на представителей чистой духовности!

На секундочку остановитесь, и подумайте… Кто вам в голову приходит?

Священники

Монахи

Отшельники

Бабушки в храмах

...

Я с вами абсолютно согласен. Что бы эти люди в жизни ни делали, очень часто они следуют зову сердца.

Может быть, у вас другое мнение о них, исходящее из встречи с каким-нибудь исключением из общих правил. Но одна паршивая овца – еще не все стадо!

Давайте рассмотрим одного представителя духовности под микроскопом с позиций добра и зла.

Монах.

Здесь у вашего покорного слуги есть право иметь свое мнение, потому что сам являюсь странствующим дервишем.

Почему выбрал этот путь? Потому что духовность для меня является началом всех начал! Это первая ступенечка, с которой начинается моя жизнь.

Но это не является истиной для вас. Почему?

Потому что ваш путь – это другая лестница с другими ступеньками.

И мы все когда-нибудь придем к одной и той же Истине, дай Бог! Просто разными путями...

Так вот, у меня был выбор. Я мог бы уйти в монастырь, но мои Наставники сказали:

– Сынок, ты можешь уйти в затворничество, думая о себе, о чистоте своей души и ее спасении, но на этом твой род закончится.

Что сказал Господь? «Я для тебя создал землю, горы, моря, леса, луга и живность. Плодись и размножайся».

Так найди же свою дорогу, которая не нарушает эту Божью заповедь, сделай так, чтобы ты мог искать свой духовный путь, но при этом размножался, трудился и с благодарностью отведал все плоды, уготованные людям.

Нам дано все одновременно.

А это значит, что каждая составляющая этого является значимой, имеет Великий скрытый смысл.

И ни одно из них мы не имеем права упускать из поля своего внимания – мы должны развиваться во всех направлениях.

Так что давайте дружно трудиться, познавать добро, умножать его в духовном и материальном плане и передавать по наследству своим детям, внукам, правнукам и дальше по эстафете!

Мои родимые! Волей-неволей как-то незаметно для себя переключился на духовность, а это для меня святая святых.

Исходя из того, что мы сейчас говорим об успехе, думаю, что эти рассуждения могут быть вам не нужны.

А сейчас усилием воли мне предстоит снова переключиться на лень-матушку...

Раз вы сидите в кресле и мечтаете, значит, между вашей сегодняшней реальностью и планами есть огромное расстояние.

И чтобы ваша душа не скребла теркой по нервам, эти проекты следует материализовать, воплотить в реальность.

Вы желаете добра себе, своим детям, своим близким, на худой конец, всем людям, но...

Учтите, как только вы начнете двигаться по пути созидания, за каким-нибудь углом вас будет подстерегать пресловутая маменька-лень.

Поняв, чего вы желаете, она тут же хлопнется в обморок, а очнувшись, начнет копаться в своем огромном мешке. В его недрах отыщет профессорскую мантию, натянет ее на макушку и начнет вкладывать в вашу головушку более легкие способы решения всех проблем:

– Купи лотерейный биле-е-тик!

– Стань археологом – ищи кла-а-д!

– Узнай в адресном бюро последнее место жительства Аладдина!

– Сходи в казино или сыграй в лохотрон!

– Найди спонсора! Услуга за услугу!

– Зачем работать?! Обчисти банк, и дело с концом! Найми медвежатников и скажи им: «Вы сходите на дело, а я здесь подожду. Деньги пополам!»

– Найди умного человека, пристройся к нему сзади – заместителем!

– А еще лучше – иди в какую-нибудь организацию, где много-много людей, где никто не узнает, что ты существуешь. Они будут думать о работе, об увеличении доходов, благосостояния, зарплаты, и тогда тебе тоже немножко перепадет.

А если вы вдруг отважитесь сказать своей лени в лицо такую несусветную глупость, что *хотите трудиться, а уж тем более открывать собственное дело*, то в ответ обязательно услышите:

– Деньги! У тебя нет денег! Вот если бы у тебя был миллион в кармане, вот тогда-а!..

– Знания есть?! Нема! Сила воли? Дефицит! Идея?.. Да от тебя самого только одна идея и осталась!

– Есть родственники в правительстве? Не-е-т?! Тогда сиди тихо!

– Отличная мысль! Но вначале сделай вот это и вон то и хорошенько выспись. Потом встань и отдохни несколько лет!

– Ты – всего лишь маленький ничтожный человечек, от тебя ничего не зависит, ты не сможешь!

– Умник... Ну ты ваще! Тяпни успокоительного! Все пройдет!

– Ну ты, идиот, и размечтался!

И т.д. и т.п.!

– Господи! – взмолился как-то один правоверный. – Я столько лет молился тебе, исполнял все заветы... Так может, Ты пошлешь мне крупный выигрыш в лотерее?

И был ему Глас, и сказалось, что исполнится все по вере Его.

Миленькие вы мои, дорогие мечтатели! Расскажу вам на ночь длинную, стра-а-ашную и одновременно весёлую сказку.

Ложимся на свою родную пролёжанную «анатомическую» кроватку с панцирной сеткой и ме-е-дленно, споко-о-йно закрываем глазки... Руки складываем лодочкой и бережно кладём их под щёчку...

Сказка называется, сказка называется... называется сказка...

Но ничего так и не получил правоверный.
– Как же так, Господи? – обиделся он. – Ведь договорились же!
И был ему Глас Небесный снова:
– Ну ты хоть лотерейный билет-то купи!..

РАБОТАТЬ НАДО!

А-а-х, отчего вы так испуганно вытаращили глазки?! Не пугайтесь, не пугайтесь... Это только начало!

Вот сейчас позову Бармалея, пугнет он вас на свой разбойничий манер – и тогда вы еще оцените качество отечественных памперсов!

...А я уже вот он тут! И вообще я всегда где-то поблизости от тех мест, где водятся сладенькие лентяи и лентяйки!

Да и лень-матушка тоже находится рядом всю нашу жизнь, как заботливая мамаша, и неотступно сопровождает нас в любом деле и безделье.

В древние времена, бывало, забьют мамонта, по частям мясо в пещеру перетащат – и все довольны и радостны. Пообедают и занимаются сексом либо наскальными рисунками – сообразно текущим потребностям.

А нынче?

Да случись охота даже и не на мамонта, а хоть на его правнучка-слоника, человеку придется организовывать целый процесс – бегать оформлять право на ношение оружия, лицензию на отстрел...

А потом заказывать автокран для подъема туши, подгонять грузовик, делать санитарный анализ мяса и подыскивать для него соответствующее (не пещерное) хранилище... Не говоря уже об оплате всех этих услуг.

От непосредственной физической нагрузки нынешний человек, может, и освобождается, только вот хлопот меньше не становится. Где уж после всей этой маеты активно заниматься... наскальной живописью.

Вот почему хороших художников так мало!

Количество лени во всех людях-человеках примерно одинаковое. Мы проводили исследования – примерно десять килограммов живого веса приобретается именно по «ленивым причинам».

Но есть существенная разница в том, как с этим поступать. Одни научились свою лень приручать и держат ее под контролем, другим это удается эпизодически, а третьи и вовсе пали в неравной борьбе и просто тихо плывут бревнышками-топляками по течению жизни.

Те, кто подружился со своей ленью, живут с ней в душевном комфорте.

И за долгую супружескую жизнь породили много ленят!

Те же, кто не нашел с ней общего языка, каждый день в мучительной борьбе преодолевают свое «не хочу».

> — Как ты можешь быть таким ленивым? — говорит один мужчина другому. — Ты проводишь весь день во сне. У тебя могла бы быть семья, ты мог бы иметь детей, которые бы работали. Это что, так трудно?
> — Да, — говорит первый. — Ты прав. А ты не знаешь, где бы мне найти беременную женщину?

Вам необходим толковый рецепт, как сократить уровень лени в крови?

Но для чего?

Давайте сначала разберемся, чего же на самом деле вы хотите.

Лень мешает ходить в спортзал? Так и сидите себе мягкой попой на уютном диване перед ненаглядным телевизором! Любовно отращивайте свой слоистый толстый живот и апельсиново-нежные целлюлитные корочки...

Что, у мужчин не бывает целлюлита? Да от лени еще и не такое случается!

Заодно тщательно изучайте собственную аритмию от малой подвижности или от «ленивых» тромбиков и бляшек на пути кровотока. Зачем куда-то ходить, когда телек рядом — весь мир покажет...

Передовые средства массовой информации (в простонародье — СМИ) ежедневно рассказывают нам обо всем, что происходит вокруг, и нежной пережеванной кашицей кладут в ротик: «Пожалуйста, кушай и не напрягайся, получай все свежие новости с готовыми старыми выводами».

Они отучают нас думать, заставляя тупо потреблять.

Главный в семействе СМИ – это телевидение. Здесь даже буквы знакомые искать не надо: глазки раскрыл, ушки развесил – и вникай, что тебе дикторша сейчас объяснит.

Раньше граждане имели прекрасный способ сопротивления нудным и бестолковым передачам – под них так быстро и сладко засыпалось, помните?

Причина проста: а просто лень было оторвать от ложа свое благородное седалище и прошествовать от тахты до телевизора, чтобы переключиться на другую программу.

Теперь все куда комфортнее. Можно не шевелиться часами, в организме все покрывается неподвижной плесенью, только один-единственный палец бегает по пульту. Да воспаленный мозг постоянно надеется найти что-нибудь полезное на очередном телеканале...

И бегут дорогие часы жизни в этом бесплодном поиске.

В фантастических романах главное – это было радио. При нем ожидалось счастье человечества. И вот радио есть, а счастья нет...

Илья Файнзильберг,
один из подлинных авторов
«Золотого теленка»

Владимир Козьмич Зворыкин, которого называют «отцом телевидения», умер в американском городе Принстоне в 1982 году, не дожив всего один день до своего 93-летия.

(Вообще-то у этого дитяти двадцатого века всяких «отцов» существенно больше, чем у того же радио. Удивительная же наука генетика! Не зря ее то и дело объявляли ложной.)

Удачливый в жизни, Зворыкин в старости частенько поругивал свое «дитя» за то, что главной его задачей стало развлекать зрителей, щекотать им нервы, а не обогащать знаниями и приобщать к достижениям человеческой культуры.

Мы тоже часто ругаем телевидение, но почти в каждой квартире на почетном месте стоит этот культовый аппарат, ставший неотъемлемой частью нашей жизни.

Вот вам новый анекдот из Дома престарелых. По нему вы можете определить свой возраст. Если вы его знаете, значит вам давно пора!..

Встретились два друга, которые давно не виделись. Один другому говорит:

— Вась, а я телепатии обучился. Мысли могу на расстоянии передавать.

— Да ладно тебе. Не верю я в это.

— Не веришь?! А я тебе сейчас докажу.

— Да брось ты.

— Вот смотри. Сейчас из того окна, напротив, выкинут телевизор.

Встал, оперся о подоконник, сосредоточился. Вперил взгляд в окно напротив и напрягся. До того напряг-

Для большинства телевизор – это уже наркотик. А в чьих руках «доза», тот и управляет зависимыми.

Мы не будем призывать игнорировать «чудо двадцатого века». Ведь откажись мы от него, что тогда останется, в самом деле – неужели же ходить в музеи да театры или в спортзал?

Или вовсе тратить время на книги, путешествия, занятия любовью, воспитание детей?

Нас этим странным занятиям в детстве очень мало учили. Зато с пеленок перед телевизором сажали, чтобы внимание отвлечь, если дитя плохо кашу ело.

Потом разгоралась страсть к мультикам, чуть позднее – подростковое любопытство к интимным взрослым передачам.

И вырос уже не человек, а какой-то «телепузик» (ну ясно: ведь бытие-то перед телеком сидячее!), не представляющий себе жизни без телевидения, навсегда зависимый от голубой экранонаркоты...

Это, разумеется, хоть и распространенная, но все же крайность – вроде алкомании и наркоголизма.

Но не менее часты и случаи, когда лень мешает изучать нужную профессию.

ся, что глаза из орбит вылезать начали.

– Да ладно, брось ты это. Все равно ничего не получится.

Тот молчит. Только напрягается все сильнее.

– Да отдохни ты.

Тот – еще сильнее.

Вдруг распахивается напротив окно. Оттуда высовывается весь взлохмаченный, потный человек и орет диким голосом:

– Ну нет, нет у меня телевизора!!!

Поэкспериментируем над собою... то есть, конечно, над вами.

Садимся на стул, спина прямая. Расслабились. Берем какую угодно книжку по бизнесу и начинаем впитывать знания, т. е. впитываем потрясающую культуру экономических знаний, накопленных прогрессивным человечеством.

Получается? Нет?

Ах, дома нет ни одной подобной книги? Да откуда же ей у вас взяться?.. Тогда закрываем этот наш трактат и идем покупать что-либо – по вашему вкусу, но обязательно с умными словами...

Спасибо, что вы хоть что-то приобрели! Пусть это будут первые книги по вашему новому хобби (если не экономиста, то, по крайней мере, гурмана).

Только, чур, не просто перелистывать, а попробовать освоить хотя бы пяток страничек!

А чтобы процесс становления воли против лени не был прерван сном заскучавшего разума, чуть погодя мы с вами повторим кое-что из нашего наследия, сформулированного когда-то прежде – в других местах, временах и книгах.

Ведь повторение – мать его... учения!

Ну, и что же все-таки будем делать, голубчик? С ленью-то?

Попробуем рассмотреть на примере одного выдуманного образа вас и вашу «вторую половинку».

Вот, представьте, вы сумоист (не думайте, что я на ваши жировые складки намекаю, просто это образ такой – крупный и выпуклый!).

Ах, да, если кто-нибудь не знает, что такое СУМО, объясняю.

Это такой вид национальной борьбы, японской, когда два мужика вначале себя откармливают, на протяжении нескольких лет, а потом на татами своими жирами трясут. Кто испугается и убежит, тот и проиграл.

Так вот...

Вышли вы на татами. Перед вами – лень размером с бегемота. И ваша задача – вытолкнуть свою толстую противницу за пределы круга.

Тренируйтесь постоянно, потому что на бой вы будете выходить каждый день, причем много-много раз.

Но лень-то, не будь дурой, тоже постоянно набирается опыта, ума и жира и вполне может вас когда-нибудь победить.

Могу ли я сейчас сказать несколько слов без маски клоуна, как тренер по восточным единоборствам?

Очень серьезный момент!

Одного из великих Мастеров, имеющего черный пояс, десятый дан по каратэ, спросили:

– Если против вас выйдет противник с намерением убить, что вы сделаете?

– Я попытаюсь с ним подружиться, – ответил он.

– Если против вас выйдут пятеро и никакие переговоры не помогут?

– Я убегу!

– Но если против вас будут стоять десять человек, готовых убить вас?

– Я спрячусь!

– А если они найдут вас?

– Я буду вынужден их убить...

Поймите, Высшие Мастера всегда, при любых обстоятельствах уходят от бессмысленной драки. Драка – это понятие из животного мира.

Поэтому прочтите эти строки своей лени.

Она ведь у вас одна! Не надо с ней сражаться, ведь бить ей морду – это признак слабости.

Самый лучший способ победить врага – сделать его ДРУГОМ.

Лень есть у всех, и значит, Бог дал нам ее для каких-то целей.

Подружитесь с ней – и она вас поймет.

Выделите один-два дня на неделе, в которые разрешите лени полностью овладеть вами. И тогда «ленитесь» на здоровье с утра до вечера.

А в другие дни за любые нарушения договора со стороны лени дайте ей в пятак. Она, как истинный друг, не обидится на ваш дружеский тумак.

Вопросы на сообразительность

1. От чего зависит степень доверия к фактам, сообщаемым средствами массовой информации?

2. Что нужно сделать, если вы устали думать?

3. Каков главный результат благотворительности?

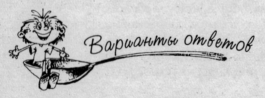

Варианты ответов

1. а) От количества выпитого!

б) От знания этих фактов: чем больше знания, тем меньше доверия.

2. а) А что тут думать-то? Надо срочно перестать думать!

б) Перейти к выводам.

3. а) Благотворительность – она и есть благотворительность.

б) К ней быстро привыкают!

О счастье от жадности _____

Счастье и трудовой пот имеют один молекулярный состав.

Нахимичил в свободное от шизики время!

А теперь замолвим слово о счастье.

Объяснять, что это такое, может взяться только коренной обитатель спецбольницы.

Счастье – это когда у тебя все дома!
Детский мультфильм

Представление о счастье у каждого сугубо свое. Для кого-то это – кусок хлеба, для кого-то – кусок Вселенной.

Но для полного счастья всегда не хватает остальной части!

Для кого-то счастье – улыбка ребенка, а для кого-то – горе соседа.

Стало быть, обсуждать, что такое счастье – незачем, народонаселению этот термин и так давным-давно ясен, как нечто абсолютно **положительное.**

Пустыня на берегу моря. Из песков выползает изможденный человек и бросается к морю с одурелым воплем:
– Вода-а-а!!!
А с другой стороны к береговой линии подплывает дряхлый плот, и совсем уже скелетообразный субъект счастливо хрипит:
– Земля-я-я...

О счастье народов и наций радеют вожди и парламенты (до **выборов!**), правда, за зарплату – то есть за деньги этого же самого народа. Тут все в порядке, все по-взрослому (**и по интим-согласию!**): терпеливо ожидаются итоги и не угасает надежда на светлое будущее.

Мы же попробуем поговорить о счастье своем, личном, небольшом, частном и индивидуальном. Когда оно от тебя только и зависит.

Если у тебя нету дома, пожары ему не страшны, и жена...

Ты мечтаешь о доме, до тех пор, пока его нет. Если нет авто, мечтаешь о нем. Того, чего не хватает, того и жаждешь. Пока жена еще не ушла к другому, ты можешь об этом только мечтать.

Представьте, что цель достигнута. Дождался!!!

Сидит милиционер в постовой будке, от скуки мух давит. Вдруг попалась ему золотая муха и взмолилась:

– Не дави меня, ментовская рожа! А я выполню три твоих желания!

Милиционер и говорит:

– Хочу на необитаемый остров!

Смотрит – точно на острове!

– Во-вторых, хочу, чтобы были женщины, водка и веселье.

Глядь – и это исполнилось!

– Ну а в-третьих, сделай так, чтобы я ничего не делал, а деньги получал!

...Сидит милиционер в постовой будке и от скуки мух давит.

К вам опять пришли мысли, что счастья маловато?.. Что ж, давайте прибавим... И доведем его количество... ну, например, до 175 кг в одни руки.

Или еще больше?

Нет, пожалуй, в килограммах счастье не измерить – будь это даже килограммы золота.

А в чем же тогда? В градусах, литрах, штуках или миллиметрах ртутного столба? И сколько его надо современному индивидууму?

Умники говорят, что его нужно **в меру.** А единиц этой меры не приводят. Круто, да?!

Кто-то считает, что чем больше, тем лучше.

Вот и отмеряет себе каждый длиной своего миллиметра и взвешивает весом своего килограмма. Кому-то достаточно одного «Жигуля», а кому и пары «Мерседесов» мало. Некоторым одна жена – предел, другим обязательно нужен гарем.

Вот сейчас расскажу очень новый анекдот, который сегодня ночью услышал от Шахерезады Харун ар-Рашидовой.

Султан выходит к своему гарему и объявляет:

– Милые жены, на следующей неделе к нам в гости приглашен еще один гарем.

Жены возопили в один голос:

– О, наш повелитель, неужели ты нами недоволен, неужели мы недостаточно ублажаем тебя?

– Да нет, все нормально. Сказал же, в гости. Групповуху хочу попробовать.

Отступим чуть в историю.

Народ и в те дремучие времена так же хмурил лбы над этими же вопросами. Некоторые постигли великую мудрость – **количество счастья не всегда равно количеству амбаров.**

Но эту истину так и не смогли передать другим...

Чем имущества больше, тем больше и хлопот.

Наиболее внимательные отметили, что когда из жизни уходит очень зажиточный человек, среди его потомков часто

Банкир диктует завещание:

«Моему кузену Августу я оставляю акции и владения на побережье... Моей верной кухарке Минни – резиденцию в Палм-Бич... Моему же племяннику Бил-

возникают обиды из-за несправедливо, с их точки зрения, поделенного наследства...

Вспомним Садко из русских былин: искать счастье он отправился за моря. Долго искал. Возвратился. Спрашивают земляки:

— Ну, нашел ты птицу счастья? Покажь-ка!

— Да вот же она — земля родная!..

Они смотрят и не понимают.

— Где?!

— Да прямо перед вами, под ноги посмотрите. Родная земля!

— Ну ни хрена себе! За каким же ... мы тебя посылали, дубина ты с гуслями!..

Непонятно им это. Они же в его приключениях не участвовали!

Может, счастье в профессии? Тогда кто счастливее: летчик-высотник или моряк-подводник?

В детстве мы были абсолютно уверены, что самый счастливый человек — продавец мороженого. Ну и представьте, что шли вы все время к этой именно цели. Пришли. Пялитесь на ящик с мороженым, внутрь заглядываете:

— Где ты, счастьице искомое, долгожданное? Ау! А-у-у!! А-у-у-у-у-у!!!

Нету счастья. А казалось таким близким, таким возможным...

Так что профессия или, скажем, внешние данные, а может быть, и состояние здоровья (продолжите скорбный наш список сами) ничего толком не определяют, когда речь идет о счастье человеческом!

И где же и в чем именно искать критерий счастья?

лу, который всегда утверждал, что главное — здоровье, а не богатство, я завещаю свои спортивные туфли».

По исследованиям ЮНЕСКО, на 2003 год самым счастливым народом в мире являются кенийцы. На втором – венесуэльцы. А также почетное второе место – у жителей России. Только от конца.

Умненький вопрос: кто из этого трио богаче живет?

Быть вечно недовольным достигнутым в науке и технике очень полезно. Это же качество в жизни приводит счастье к летальному исходу.

Это характер, родной мой, характер, сформированный в условиях длительного отсутствия солнечных дней в году!

В России живут чистокровные потомки Евы – им всегда всего мало и все плохо! Неспроста здесь самый почитаемый человек – битый. Говорят же – «за одного битого двух небитых дают»!

Значит, дорогой мой, если я – бомж, а вы – миллиардер, но я при этом чувствую себя счастливым, а вы – нет, значит, я счастливее вас!

Научное резюме: *счастье ни в доме, ни в работе, ни в деньгах, ни в жратве не найдено. В чистом, рафинированном виде оно там не водится.*

Значит, оно живет в душе!

Возможно, сегодня для большинства счастье следует измерять в рублях или в «зеленых»?

Вот, например, Шура Балаганов из «Золотого теленка» Ильфа и Петрова точно знал, что «для полного счастья ему нужно шесть тысяч четыреста рублей» и что с этой суммой ему «будет на свете очень хорошо». А получает он от Остапа Бендера полсотни тысяч разом. Значит – вот он, о счастливчик, прямо перед нами, да еще и многократный?!

У меня две коровы вместо одной стало. Теперь я вдвое счастливее буду!

Кот Матроскин

Увы! То ли Бендер недоплатил, то ли Шура «недозаказал», а только ведь не хватило ему пятидесяти «штук» для счастья: тут же и польстился в трамвае на трехрублевый пролетарский кошелек...

Выходит, и не в деньгах счастье?..

Впрочем, «обнародненная» мудрость утверждает чуть иначе: «Счастье не в деньгах, а в их количестве».

А экономика уточняет: это самое «счастливое» количество денег должно соответствовать уровню твоего делового развития. Иначе ты – как недогруженный корабль, попусту сжигающий в море горючее, или перегруженная баржа, тонущая от первой же крутой волны...

«Не думали мы еще с вами вчера, что нынче умрем под волнами» – прямо как в песне... Хотя вот великий врачеватель и философ Востока Авиценна в своих трактатах поведал нам, что одно из самых сильных средств для саморегуляции человеческого организма – это как раз пение!

Так что денег нужно ровно столько, чтоб карман по ним не тосковал, но и душа при этом хотела песен.

Итак: для счастья необходимо столько имущества, успехов в любви и здоровья, чтобы плыть по жизни, как пароход – не порожняком, но и не перегруженным.

Так что не забывайте следить за ватерлинией!

А если «вы хочете песен – их есть у него!» – у того, кого и представлять-то не надо, – у Мирзакарима Норбекова...

Лирическое выступление на вашу голову!

Великие гении не любят повторяться, вот именно из-за этого они и великие!

Но, к сожалению, ваш покорный слуга перерос величие и мне уже просто нечего сказать в этой главе! Вот потому разрешите спеть старую песню на новый лад.

У каждого человека есть жадность, которая приводит к несчастью. Но противоположность жадности есть расточительность, и она тоже приводит к несчастью. Ищем золотую середину!

Но прежде попробуем определить, есть ли у вас такой комплекс неполноценности, как жадность.

Допустим, вы купили какой-то товар. Например, автомобиль, о каком мечтали. Через месяц смотрите – вышла другая, улучшенная модель.

Теперь на свою крутую тачку вы будете смотреть с унынием, как на источник своего несчастья, и каждый день бывшее «счастье» будет немым укором мозолить вам глаза: «Дурак ты, дурак, ведь есть же еще большее счастье!»

И ваша погоня за этим эфемерным элементом никогда не остановится. Это касается абсолютно всех и абсолютно во всем.

Допустим, вы – дамочка. И купили бриллиант, о котором мечтали. Но посмотрите, в состоянии ли вы выкупить все бриллианты, более чистые, более красивые, большего размера?

Не можете?

Значит, покупая этот бриллиант, вы покупаете себе огро-о-мную нехватку счастья.

Приобретите трехмачтовый дом на воздушной подушке с ежедневно меняющимися внутри него собственными супермаркетами.

Уверяю вас, даже этот супердом в сравнении с вашей неодолимой тягой к дому идеальному вскоре покажется вам малю-ю-сенькой песчинкой, залегающей где-то гораздо ниже фундамента.

А вам ведь нужна громадная Сахара таких вот песчинок, чтобы утолить жажду в абсолютном счастье.

Значит, опять недобор получается.

Потребность в счастье никогда нельзя удовлетворить через материальное. Простите за такое безапелляционное утверждение.

Только получая что-то, невозможно добиться счастья. Получая, мы становимся счастливыми только наполовину, а вот отдавая, обретаем вторую половину счастья.

Важен именно обмен. Вот тогда возникает гармония.

Как сказал Бернард Шоу, «если у вас есть яблоко и у меня есть яблоко и мы обменяемся этими яблоками, то и у вас и у меня по-прежнему будет по одному яблоку. Но если у меня есть идея и у вас есть идея и мы обменяемся идеями, то у вас будет две идеи и у меня будет две идеи».

Материальное благо получаем, материальное благо отдаем. Духовное благо получаем, духовное благо отдаем. И вот когда при таком обмене мы достигнем состояния гармонии, это и будет стартом в совсем другие измерения жизни и бизнеса.

И тогда, за что ни возьметесь, все у вас получится, потому что каждый человек инстинктивно тянется к хорошему.

Скажите, пожалуйста, а кому не хочется быть поближе к источнику счастья, доброты, благополучия?..

В результате окружающие будут предлагать вам поддержку только ради того, чтобы находиться рядом с вами.

Основа любого большого дела, любого бизнеса – это пожелание добра каждому, с кем вы будете встречаться ежеминутно, ежечасно, ежедневно.

Если же вы будете алчно смотреть на других, относиться с неприязнью к себе или чувствовать себя несчастным, ваш бизнес станет активно приумножать и накапливать это состояние.

Люди станут вас избегать, а провалы могут следовать один за другим.

Тут, конечно, многое зависит и от ваших партнеров.

Но если вы будете **относиться к другим так, как они того хотят, а не как вам угодно**, многое начнет складываться как бы само собою. Стало быть, необходимо стать еще и привлекательным.

Ваш боевой, победный настрой облегчит труд, а личный бодрый положительный пример повысит эффективность работы окружающих.

И не только внешне...

Ну а где же та точка опоры, из которой вырастает Победитель?

Она – внутри вас!

*Каждый человек по природе своей – Буд-
да. Но не каждый это сознает!*

Буддийская мудрость

Остается лишь произвести «внутренние раскопки» и предъявить себе и миру, что же именно составляет ваше подлинное индивидуальное внутреннее сокровище, а что без сожаления можно отбросить как внешнюю шелуху и упаковку.

Вопросы на сообразительность

1. Что делать, если хочешь жить в согласии с врагом?
2. Утверждают, что самолет изобрели оптимисты. А что же тогда изобрели пессимисты?
3. Автогонки проводились с весьма оригинальным условием: выигрывает тот автомобиль, который придет к финишу последним.

Машины двигались черепашьим шагом – каждый из гонщиков боялся обогнать соперника. Но судья шепнул гонщикам пару слов – и машины помчались к финишу полным ходом!

Что же он предложил?

Варианты ответов

1. а) Записаться в политики!
   б) Соглашайся.

2. а) Зенитную ракету!
   б) Парашют.
3. а) Напоить всех слабительным!
   б) Поменяться машинами.

Откуда берутся...

ЦЕЛИ

И вот решил однажды бедный феллах стать богатым...
...Да так и умер бедным

«Сказки 1002-й ночи»

Большинство людей живет так, словно они будут находиться в этом мире вечно. Они совершают такое количество ненужных действий в попытке достичь личного счастья, что почти всегда остаются у развалившегося корыта!

КПД их жизни, как у мыши – самого суетливого и нерационального существа на Земле.

Всегда существуют кем-то установленные правила, в какой-то степени управляющие нашей судьбой. Но как только в жизни происходит какое-нибудь значимое событие, все выстроенные до этого приоритеты рушатся порою, как карточный домик.

Если вдруг вам станет известно, что в вашем распоряжении осталось всего несколько месяцев жизни, о чем вы будете беспокоиться?

Будет ли вас волновать годовой процент в банке, баланс кредитки или какая футбольная команда станет чемпионом?..

Вряд ли!

Скорее всего, вы кинетесь со всех ног пересматривать список своих ценностей и оставите в нем только то, что имеет для вас истинное значение.

Не будем заниматься словоблудием, сразу приглашаю вас на экскурсию внутрь самого себя!

Вот вам упражнение для сортировки ценностей жизни!

Для выполнения задания вам понадобятся следующие инструменты:

1) пачка писчей бумаги
2) карандаш
3) линейка
4) желание, сдобренное любопытством
5) остаток ума (предварительно стряхните с него плесень стереотипов!) и...
6) чуточку терпения!

Приступаем!

Перед собой положите лист бумаги. Глаза приведите в крабовидное состояние, и радостно представьте, что провести на этом свете вам осталось... огромную жизнь! Одним словом, впереди – Вечность!

Войдите в роль и напишите, чего вы от жизни хотите!

В вашем распоряжении одна страница. Знаю, что это мало, но выделять больше места мне жалко!

Подумайте, прочувствуйте и напишите, пожалуйста, все мысли и желания, которые в вашу голову забредают каждый день!

В каждой строчке – не больше трех слов, но и не меньше трех букв...

Не заполнив весь список, не переходите к следующей странице!

Почему?!

Мне хочется, чтобы вы получили пользу от книги!

Итак: **Упражнение № 1**

1. _____
2. _____
3. _____
4. _____
5. _____
6. _____
7. _____
8. _____
9. _____
10. _____
11. _____
12. _____
13. _____
14. _____
15. _____
16. _____
17. _____
18. _____
19. _____
20. _____
21. _____
22. _____
23. _____
24. _____
25. _____
26. _____
27. _____
28. _____
29. _____
30. _____
31. _____
32. _____
33. _____
34. _____
35. _____
36. _____
37. _____
38. _____
39. _____
40. _____

Все, хватит с вас! Все равно вы ничего не заполнили...

Заполнили? Тогда низко вам кланяюсь!

О, извините! Кажется, стукнулся лбом о ваши модные тапочки.

Поздравляю вас: вы только что познакомились со своим бредом.

А теперь придется вам ступить на путь великого актера всех времен и народов!

Сядьте, ссутулясь, живот выпустите из рамок приличия. Дышите прерывисто, искусственно всхлипывая и хлюпая...

Закройте глаза и представьте, что врач сообщил вам пренаиприятнейшее известие – мучаться осталось недолго – всего год, или 365 дней.

Войдите в это состояние, прочувствуйте!

Хотя по собственному опыту знаю, что реальность и представление – это абсолютно разные вещи! Дай Бог, чтобы у вас этого по-настоящему не было!

Итак...

У вас есть год. Напишите десять главных задач, к которым вы могли бы приступить сегодня же.

Упражнение № 2

1. _____
2. _____
3. _____
4. _____
5. _____
6. _____
7. _____
8. _____
9. _____
10._____

Ну а диагноз к тому, что вы здесь написали, поставим на следующей странице.

Диагноз: в этом упражнении вы изложили третьестепенные задачи своего бытия.

А теперь усложняем задачу!

Представьте, что жить осталось месяц. Пересмотрите свои желания: что бы вы могли реально сделать за это время?

Упражнение № 3

1. _____
2. _____
3. _____
4. _____
5. _____

И опять грозное предупреждение: любопытство не порок, но большое свинство! Поэтому, не выполнив это упражнение, не забегайте вперед!

На предыдущем листе вы написали свои цели с мусорными вкраплениями второстепенных задач. Ну а сейчас перейдем к главному.

Попробуйте прочувствовать безумно сложную задачу: вам осталось жить ОДИН ДЕНЬ...

Еще и еще раз пересмотрите в сознании задачи своей жизни, отберите три самых важных, которые вы действительно могли бы назвать целью всей жизни.

1. _____
2. _____
3. _____

Написали?

Прекрасно! Вот это и есть цель вашей жизни! На этом наше общение заканчивается. Пока.

Встаньте, пожалуйста, оденьтесь как следует и приступайте к осуществлению того, что написали! Время не ждет! У вас 24 часа!

Вопросы
на сообразительность

1. Чего нельзя починить никакими усилиями?

2. Последними его словами было: «Все против меня!» Чтобы это могло значить?

3. Как следует понимать фразу: «Смеется тот, кто смеется последним»?

Варианты ответов

1. а) Ничего.

   б) Того, что не сломано.

2. а) Он всю жизнь служил школьным учителем.

   б) Он выехал на полосу встречного движения.

3. а) Как опечатку, потому что в основном «хорошо смеется тот, кто смеется без последствий».

   б) Он не понял шутки.

Цельная натура,
или
Средство платежа одним куском

(буквальный перевод на современный русский язык)

Мне со мной не скучно!

Двуликий Янус –
сиамским близнецам

Ну что, мои дорогие! О счастье поговорили, жадность не упустили, о лени тоже словечко замолвили. Теперь настал черед одиночества – поболтаем о нем.

Об одиночестве мы с Геннадием написали в одиночестве! А потом сделали калейдоскоп. Что из этого вам нужно, то и берите.

Если наши мысли будут совершенно противоположными – это не оттого, что мы не согласны друг с другом, а просто одиночество каждый видит по-своему.

Пожалуй, благодаря своей временно приживленной нахальности, не спросив разрешения, возьму слово первым! С чего начать?

Давайте начнем с того, что составим список.

Сколько, по-вашему, существует разновидностей одиночества?

Одиночество отшельника, одиночество путешественника, одиночество пожилого человека, старой девы, бобыля...

В толпе, в незнакомой среде, перед смертью, в трагедии, в счастье, в печали...

Да их тьма! Этот список можно продолжать и продолжать!

На тему одиночества и путей его преодоления можно целый трактат написать!

«Черное», плохое одиночество трогать не будем. Поговорим лучше о «светлом» одиночестве. Вы не против по нему немножко попутешествовать?

У каждого из нас зона гармоничного одиночества ассоциируется с сугубо личными переживаниями.

Скажите, пожалуйста, когда бытовуха вас заедает, когда все вокруг достает и хочется оказаться подальше от суеты сует, от сотен этих бесконечных «надо!», где вы желаете оказаться?

С кем, в каком месте, в какое время года, в какое время дня?

То, чего вам в этот момент не хватает, о чем тоскуете, это и есть то, что является для вас счастьем!

Я расскажу о своем, иногда возникающем, ностальгическом наваждении.

В семи-восьми километрах от той деревни, где мы жили, когда я был маленький, раскинулась абсолютно недоступная для всех, но очень заманчивая страна. Каждой весной она перекрашивалась в красный цвет – на ее земле распускался фантастический ковер из маков.

Меня все время влекло туда какой-то невероятной силой, непостижимая тайна не давала мне покоя.

И вроде бы до этого места было рукой подать, но находилось оно меж двух опасных, стремительно несущихся каналов, которыми нас, детей, старшие всегда пугали.

Поверхность воды в этих идеально забетонированных каналах была гладкая, как стекло, лишь по краям виднелась рябь. Только по листикам или веточкам, которые неслись по воде как сумасшедшие, можно было догадаться о том, что скорость течения здесь огромная.

Единственный мост, который вел в эту сказочную страну, охранялся очень злобным мужиком, который ненавидел детей. Впрочем, наши чувства были взаимными.

Как только он видел нас, моментально свирепел. Высоко тряся своей грозной дубинкой и истошно вопя и улюлюкая, он начинал гоняться за нами.

Тогда он был для нас самым страшным человеком на свете!

Лет через двадцать после этого я случайно встретился с ним на одной свадьбе. С опаской сел рядом. И только тогда понял, что на самом деле он добрейший человек.

– А-а-а, хулиган, это ты! – узнал он меня. – Каким ты стал большим! Осталась у тебя привычка бегать без трусов?

Слово за слово, и я рассказал ему, какие сильные чувства к нему мы тогда испытывали. И что даже сейчас мой страх уменьшился совсем ненамного – мне все время казалось, что он сейчас достанет из-за пазухи свою палку и опять начнется гонка!

Он сначала посмеялся, а потом вдруг стал суровым и тихо сказал мне:

– Сынок, когда я только устроился туда на работу, я вот этими руками вытащил из реки несколько утонувших людей! Они иногда снятся мне до сих пор! И когда я видел, что орава детей приближается к воде, у меня сердце уходило в пятки! Я, кажется, орал от собственного испуга, боясь, что кто-нибудь из вас ненароком свалится туда!

Простите, немного в сторону ушел, просто хотелось объяснить, почему дорога в эту сказочную страну была закрыта.

И вот однажды рано утром, преодолев свой ужас, я решил переплыть канал.

Солнце еще не поднялось,ураганный ветер дул с востока...

Я стоял на берегу рядом с камнями, под которыми

спрятал свою одежду, чтобы ее не унес ветер. Стоял и колебался: залезть в воду или нет.

В конце концов понял, что если сейчас не зайду в этот поток, то в школу не успею к восьми утра. И... прыгнул!

Вода оказалась уж-ж-асно холодной! Я доплыл до следующего берега, но все попытки выбраться из канала заканчивались провалом – ухватиться, чтобы вылезти, было не за что. Вода уносила меня все ниже и ниже.

В конце концов мне повезло – уцепился за застывшие слои битума, которым были залиты стыки бетонных плит, и выкарабкался...

Сердце стучит, воздуха не хватает, зуб на зуб не попадает, но в душе такая радость – Я ЗДЕСЬ!!!

Нет слов, чтобы описать это состояние!

Перед глазами – бескрайнее поле красных маков, уходящее за горизонт, и солнце, наполовину поднявшее свою голову. Теплый ветер дует прямо в лицо, и кажется, что несется он прямо из самого светила. От его дуновения по цветам идут бесконечные волны! Красота и свобода!

Я бежал навстречу солнцу и ветру и визжал от восторга, как девчонка!

Помню, как мне тогда хотелось, чтобы рядом со мной были друзья, чтобы они тоже увидели, впитали в себя это что-то – непонятное, сумасшедшее, возвышенное, безграничное!..

Я точно знал тогда: если я сейчас побегу еще быстрее и чуточку подпрыгну, то непременно полечу!

Буду лететь стремительно, но невысоко – так, чтобы грудью касаться этих огромных прекрасных цветов...

Вдоволь набегавшись, как теленок, сорвавшийся с веревки, я возвращался в обычный мир.

Знал – мои одноклассники-первоклашки не придут сюда, как бы я их ни уговаривал. И вот для них собрал охапку ярко-красных сказочных маков.

Еле-еле выкарабкался обратно. Весь дрожа, кое-как натянул на себя одежду и бегом в школу, с букетом в руках.

Тогда узнал, до чего маки свободолюбивые.

За восемь километров, которые мне надо было преодолеть, на каждом шагу ветер уносил по красному лепесточку. Это было так больно!

Чтобы сохранить букет, я на бегу засунул его под рубашку.

Долетел до школы. Несусь по непривычно тихому коридору и понимаю, что мне сейчас опять достанется – опоздал!

Тихонько поскребся в дверь – никакого ответа! Заглянул внутрь: никого!

Оказывается, я пришел рано!

Поставил на учительский стол припасенную пол-литровую банку из-под компота, наполнил ее водой, бережно достал букет – и чуть не заплакал: в руке у меня осталась только куча голых стебельков.

На нескольких из них уныло болтались поникшие лепесточки. Я поставил их в самодельную вазу и сел ждать своих одноклассников.

Минуты тянулись, но никто так и не появлялся... В конце концов сообразил – что-то здесь не то! Пошел на разведку по школе, думая, может, все собрались на линейку в спортзале...

На одном из этажей встретил сторожа. Он расспросил меня, кто я и что здесь делаю, а потом рассмеялся: «Ох, какой ты отличник! Иди домой! Сегодня же воскресенье!»

На второй день я опять пошел в свое заветное место... И так каждый день, пока не отцвели маки, носил в школу кусочек этой красоты... Впрочем, никто на это так и не обратил внимания.

И вот теперь, каждый раз, когда устаю играть занудную роль взрослого, ловлю себя на мысли, что мне безумно хочется вернуться в свою маковую страну.

И я мысленно оказываюсь перед речкой, смотрю в эту сочно-голубую воду... Первым делом срываю бабочку с шеи, отпускаю ее и вижу, как она уносится воздушным потоком.

Дальше сдергиваю с себя костюмы, смокинги, фраки и швыряю на пыльный берег. А потом с наслаждением смотрю, как ветер перекатывает их, превращая в охапку мусора.

В последнюю очередь с огромным наслаждением сдергиваю со своего тела оставшуюся деталь гардероба – купленные в дорогущих магазинах Лондона носки! Вскидывая руки высоко в небо, отпускаю эти кандалы взрослости, приговаривая: «Вот тебе, вот!»

И с размаху голышом прыгаю в воду!

Родимый мой! Я твердо убежден – у вас тоже есть свой личный мир!

Где воздух напоен волшебством, земля – любовью, а каждая травинка, каждый цветочек – счастьем. И вы там – Бог добра!

Если вдруг на сегодняшний день у вас нет реальной страны, где можете себе позволить быть самим собой, то, прошу вас, покопайтесь в себе как следует, отыщите такую!

Непременно найдете!

Если вы не утомились, давайте расскажу вам о другом магическом месте, которое открыл для себя лет десять тому назад.

Скажите, пожалуйста, почему мы с вами путешествуем? Если не по-настоящему, то хотя бы в фантазиях.

Потому что ищем утерянную часть себя.

Ваш собеседник тоже вдоволь попутешествовал, но долго не мог найти территорию своей души. Столкнулся со своим персональным миром совершенно случайно и понял, в чем была моя ошибка!

Я-то искал на Багамах, Канарах... Одним словом, в местах, ставших модными.

Однажды решил проехать за рулем несколько тысяч километров. Чтобы сэкономить свое время, отправился по пути дальнобойщиков, через пустыню.

Хочу сказать – в пустыне очень интересно и экзотично! Первые пятнадцать минут!

А потом начинается труд, терпение и опять труд. И мольбы к Господу Богу о том, чтобы машина не сломалась! Что-то случится – и тебе тут же наступит конец!

Едешь по абсолютному бездорожью, зная, что виднеющаяся на горизонте железная дорога – твой единственный ориентир.

Ближайшая деревушка – в нескольких сотнях километров. Если случайно съедешь направо или налево, будешь пилить по пустыне до тех пор, пока не уткнешься в безлюдный берег Каспия или полувысохшего Аральского моря.

Если поедешь таким путем, можешь быть твердо уверен – никто тебя искать не будет. Спасательные службы в этом районе отсутствуют!

Вокруг тебя бескрайний, неестественно ровный ландшафт, на котором каждый кустик виден за несколько километров. За целый день только один-два грузовика промелькнут на горизонте, оставив после себя длинный пыльный шлейф.

В день по такому бездорожью проезжаешь от силы сотню километров!

Там, среди песков, я познал искренность и доброту людей. Там оголяются чувства, и каждый встречный становится тебе родным и желанным человеком!

По вечерам если где-то какая-то машина останавливается, за небольшое время вокруг нее образуется маленький табор, почти деревушка.

Все уставшие, пыльные, потные, но все так рады друг другу!

Самую вкусную еду, которую я не смог найти ни в одном прославленном ресторане мира, отведал именно там!

Звездная ночь… Тишина, нарушаемая стрекотом сверчков. Тихая беседа совершенно незнакомых людей вокруг потрескивающего костра.

Разговоры ни о чем и обо всем одновременно, иногда на такие темы, которые ты даже «с самим собой не можешь обсудить»! И все как само собой разумеющееся! И советы, которые ты даешь или получаешь, идут от всего сердца!

А когда наступает утро, видишь – вокруг никого, все уехали. Как будто все это тебе приснилось. И только следы костра говорят о том, что это были не глюки.

В один из таких вечеров водители грузовиков качали головой, дивясь моему сумасбродству. Они не понимали, как можно пуститься в путешествие по этому бездорожью на городском (легковом) автомобиле.

– Зачем тебе мучиться? – сказали они. – Километрах в тридцати отсюда есть заброшенная асфальтированная дорога-мираж. Она берет свое начало из ниоткуда и уходит в никуда. Попробуй отыскать ее.

Меня это заинтриговало.

Поехал. После долгих поисков наконец уткнулся в эту самую дорогу.

Представьте себе – сухая жухлая трава до самого горизонта. Небо – нереальной синевы! Земля – ярко-желтого цвета, нигде нет ни одного зеленого кустика! И ты сотни километров едешь по этому мистическому пути – и не видишь ни одной живой души!

Только шуршание шин по асфальту и царапанье сухих стеблей травы по днищу машины.

Я никак не ожидал, что встречу свою волшебную страну у той заброшенной буровой вышки, что появилась на горизонте.

Когда остановился у ее подножия, увидел рядом проржавевший вагончик. Просто чтобы размяться, я лениво побрел к нему, раздвигая руками заросли высоченной сухой травы.

Что меня в первую очередь изумило – это звенящая тишина. Во всем пейзаже было что-то фантасмагорическое. Можно сказать, я увидел здесь медленно растворяющиеся следы цивилизации на фоне первозданного ландшафта.

Поставив палатку, решил узнать, что же находится внутри этого ветхого жилища. Скрипящую дверь еле открыл до половины. Зашел внутрь.

У меня возникло такое ощущение, что жившие здесь полвека тому назад люди куда-то резко сорвались, а назад так и не вернулись.

Там стояли две кровати, стол, и на столе – патефон. Висели старенькие одежды, на стенах – пожелтевшие и потрескавшиеся от времени фотографии. И все это было покрыто толстенным, примерно в два пальца, слоем мельчайших пылинок.

Походил, бумагами пошуршал, почитал газеты за 1932 год...

Меня заинтересовал патефон. Я старательно почистил его, смазал внутренний механизм маслом, как следует протер пластинку.

И запустил!

Когда зазвучали первые такты музыки, у меня на всем теле волосы встали дыбом. Не подумайте, что от ужаса! Это была обычная шуршащая музыка – танго далеких-далеких довоенных лет.

Но вся необычность ситуации – абсолютное несоответствие окружающего мира со звучащей музыкой человеческой жизни.

Вдруг явно почувствовал, как что-то давно забытое, незнакомое, умиротворяющее начало вливаться внутрь меня.

Музыкантов, которые так старательно играют, уже давным-давно нет на Земле... Людей, которые ставили эту музыку в своем вагончике, пили и ели, танцевали, вздыхали, любили... Их тоже нет...

Кем они были, о чем думали, чему радовались, и от чего печалились?.. Где их чувства? Где их жизнь? Все они ушли в небытие.

Здесь царило безвременье.

Музыка все звучала и звучала. В голове и во всем теле какие-то натянутые струны расслаблялись одна за другой. И такое томящее спокойствие, от которого я отвык, охватывало мое сознание и тело сантиметр за сантиметром...

В голове без конца вертелось одно и то же слово: «Боже... Боже... Боже...»

Вспоминал своих друзей и то болото, в котором все мы дружно квакаем, всех тех людей, которых встречал на улице, все очень «важные» разговоры.

Все это проходило через мое сознание и рассеивалось в пустыне как дым.

И телевизор, и радио, и газеты со всеми своими журналистами и «сенсациями» появлялись и, не в силах удержаться, постепенно лопались как мыльные пузыри.

Исчезла мода, исчезли все институты, книги, планы, желания, обиды. Хотелось только одного – поярче прочувствовать эту умиротворяющую непостижимость.

Там я нашел ответ на вопрос «что есть Жизнь».

Вот дуралей, сколько времени нужно было, чтобы это постичь!

Для меня этот кусочек пустыни стал личным Чистилищем, которое мгновенно все расставляет по своим местам!

Каждый год на какое-то время я вновь возвращаюсь туда.

...А теперь давайте поговорим о другом одиночестве. О каком? Сами поймете!

Где моя фальшивая маска злого клоуна? Ах, во-о-от где! Напяливаю свой «лицевой убор» – оп-ля! Хе-хе...

Геннадий, ты начинай, а я закончу!

Одиночество, скорее всего, служит главным источником неблагополучия человека. По крайней мере, человека современного.

Вот ведь хорошо же было первопещерному существу человеческому! Бегало оно за мамонтами длиннолохматыми, убегало от тигров саблезубых, а потом – бац! Воткнулось древнее дитя природы лбом в землю, споткнувшись о камешек.

Но не простой какой-нибудь валун, а дырявый. То есть с дыркой посередке, проеденной влагой и временем. И родилась в ушибленной вовремя башке гениальная мысль – воткнуть в дырку палку...

...И получился из этого примитивного симбиоза целый каменный топор! Которым можно и тигра забить, и мамонта на бифштексы порубить. А еще оборотной частью, которую потом назовут обухом, всем прочим сородичам вложить ума куда следует – то есть прямо в лоб.

Увы! Давно минули те первобытные и почти райские времена, когда от идеи до реализации было всего-то два-три шага на корявых питекантропских ножках.

Сейчас между одиночкой, сгенерировавшим пусть даже ах какую прекрасную и перспективную идею, и ее практической реализацией пролегает «дистанция огромного размера».

Придумать мало – надо еще и воплотить в жизнь. И хорошо бы плодами своих трудов успеть воспользоваться...

Правда, иногда и совершенно отдельным людям это почти удавалось – но опять же в силу одиночества, выбранного не от хорошей жизни.

Тот же Робинзон Крузо на своем одиноком острове помаленьку воссоздал из кораблекрушенческих обломков какое-то подобие привычной ему цивилизации.

Впрочем, надо оговориться: «бедный-бедный Робинзон Крузо» не был совершенно одинок – в душе его жил Бог, к которому он постоянно обращался за советом.

Значит, этот вынужденный одиночка обладал неким внутренним стержнем, который помогал ему выстоять под жестокими ударами судьбы.

И, стало быть, причина одиночества – отсутствие ясных представлений о собственном внутреннем мире.

Из-за этого одни человеки тянутся к другим людям, особенно к сильным личностям, чтобы найти в них ту внешнюю опору, которой им так не хватает внутри себя.

Другие же личности, наоборот, замыкаются в гордом или скорбном одиночестве.

Они делают вид (или даже действительно так думают!), что никто другой им не нужен, а сами они как личности самодостаточны и очень неплохо себя чувствуют в компании с самим собой.

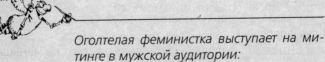

Оголтелая феминистка выступает на митинге в мужской аудитории:
– Ну что бы мужик делал без женщин? Я вас спрашиваю – что?!
Голос с галерки:
– До сих пор один балдел бы в раю!

Некоторым, правда, именно в одиночестве и удается познать свою суть — возьмите тех же монахов-отшельников: они специально удаляются от мира, чтобы ничто не мешало их самосозерцанию.

Впрочем, совершенно не обязательно куда-то уходить физически. Вот, например, страус, упрятавший голову в песок, вполне уверен в своем безопасном одиночестве... Только его точку зрения вряд ли разделяют сумчатые волки или кто там еще на этих страусов охотится!

Да и у отшельников одиночество было состоянием временным. Рано или поздно практически все они (кроме разве что тех, кто утопился в нирване) возвращались в мир — к людям, чтобы поделиться с ними постигнутыми истинами, указать путь... Словом, научить жизни.

Как это — зачем?! А вы полагаете, будто уже знаете, что такое жизнь?

Это самый большой прикол Господа Бога! Только-только наберешь знаний, мудрости, богатства, опыта — и на тебе! Тут же всё у тебя и забирает!

Я, правда, в отшельничество не уходил, поэтому и не берусь вас научить всей жизни в целом — за этим, пожалуйста, обращайтесь к великим учителям и проповедникам...

И академикам, хе-хе!

Могу позволить себе лишь некое частное утверждение: бизнес как часть жизни основан на тех же принципах, что и сама жизнь в целом.

Создал, накопил, и бац! — все досталось наследникам-бездельникам!

А принципиальных основ жизни всего-то две, и обе — природно-инстинктивные: самосохранение и, конечно, продолжение рода. И второй инстинкт часто бежит далеко-о-о впереди первого!

Вот и бизнес для человека увлеченного значит не меньше, чем для мужчины — любимая женщина.

Достижение удовольствия часто составляет ту главную цель, к которой человек стремится и в бизнесе, и в самой жизни.

Только вот жизнь не особенно старается нам помочь. И вместо пряников и сникерсов она нередко наделяет нас пинками и шишками.

Ну и так ли уж это плохо?!

Разнообразные трудности и всяческие неприятности действуют на нас... положительно!

Ну вот, например, комары, летней ночью впивающиеся в вашу сонную хар... харизматическую внешность, заставляют вас произвести такое количество безумных движений, которое по оздоравливающему эффекту можно сравнить разве что с утренней зарядкой (а ее-то вы как давно делали, а-а?).

С деловой точки зрения, это неплохая сделка – ведь прибыль для здоровья от нее намного превышает затраты.

Значит, суть дела тут заключается прежде всего в точке зрения, в отношении к самому себе и окружающим жизненным условиям.

Если зациклиться только на своей неудачливости, то и вся жизнь покажется одной сплошной чередой лишений. Чего же тогда от нее ждать, кроме новых разочарований? Проще сесть в укромный уголок и тихо плакаться в собственную жилетку (никто другой вам свою не подставит!) о горькой своей судьбине.

Две лягушки в животе у змеи обсуждали перемену своих обстоятельств.

– Все не так уж плохо, – сказала одна. – По крайней мере, у нас есть и помещение, и пища.

– Насчет помещения я, пожалуй, соглашусь, – с сомнением покачала головой другая. – Но что касается пищи...

– Глупая! – рассмеялась первая. – МЫ и есть пища!

Амброз Бирс,
«Исправленный Эзоп»

Ну и как вы думаете – будет от этого хоть какой-то толк? Или, по-научному, позитивный результат?

Идет Абрам домой, весь в мыслях: жена сварливая, дети плохо учатся, зарплата мизерная, куда ни посмотри – вечно чего-то не хватает!
Вдруг видит: прямо на дороге лежит куча денег! Поднял, посчитал и расстроился – не хватает!

Отсюда естественным образом вытекает «первый русский вопрос»: «Кто виноват?»

Ну конечно же, не вы!

Мало ли можно найти «крайних»? Одним помешал недостаток образования, другим – влияние улицы.

На худой конец, можно все списать на совершенно посторонних дядю Вадю и тетю Мотю, чья торговля семечками на рынке напрочь отбила у вас интерес к коммерции.

И если подобные «лишенцы» все-таки вступают в бизнес, то происходит это именно с такой вот позиции «нуждающихся».

Им всегда мало – но не работы, а ее материальных следствий. Им интересно не дело само по себе, а возможность накопления.

68

Почему?

Да просто потому, что они боятся!

Замечая в своей жизни одни лишь утраты, они хотят запасти лишнюю копейку на случай новой поры лишений...

Мужчина требует встречи с одним из сыновей Ротшильда. Войдя в его кабинет, гневно бросает ему в лицо:

— То, что вы сделали, отвратительно! Моей дочери Катрин семнадцать лет, она была девушкой, а теперь она беременна от вас! Вы намерены взять на себя обязательства?

— Мы урегулируем это в одну минуту, — говорит Ротшильд. — Со дня рождения ребенка я обязуюсь выплачивать его матери сто тысяч франков ежемесячно. Я думаю, что вы согласны?

— Да... Но скажите, а если будет выкидыш, то, может быть, вы дадите нам второй шанс?

Такой бизнес в принципе экстенсивен: каких бы количественных успехов предприниматель ни достиг, новое качество из них не родится.

Ну вот тот же скупой рыцарь пожидился спонсировать деловую активность сына — и что вышло? Так ведь и помер на своих сундуках с сокровищами...

А Буратино и посеял всего-то пять золотых на Поле Чудес посреди Страны Дураков (ой, кажется, это где-то рядом!) — и получил в качестве урожая не лен-конопель и даже не маковую соломку, а целый кукольный театр!

То есть завел этот отпрыск полена и рубанка свое собственное дело.

А ведь сам-то и образованием не обладал (школу-то прогулял!), и делать толком ничего не умел.

И советчиков себе выбирал все сплошь жуликоватых — кота, лису и Карабаса с Дуремаром...

Вот и выходит, что успех – это куда больше, чем просто умение работать и знание нужных людей.

Нужны еще и физическая энергия – а значит, и здоровье недюжинное. Ну как вы без этого сможете мотаться по всем клиентам, заказчикам, кредиторам и взяточникам?

Не помешает также и живое мышление: как иначе можно найти незанятую нишу в бизнесе или, круче того, подвинуть из занятой ниши солидного конкурента?

А эмоциональная сила и внутренняя стабильность духа позволят вам на всех парах дуть вперед по главной магистрали к вершинам своего успеха!

А если что и случится, то ведь рядом – друзья и единомышленники, которым вы можете доверять...

Все, что сказано прежде, зависело только от вас, такого талантливого в своем одиночестве.

Но далее вам придется иметь дело не только с внутренними проблемами вашей уникальной личности, а и с другими обстоятельствами, среди которых первое и, возможно, важнейшее – ваше ближайшее окружение.

Будь вы трижды гармоничны и благополучно согласованны с самим собой, но если не сможете распространить свои положительные эмоции на окружающих – быть вам одиноким Робинзоном.

Безо всякой Пятницы!

Впрочем, та же Жанна д`Арк сумела поначалу воодушевить очень многих своей «божественной одержимостью». Но как же трагично она закончила свой земной путь!..

А все из-за того, что элементарно не просчитала интересы сторон в предпринятой ею затее!

Ну откуда же простой деревенской девушке, которая и денег-то настоящих в руках не держала, было знать, что *самая лучшая из сделок – та, в которой выигрывает каждый?!*

А если на обеих сторонах остаются только победители, то и конкуренции никакой не будет.

И тогда не придется напрасно тратить время на борьбу с коварными завистниками, а можно будет заниматься непосредственно своим любимым делом.

Жизнь и так уж до обидного коротка. Так зачем же тратить ее на охоту за тенями?

Все равно ведь в рай не въедешь на «шестисотом» «Мерседесе» в костюмчике от Версаччи.

Впрочем, и в аду такой прикид мало кого успокоит. Скорее наоборот: ай как красиво «мерсы» горят!..

Тогда, может, не стоит надрываться ради сиюминутных материальных благ? А те, что уже накопились, просто взять да и выкинуть? Или пропить? И вообще не владеть никакими вещами?

Слова, в общем, правильные... но не в том порядке! Выстроив их как надо, как раз и обретем главный смысл: ***вещи не должны владеть вами!***

Рабом вещей чаще становится бедняк.

Его нищее воображение создает такие пустые образы «успеха», как

дорогой дом,

офис в престижном районе,

высокий пост,
власть...

Те, кто верит, что жизненный успех измеряется исключительно финансовым положением и социальным статусом, ради их достижения способны хитрить, лгать и воровать.

Конечно, это дает занятие для изворотливого ума и бойких ручонок и даже создает иллюзию смысла жизни.

Но многим ли это приносит счастье?

Давайте поговорим о модных вещичках. Я вам скажу умные слова, хоть и не к месту. Вы не обижайтесь!

Основа моды – это нежелание даже внешне быть похожим на других. Это просто чудесно, восхитительно и умилительно, но!..

Сразу оговорюсь – к дамам все нижесказанное не относится, у них любовь к побрякушкам и красивым тряпочкам передается на генетическом уровне, на радость мужчинам.

«Обложка» может сделать вас спортивной, деловой, крутой, волевой, умной или дурочкой, но!

Кто может клюнуть на ваш наряд? Это могут быть как раз те мужчины, которые оценивают вас по одежке, и только лишь.

Мода приходит и уходит, а замуж хочется всегда! Гоняясь за модой, уважаемые дамочки, можете остаться с носом!

А теперь вернемся к мужчинам. Поделюсь одним личным наблюдением из большого спорта.

Если боец уделяет повышенное внимание своему телу – делает татуировки, прически очень модные, бородки, усики отращивает, серьги в уши втыкает... В общем, если он пытается как-то выделиться среди других за счет внешней атрибутики, это явный признак того, что шанс стать чемпионом у него маленький.

Почему так? Потому что у этого воина есть какой-то глубоко скрытый изъян в духе. Он подсознательно «завешивает» дефект своей воли этими искусственными наслоениями. Я заметил одну удивительную закономерность:

обычно в девяти случаях из десяти из таких бойцов чемпионов не выходит.

Истинно зрелые мужчины-воины во всем отличаются скромностью! Они в дополнительной внешней компенсации не нуждаются.

То, что сейчас скажу, это просто мой взгляд, с которым вы можете не согласиться.

Мои дорогие! Модно одеваться надо обязательно, но это не должно быть самоцелью!

Существует много видов моды. Рассмотрим два из них.

Первое – это когда человек живет и работает в свинарнике, а потом выходит оттуда в шикарных обновках – это мода слабых мужчин.

Когда же шикарная одежда не ставится во главу угла и превращается лишь в одну из составляющих других сторон жизни, когда одеваться обязывает положение, тогда это – мода сильного человека.

Чего и вам желаю!

А пока ответьте себе на вопрос – совершенны ли вы? Хотя нет, не отвечайте сразу.

Определимся: а что же есть «совершенство»?

Это Я!

Например, вы – это совершенный вы, и вас невозможно дублировать без потерь.

А уж тем более – клонировать!

Но лишь только вы усомнитесь в этом своем природном совершенстве, то тут же приметесь выдумывать, выстраивать и возводить в абсолют какие-то «стандарты совершенства», которые кажутся вам логичными и общепринятыми.

Любая система жизненных ценностей может стать источником страданий. Ведь в ее основу закладываются если не безграничные, то уж, во всяком случае, очень высокие требования.

Если после каждой копеечной сделки с грошовой выгодой прикидывать, далеко ли еще до вожделенныхмультимиллиардов, то душевными терзаниями вы будете обеспечены до скончания века.

А поскольку вы скоро убедитесь, что любой, даже скромный идеал недостижим (на то он и идеал) лично для вас, вы станете подходить с вашими личными идеальными мерками и к окружающим.

Хотя... Чего же такого особенного ждет подобный мечтатель от всех прочих?

Он надеется, что его жена будет прекрасна во всех отношениях и смыслах, а дети – красивы, умны и удачливы.

Друзья будут преданы ему, начальник станет ценить по достоинству, подчиненные не устанут уважать.

А погода в выходные выдастся просто замечательной, транспорт покатится без пробок, зайки в лесу радостно возьмут морковку прямо из рук, чиновники и бюрократы решат все дела без задержки, народные герои вознесут на пьедестал, а враги народа убегут за горизонт...

Ну разве не бред?!

Стоит ли после этого так удивляться постоянным разочарованиям...

Интересное личное мини-наблюдение.

Кто предъявляет самые высокие требования к окружающему миру, которые с каждым годом все больше и больше повышаются?

Старые девы!

Пропасть между нею и будущим мужем с каждым годом расширяется и углубляется. И, в конце концов, в мире не остается ни одного «достойного ее мужчины».

Она уже не может снизойти до кого-либо из них, и уж тем более с кем-нибудь из них обвенчаться.

Так что не будьте старой девой в своей жизни!

...И вот входит старая дева в брачную контору да и говорит человеческим языком:

— А ищу я симпатичного мужа, добродетельного, который может говорить обо всем, петь и рассказывать потрясные истории. Но еще чтобы он часто оставался дома и затыкался, если почувствует, что его разговоры меня утомляют.

— О, мадам! — восклицает служащий. — Вам нужно всего лишь купить телевизор!

Так, может быть, если проблемы обступают нас со всех сторон, то главная-то проблема — не снаружи, а внутри, в нас самих? И все трудности происходят исключительно из-за наших завышенных требований ко всем и всему?

Вот, например, родители-врачи (из самых лучших побуждений!) мечтают, чтобы их сынуля ненаглядный вырос форменным ангелом, хотя бы и без нимба. Закончил всевозможные учебные заведения с разнообразными отличиями и стал великим врачом. Вступил в брак с великой врачихой и нарожал им внуков-врачат — точные, словно клоны, копии его самого. Ну, и их самих, разумеется!

Чаяния эти, конечно же, не оправдываются. Разочарованные в лучших ожиданиях родители вместо разумной самокритики переносят критический укор на «провинившегося» перед ними ребенка.

Но любимому (когда-то) чадушке уже не десять лет, а некоторые десятки прожитых самостоятельно годков! Пороть его сил не хватит, а свободных углов для наказания в нынешних квартирах нет.

Да если и найдутся, не всякий «ребеночек» туда поместится...

Понятно, что родительское раздражение от этого только усиливается. Претензии высказываются все чаще, все громче и по любому поводу.

Разумеется, «неудачливый» продолжатель рода тоже не остается в долгу...

А вскоре он и сам примется брюзжать по поводу собственных отпрысков! Если только не задумается о том, что все эти стандарты совершенства созданы нами для самих себя.

И поэтому ни для кого, кроме нас самих, они не пригодны.

Так что лучше не обстругивать каждое полено под Буратино, а **позволить всем окружающим быть такими, какими они являются на самом деле.**

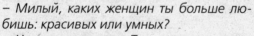

— Милый, каких женщин ты больше любишь: красивых или умных?
— Ни тех, ни других. Ты же знаешь, что я люблю только тебя!

Вопросы на сообразительность

1. Почему чем больше лет, тем быстрее летит время?

2. Человек учится говорить примерно 2 года. Что он делает по «разговорной части» всю остальную жизнь?

3. Если вам абсолютно безразлично, где вы находитесь, то что это значит?

1. а) Склероз мешает вовремя глянуть на часы...
2. а) Демонстрирует всем, каким плохим он был учеником.
   б) Учится молчать.
3. а) Значит, вы в морге!
   б) Что вы не заблудились.

Снадобье от стрессов

Вообще-то стресс выдуман природой из самых гуманных побуждений!

Ведь это «напряжение» (а именно так переводится «stress» с английского) есть просто некий комплекс защитных реакций организма на неблагоприятные внешние воздействия.

Однако нынешняя жизнь то и дело подсовывает нам все новые «воздействия», среди которых, увы, так мало благоприятных! Согласитесь: жить в постоянном напряжении не сможет даже отлично тренированный спортсмен, а не то что рядовой бизнесмен вроде нас с вами.

А нам ведь надо сохранять «настрой на хорошее», столь необходимый для успешной работы...

Поэтому – побегаем от стресса!

«Нормально нервный» современный человек может испытать (на себе и на окружающих) два основных вида стресса (а сколько их вообще – никто до сих пор так и не сосчитал).

В случае стресса первого вида стрессанутый человек с бешеной силой накидывается... слава богу, на работу, а не на ближних.

Такой стресс подобен пресловутому «стакану адреналина», полученному от экстремальных видов отдыха, или приему ударной дозы «Виагры» внутрь озабоченного мужского организма.

Тут сразу и резко активизируется умственная деятельность, и повышается концентрация внимания (при «Виагре» – не в голове, дуралей вы мой, а в другом месте!). Да и физических сил как будто не занимать: можно легко сбегать по лестнице в офис на четырнадцатом этаже и в одиночку переставить сейф с пола на подоконник!

Это, казалось бы, и неплохо, но...

В таком состоянии человек способен работать максимум несколько дней. Ведь это – использование «страховых» резервов организма, аварийного запаса сил. И если не выйти из такого экстренного режима, не восстановить затраченную энергию, то последует практически неизбежное переутомление со всеми нерадужными последствиями.

Другой же вид стресса – наоборот и увы! – делает людей практически неработоспособными. То есть не способными ни на что иное, кроме созерцания собственного безрадостного состояния.

Это тоже защитная реакция: не тратить сил ни на что, а беречь их жалкие остатки, закуклившись, словно гусеница в коконе, до будущих славных «бабочкиных» времен.

Столкнувшийся с таким стрессом человек тут же оставляет все дела, потому что становится совершенно не в состоянии принять хоть какое-нибудь решение.

По своим внешним проявлениям эти виды стресса выглядят вроде бы принципиально разными. А вот средство против них можно применить одно и то же!

Только укрощать стресс будем не прямолинейной кавалерийской атакой «в лоб», а по-умному и по-благоразумному.

Для начала определим: а действительно ли вас накрыло?

Конечно, есть кое-какие общие внешние признаки чисто в медицинском смысле: иногда начинается тремор — мелкая дрожь, на лице или руках выступают красные пятна, а движения становятся беспокойными...

Синдром истериа-стерва-токсикоза!

Впрочем, подобное же можно наблюдать и в совершенно «нестрессовых» ситуациях — например, при тяжелом похмелье или начинающемся гриппе.

Хотя и тут организм старается сэкономить затраты энергии: он сосредоточивается на основных жизненных функциях — дыхании, кровообращении, пищеварении, а всякую высшую нервную деятельность (включая способность рассуждать разумно) практически отключает.

В итоге получается какая-то киношная жуть — не человек, а какое-то зомбезобразие ходячее!

Главное же изменение поведения подвергнувшегося стрессу человека легко определить и «на глазок». Это — неадекватность реакции: *вместо разума человеком начинают управлять его эмоции.*

Вредный совет по устранению стресса из организма

Если вы нарыли внутри себя признаки стресса, срочно запасайтесь водочкой, коньячком, виски. Ну, а если денег мало, то хотя бы какой-нибудь бормотушкой. И неутомимо продолжайте таким путем топить свой стресс!

Но на всякий пожарный случай разузнайте, где можно достать формалин – он обязательно понадобится для вашего бальзамирования.

Как-никак огро-о-омное количество сотрудников и родственников планируют устроить свою жизнь за ваш счет, предварительно поплакав над вашим добрым заспиртованным (снаружи и изнутри) телом...

Есть, впрочем, и добрые рекомендации...

Существует такое пресловутое мнение: самый лучший способ снять стресс – заняться делом, противоположным тому, от чего вы его получили.

Если ваши стрессенки и стрессята нахлынули от напряжения ума, дайте нагрузку телу. С обязательным полным отдыхом от всего умственного.

Но будьте осторожны! Если вы будете заменять умственный стресс физическим, то можете улучшить только благосостояние врачей – своими инфарктиками и инсультиками. А уж как обрадуются ваши сотрудники и поднимется настроение членов вашей семьи!

Итак, вы поняли, что из средств невредных первейшее и главное – радикально переключить свое внимание.

Надо заставить себя думать о чем-нибудь хорошем.

Например, что могло быть еще хуже! А если хуже уже некуда, то, значит, впереди остается только хорошее и еще лучшее...

Для этого можно откинуться на спинку стула и глубоко подышать... А можно и просто откинуться (копытками) и вообще перестать дышать!..

В любом случае надо решительно и срочно переключиться с темы, вызвавшей стресс.

Например, взять да и ответить всем и на все подряд письма (даже из налоговой инспекции!).

А еще можно переставить решительно всю мебель и «со вкусом» починить давно подтекающий кран.

И даже сдать в чистку шубу жены, подаренную ей в первую брачную ночь...

Главное – отвлечься! Ведь стрессовая ситуация – как зубная боль: если заняться интересным делом, то о каком-то там больном зубе вскоре просто забудешь.

У известного театрального актера страшно разболелся зуб.
– Как же вы будете играть сегодня вечером?! – ужасается антрепренер.
– Не беспокойтесь, – улыбается актер. – У человека, которого я играю, зуб не болит!

Однако в состоянии чрезвычайно сильного стресса простое переключение с одного дела на другое вряд ли поможет. Представьте только, насколько захватывающим должно быть это новое дело, чтобы «отбить» вас у стресса!

И если такое увлекательное занятие было у вас и раньше, то почему вы занимались какой-то посторонней ерундой, которая и довела вас до стресса?!

В таких случаях лучше всего просто сделать полный перерыв во всякой... забыл, как же ее назвать?.. деловой активности. То есть убрать бумаги в дальний ящик, вырубить компьютер, покинуть офис и выйти в люди.

Или хорошенько выпить... чаю! Кофе же в таком состоянии, пожалуй, пить не стоит. Этот коварный индейский напиток напряжения не снимает, а лишь усиливает возбуждение и может только кое-что усугубить.

Не путайте! Кофеек усиливает только нервозность, а сами знаете, где как раз ослабляет!

Можно попробовать разрядиться и по-иному – например, за счет других.

Подобные приемы есть у большинства – даже у тех, кто слова «стресс» и слыхом не слыхивал, и нюхом не нюхивал. Хотя незнание не спасает от заболевания.

Вот и почитайте в виде развлечения-отвлечения какой-нибудь медицинский справочник – как тот врач из анекдота, что знакомился с историей болезни пациента и жутко радовался: «Ах, как замечательно, что все это – не у меня!»

А многим, например, помогает чтение новостей. Особенно плохих – по принципу «клин клином вышибают»: мне-то худо, а вот другим и совсем хреново!

Это совет тем, у кого в голове вместо мозгов – клин!

Если же мозги занимать лень, то для поднятия настроения можно **пообщаться с противоположным полом.**

...И всего через десяток минут почувствуете себя ого-го каким созданием и сможете успешно вернуться к полноценной работе! Если, конечно, за 10 минут успеете достойно пообщаться. Да долго ли умеючи?! Хотя многие считают, что умеючи как раз всегда долго...

Если вы – мужчина, то не можете этого не знать: сексуальность и бизнес – суть одно и то же!

Если сексуально возбужденные гормоны в крови носятся, как олимпийские спринтеры, то и идеи, как расширить зоны своего влияния, генерируются в голове с огромной скоростью. А если утихает ваша сексуальность, точно так же глохнет и весь ваш бизнес.

В истории человечества еще не было случая, чтобы евнух оставил после себя что-нибудь великое. Кроме одного случая, а его я не помню!..

(Кажется, это было изобретение гарема...)

Контролируйте, чтобы вы всегда хотели – день и ночь, 25 часов в сутки!

Чего хотеть-то? Неужели не поняли?

И обязательно часть своей сексуальности направляйте в бизнес и творчество.

Половые гормоны и гормоны жизни – это одно и то же, дорогие мои!

А при половом бессилии хороший минутный хохот – прекрасное средство для поправления неуравновешенной психики!

Супружеская пара решила отметить 50-летний юбилей свадьбы в той же обстановке, что и в первую брачную ночь.

Оделись точно так же. Сняли тот же самый номер в отеле. Включили ту же самую музыку.

И как тогда, супруг пошел пописать. Из туалетной комнаты раздался его смех.

– Как романтично, дорогой! – заметила жена. – Все то же самое: обстановка, музыка... И пятьдесят лет назад ты тоже смеялся в туалете!

– Да, дорогая. Только тогда я смеялся, потому что забрызгал потолок, а сейчас потому, что облил себе ноги...

Элементарный маршрут «бегства от стресса» всем нам известен еще с детства: надо всего лишь просмеяться или выплакаться. И то, и другое – разрядка, выплеск эмоций, слив отрицательной энергии.

В пользе и вреде слез лучше разбираются женщины. Уж Евины-то дочери точно знают, где, когда и особенно кому плакаться! Поэтому им легко удается «выплакать» не только горе, но и новую шубку или старинную брошь...

У мужчин со слезоточивостью физиологически туго, так что им остается только **смех**... хотя иногда и до слез. И хорошо, если удается «прохохотаться» почаще!

«Смехоэффект» можно сравнить с психологической разгрузкой при групповом посещении хорошей парной.

– Василий, ты что, со своей девушкой расстался?

– Да... У нее смех какой-то противный.

– Надо же, не замечал.

– Ну ты же при ней не раздевался!..

По мнению африканских врачей (людоедологов), пополнение жизненных сил за минуту хохота равносильно трехчасовому сну или количеству калорий от поедания любимых харчей.

Отечественные же социологи (трудогологи) утверждают, что смех вообще продлевает жизнь...

– Не всем. Тому, кто смеется, – да, а тому, кто смешит, часто укорачивает.

Мюнхгаузен (тот самый)

Конечно, каждый смеется или хихикает по своим причинам. Ведь чувство юмора присуще не только профессиональным юмористам.

Или клоунам, работающим на кого-то за жалкие гроши!

С ними все понятно: они этим деньги зарабатывают. Вот только откуда берется развеселый этот тонус при занятии другими профессиями?

Четверо специалистов выясняли, какая из профессий самая древняя.

– Моя профессия существовала раньше других, – заявил врач. – Чтобы достать ребро у Адама и создать Еву, нужно было быть врачом!

– Первая работа заключалась в том, чтобы сделать мир, – возразил архитектор, – то есть построить небо и землю.

– Прежде чем создать мир, – вступил в разговор философ, – нужно было из хаоса извлечь идеи.

– Вот именно! – возликовал политик. – И кто же, по-вашему, создал весь этот хаос?!

Возможно, желание смеяться рождается от благосклонности вышестоящего начальства...

Не зря говорят, что самый заразительный смех – это смех вашего начальника!

Или от любезности подхалимчатых подчиненных...

Хотя на службе мы хохочем крайне редко. Разве что – после приступа бешенства, когда приходит осмысление того, из-за какого пустяка или идиота все произошло.

Улыбка нередко посещает нас утром, когда в прессе мы встречаем что-то забавное и свежее или злорадно узнаем плохие новости о своих добрых конкурентах...

Когда звонят друзья или близкие (в четыре часа утра!)...

Когда радуют вниманием дети (разукрашивая только что отремонтированную стену узорами и кляксами).

Но что смешного может быть в том, что работа не сделана, договор не подписан, а щи прокисли и камни в почках уложены уже штабелями?

Может – если всё это у соседа.

Однако даже если скрежетать зубами, стирая при этом эмаль, щи не вернут себе юной свежести, зато камней в почках вполне может и прибавиться...

Вот специалисты-гореутолители и советуют: **«Дела можно поправить и завтра – но только если сохранить свое здоровье сегодня».**

Допекла мужика жизнь колдобистая, кри-
воколенная – словом, неудачная. Просве-
тов никаких и сейчас не видать, и потом
не предвидится, а так тянуть уже и сил
нет...
Связал он петельку на люстровом крюке.
Ну, а как сам собой приговоренный, раз-
решил себе последнее желание. Присел
на табуреточку аккурат под самовисели-
цей, хлопнул рюмашку, закурил. Потом
повторил.
«А чего? – думает он, обкурившись и за-
хмелевши. – Жизнь-то налаживается!..»

Назавтра или на каком-то другом временном удалении минувшие неприятности покажутся уже менее болезненными. Утро вечера мудренее – многие как раз утром это и замечают: «Ну зачем вчера я столько пил?!»

А ведь на следующий день, даже после очень тяжелого утра, может приключиться и немало хорошего! И уж это точно поможет если не совсем избежать, то хотя бы уменьшить вред здоровью от грустно-печальной ситуации.

Вот, к примеру, жалко, конечно, Серого козлика, печально пострадавшего при разборке с серым же волком. Однако именно оставшиеся от него «рожки да ножки» подсказали изобретательному комбинатору О. Бендеру название и сам профиль деятельности его мифической конторы, которая в конечном итоге и принесла ему долгожданный миллион.

Для того чтобы все нажитое таким трудом и изворотливостью ума и совести хоть как-то вас порадовало, придется немножко позаниматься собой.

Для начала уменьшить объем пуза на несколько миллиметров. Потом прирастить несколько мышечных волокон к этой студенообразной массе.

И тогда вы сможете съесть те яства, которые еще не съели, упаковаться в одежды, еще не забившие ваш гардероб, и хвастаться новоприобретениями перед всеми, кто завидует вам.

В общем, займитесь легким видом спорта, чтобы всегда быть в тонусе. Об этом подробно поговорим в главе «Производственная гимнастика».

Приведите в порядок свое питание.

Проверяйтесь время от времени, желательно каждые полгода, у всех врачей, особенно если вам уже за 35. Это возьмите себе за железное правило!

Вы можете подумать, что болезнь подкосит других, но никак не вас. И правильно! У вас-то целые мешки несметных богатств и армия знакомых, которые в случае чего вас непременно спасут. Родные мои, это глюки!

Перед болезнью и смертью все равны.

Неужели вы хотите, чтобы денежки, пропитанные вашими потом и кровью, достались тем, кто ради них пальцем о палец не ударил?!!

В то время, пока вы в интересах дела носились, трудились, мучались, они сладко спали, тихо посапывая в своих норках, или развлекались в ночных клубах.

Так вот, чтобы им даже думать об этом неповадно было, чтобы всех их до последнего пережить, придется заниматься спортом и регулярно ходить к докторам.

Таблетками, микстурами и мазями сильно не увлекайтесь, но и не отменяйте самостоятельно того, что назначили вам врачи.

И последнее: солнце, отдых, пляж, море, массаж, бани и витамины заменить ничем невозможно – ни спортом, ни сном, ни женщинами.

На это тоже выделите время, беспрекословно подчиняясь самому себе.

Уравновешивание работы, отдыха, спорта, питания даст огромные плоды во всем, за что бы вы ни взялись!

Желаю успеха!

Главное – не держите стресс в себе!

Открывайте предохранительный клапан и выпускайте пар – в любую сторону и любым способом! Ошпаривать окружающих при этом необязательно.

Многие напрасно пытаются подавить стресс, переживая его в одиночестве. Проблемы нужно обязательно «отпускать на свободу» — говорить о них с кем-то, делиться ими с близкими людьми.

Загрузите проблемами всех окружающих (облегчите же их жизнь, в конце-то концов!) — и обязательно почувствуете, что **вам стало легче.**

Вспомним, наконец, историю царя Мидаса! О том, что у монарха ослиные уши, знал только его цирюльник. Но он никому не смел рассказать об этом под страхом смерти. Ну чем не стресс?

Измаявшийся брадобрей доверил свое ужасное знание не кому-то (договор с царем он соблюл... соблюдил?.. в общем, слово сдержал), а чему-то. Вырыл он ямку в земле, высказал в нее невыносимую тайну — и закопал! А если потом из ямки вырос тростник и нашелестел про мидасов секрет всему свету, то никакой вины древнего парикмахера в том нет и быть не может!

Так если уж простой цирюльник смог найти такое виртуозное снадобье от стресса, то неужели вы, при всех ваших талантах, чинах и возвышенных образованиях, не отыщете чего-нибудь пригодного для себя?

Вопросы на несообразительность

1. Постарайтесь дать краткое и емкое определение алкоголика.

2. Трудно выдавливать из себя по капле раба, если... Что?

3. Что обычно происходит, если вы выбрасываете какую-либо вещь?

Варианты ответов

1. а) Хочет – пьет и не хочет – пьет. В отличие от пьяницы, который пьет, только когда хочет.

   б) Алкоголик – это человек, который пьет больше того, кто считает его алкоголиком.

2. а) Если не вскрыть хоть один гнойный прыщ!

   б) Не выпил.

3. а) Вы теряете сразу две вещи: ту, которую выкинули, и ту, которую придется купить взамен.

   б) Она вам срочно понадобится.

Производственная гимнастика

**Хочешь стать богатым?
Обойдешься.
Сначала стань здоровым!**

В этой главе, уважаемые будущие миллиардеры, рассмотрим один из углов, лежащих в основании пирамиды жизни. Это, образно говоря, фундамент вашего «дома» – тело.

В нем находится ваш разум, в нем находится ваша душа, в нем находится ваш дух! Кстати, ваши грезы тоже там...

Вспомните, пожалуйста, свои ощущения, когда у вас что-то болело, что-то сильно вас беспокоило.

Помните, как сузился ваш мир? До микроскопических размеров!

А теперь вспомните, было ли в этом мире место для вашего бизнеса?

Было ли в этом мире место для ваших ценностей?

Было ли в этом мире место для ваших амбиций?

Было ли хоть что-нибудь, кроме единственного желания выбраться, выйти из болезни?

Когда тело находится в плачевном состоянии, когда оно обижено на вас, когда имеет к вам огромные претензии и предъявляет счет, все остальные стороны жизни в этот момент для вас отступают на задний план, вы согласны? Хорошо.

Значит, тело – храм вашей души, имеет огромное влияние на ваш дух. Оно может быть скрытой причиной неуспеха в делах, личных отношениях, в бизнесе и может стать подводным камнем, о который разобьется любое ваше желание, любое стремление.

Ваше душевное состояние находится в прямой зависимости от состояния тела.

Даже если дух силен, со слабым телом ему далеко не продвинуться. Сами подумайте, легко ли вашему духу-бедолаге таскать вас?

Сейчас подойдите к зеркалу и осмотрите себя с ног до головы.

Что вы видите?! Этот обрюзгший живот или что-то еще...

Одним словом, ходячий студень или, наоборот, зубочистку.

И при этом ваш бедный дух должен осуществлять ваши заоблачные мечты и наполеоновские планы, да еще тянуть на шее эту тушу, которую вы день ото дня гробите.

Как вы думаете, ваш дух может выдержать все это?

Да он согнется! Сломается!

Дух тоже тренируется через тело, через преодоление, начиная с самого малого и заканчивая достижением Великих целей.

И что же в результате получается?

Вместо того чтобы быть вам помощником, вместе с вами сворачивать горы в бараний рог, вместо того, чтобы сказать: «Молодчина! Умница! Я с тобой! Вперед, за великими достижениями!» – ваш дух будет влачить жалкое существование, понуро плестись за вами, цепляясь за ваши ноги.

Ну как, нравится такая картина?

Сейчас мы с вами рассмотрели не лучшую ситуацию, но могу вас успокоить: всегда есть и худший вариант!

А называется он среднестатистическим телом, вашим телом, у которого есть своя «болотная» жизнь.

Все идет своим чередом, все приспособлено к тому зеленому образу жизни с чавкающей почвой под ногами, к чему-то мутному, склизкому, слякотному и даже пахнущему.

Вспомните свое состояние холодными, слякотными, промозглыми днями, когда полгода не видно солнца, когда кругом только глубокая, тоскливая, черная полярная ночь.

Что вы чувствуете, как двигаетесь?

Делать ничего не хочется, тянет только валяться на диване или посиживать с вялеными мыслями и отупевшими чувствами.

Не хочется грузить свои мозги никакими размышлениями, тем более философствованием о жизни!

А теперь вспомните, пожалуйста, что вы ощущаете, когда нежитесь в объятиях солнышка, с наслаждением впитываете его тепло каждой клеточкой тела, особенно после купания в море.

Поплавали, почувствовали, как под толстым слоем жира перекатываются зачатки мышц, и вдруг внезапно…

О, блаженное «горе»! Вы вспомнили давно забытое чувство! Оказывается, вы мужчина! Особенно если на самом деле вы женщина!!!

Вдруг чувствуете, что вы еще – ого-го! Или иго-го, потому что начинаете себя вести как молодой жеребец в медовый месяц.

Вы начинаете думать о том, что незачем так рано ложиться спать – в два часа ночи. А можно еще куда-нибудь сходить, на людей посмотреть – себя показать! Отдохнуть по-человечески, заскочить на танцплощадку, пошевелить самой толстой частью тела, какая у вас только найдется!

Солнце делает свое дело, но наша с вами задача – не находиться постоянно под лучами палящего, пробуждающего к жизни солнца, чтобы не превратиться в самца или самку.

Но и в «зиме» застревать не стоит. Иначе вы превратитесь в куколку, ожидающую волшебного превращения в бабочку, которое все не происходит и не происходит.

И вот вы в таком состоянии всю жизнь ждете наступления лучших времен, брюзжа на мир вокруг: «Когда же наступит весна?!» А весна почему-то так и не приходит.

Важно понять главное: меняется состояние вашего тела, иным становится и состояние вашего разума.

Нужен баланс!

Если вы когда-то занимались спортом, а сегодня чего-то добились в жизни, уверяю вас, что частью ваших достижений вы обязаны спорту. Это одна из сторон вашего успеха.

Заставить себя заниматься спортом после сорока лет равносильно установке олимпийского рекорда.

После двадцати пяти лет тело постепенно, постепенно готовится к уходу. Не нами так заведено.

Если вам за тридцать, тело уже начинает отставать в своем развитии от состояния ума, от вашей мудрости, от вашего духа.

Возможно, вы только пришли к своему бизнесу, только наладили дело. Ведь в основном к большому бизнесу приходят как раз в этом возрасте и старше. И что дальше?..

Сначала начинается «листопад», потом появляется первая «осенняя изморозь», а затем наступает «зима»... Перспектива нравится?

Если вы решили достичь большого успеха, хотите или не хотите, **вам придется заниматься собой**.

И вам следует теперь этому приближающемуся «листопаду» противопоставить «жаркую южную ночь». Один из самых эффективных способов добиться этого – заниматься спортом.

Родные мои, вам просто жизненно необходимо постоянно быть готовым противостоять подкрадывающемуся состоянию расслабленности, называемому «великий полет сонной мухи».

Значит, заставьте себя любыми способами пойти в спортзал. Даже если вам ужасно этого не хочется!

Как бы вы ни философствовали и ни мудрили, знайте – это от лени.

Устройте своему телу сервисное обслуживание, уделите ему время.

Заставьте себя!

Победа достигается путем заставления, путем принуждения, путем борьбы с самим собой, путем преодоления! Просто так по мановению волшебной палочки вы в спортзале не окажетесь!

Так бывает только в сказках: раз – встали и побежали в спортзал. Тридцать три года на печке лежали, а тут вдруг встали да пошли!

Значит, не с понедельника, не с завтрашнего дня, а сегодня, сейчас встаньте, закройте на этом месте книгу и дуйте в спортзал!

Заставьте себя! Ради всего святого! Ради самих себя!

Так что – бегом!

Только поймите меня правильно, я вас не заставляю, не поучаю. Боже упаси от такого! Просто прошу, как тренер.

Вы уже уходите? Молодчина!

Я остаюсь здесь, никуда не убегаю, подожду вас на этой страничке.

На обратном пути не забудьте прихватить что-нибудь, чем мы могли бы это дело отметить!

Не оглядывайтесь в своем выборе на окружающих, ориентируйтесь на лидеров, на тех людей, которые достигли огромных высот! Подавляющее большинство из них работает над собой.

А вот быдло (прости, Господи, за такое слово!) все только мечтает о чем-то, что-то придумывает, лишь бы не заниматься собой. Они очень-очень деловые, они очень заняты. Это отговорка, это просто-напросто красивый самообман в очень деловой оберточке.

А ведь перед вами будет находиться старость. Тело будет давить на ваш дух, в нем – 90% вашей усталости.

Это, казалось бы, не материально, но тело материальное, и это тот фундамент, который вы можете и должны закладывать.

Жизнь никого ждать не будет!

У тех, кто занимается спортом, в сутках 240 часов! У них на все времени хватает! Не верите? Проверьте!

У тех же, кто со спортом не дружит, в сутках всего 24 минуты. А это вы наверняка уже по себе знаете.

Запомните! Спорт – это машина времени!

Вы заметите, как будет увеличиваться КПД вашего труда, чем бы вы ни занимались. Благодаря спорту успех придет во все ваши дела и начинания!

Стройное, подтянутое, здоровое тело – залог успеха в делах.

Заставьте себя! Само по себе ничего не получится. Еще тысячи раз повторю!

Часто в аудитории мне задают вопрос: «А каким видом спорта заниматься?»

В данном случае все виды спорта хороши, кроме сидячих. Шахматы нам не подходят.

Вам нужны именно те виды спорта, где наращиваются мышцы, развиваются выносливость, стремительность, хорошая реакция.

Да сами выбирайте. Присмотритесь к себе, попробуйте понять, после занятий каким видом спорта вы себя хорошо чувствуете. Любой спорт прекрасен, если он бодрит дух, дает тонус телу. Тогда и душа поет!

Вы можете ходить в спортзал и поднимать штангу, но только не увлекайтесь бодибилдингом.

Этого вам категорически не рекомендую, потому что чрезмерное увеличение мышечной массы приводит к тому, что мозг часть своего «штата» переводит в мышцы. Это, между прочим, научно доказанный факт!

Бокс тоже не подойдет – голова предназначена для других целей. Природой не предполагалось из головы делать «грушу»!

Бизнес – это стремительность, поэтому лучше всего подойдут боевые искусства. Я, как специалист, мог бы предложить восточный рукопашный бой. Здесь вы ежедневно, ежечасно, ежесекундно побеждаете самого себя. А это самое трудное!

Восточный рукопашный бой – вид спорта, который подойдет не только для мужчин, но и для вас, дамы, мои хорошие, мои родненькие. Вы ведь все просто помешаны на красоте. И это чудесно! Говорю это как мужчина!

Найдите такие виды спорта, где ваше тело не только приобретало бы красивейшие формы, но и тонус.

Чтобы **тело** вас поднимало с постели, а не вы его за руки, за ноги стаскивали с кровати!

Чтобы оно ежедневно будоражило ваш дух:

– Проснись! Сколько можно лежать?! Смотри, как чудесно на улице! Мир прекрасен! Пойдем дальше его «завоевывать» любовью!

Основа основ любого бизнеса – это хорошая физическая форма.

А физическую форму можно обрести только после победы над ленью.

А победа над ленью начинается не с понедельника, не с завтрашнего дня, а с этой секунды, с этого мгновения!

Никакие отговорки типа «штаны не те», «кроссовки не те», «спортзал не тот» не принимаются. Это несерьезно! Уберите их в сторону!

Если вы никогда спортом не занимались, то вспомните хотя бы, как вы себя чувствовали на следующий день после сауны, после массажа, когда вы, наконец, хоть что-то дали телу? Ну вспо-о-мните же, в конце-то концов!

Вот эти свои ощущения умножьте на сто. Вот каково состояние тех, кто занимается спортом!

Вспомните, когда вам было семнадцать–девятнадцать лет, как вы смотрели в будущее? Вам казалось, что весь мир ваш, вам все было интересно.

Вот к этому состоянию надо вернуться!

Когда вы займетесь спортом, эти чувства будут постепенно восстанавливаться, и вы начнете действовать, а не хныкать и слюни распускать, жалуясь на природу, погоду и все остальное.

Внимание! Техника безопасности!

Как огородить себя от возможных неудач и провалов?

Мои хорошие! Если в то время, когда начнете заниматься спортом, вы упустите некоторые моменты, то ваши походы в спортзал закончатся провалом.

Если каждую тренировку вы будете воспринимать как принуждение, как наказание, то очень скоро наступит предел вашего терпения и вы можете сдаться.

Если же будете заниматься с остервенением, заставляя себя: «Надо, ну, на-а-до!!!» – просто-напросто **наступит день, когда вы будете думать об этом с отвращением и не сможете себя заставить**.

Это говорю вам как тренер, подготовивший не один десяток чемпионов.

Значит, перед тем как идти в спортзал, искусственно, как актер, создайте внутри себя радость от того, что вам предстоит делать.

Представьте и прочувствуйте нутром, что вы уже сейчас испытываете счастье от занятий спортом.

Каждый раз, когда будете вспоминать о спортзале, о предстоящих занятиях, искусственно вызывайте в себе состояние удовольствия, состояние радости, сознания, что вас ждет кайф!

Когда вы находитесь в спортзале, опять же искусственно создайте ощущение, что вам приятно заниматься собой, преодолевать свои слабости, становиться хозяином своей жизни, и со временем на самом деле от души полюбите то, чем занимаетесь.

А уходя из спортзала, особенно ярко постарайтесь вызвать в себе стремление и чувства трепетного ожидания, что вы завтра снова сюда придете.

Каждый раз, когда вы будете вспоминать о спортзале, о своей работе над телом, вызывайте в себе состояние радости, ощущение, что вас ждет удовольствие!

Повторяю, на первых порах искусственно, как актер. Это закон!

Если вы будете ходить в спортзал с мыслями о само-принуждении, думать, что истязаете себя, рано или поздно наступит день, когда не преодолеете себя, не сможете переступить порог этого зала.

Такую ошибку совершает большинство людей, даже начинающие спортсмены, и в результате перестают заниматься.

Поэтому неукоснительно выполняйте рекомендации по самовнушению!

Неукоснительно!

Сколько раз можно тренироваться? Поговорите с тренером.

Как можно тренироваться? Поговорите с тренером.

В какое время тренироваться? Поговорите с тренером.

Так что закрываем книгу. Дальше не читать.

Прошу вас, пожалуйста, духовность сначала.

Бизнес – потом.

Вначале здоровье!

Приведите себя в порядок.

Рекомендации

Возьмите тетрадку или блокнот и напишите, пожалуйста, в верхней строке большими жирными буквами: МЕЧТА ЛЕЖЕБОКИ

А дальше заполните таблицу.

Зная, что сами вы таблицу никогда рисовать не будете, я за вас почти всю работу сделал. Пожалуйста, заполняйте!

МЕЧТА

Таблица для образованных и умных **сало**носителей!

Вид спорта	Теоретическое решение проблемы занятия спортом
Самое распространенное название – Хочу-у!!!	1. Найдите убедительную глупость, почему вы не можете заниматься! 2. Лежите на диване и мечтайте о своем счастливом будущем 3. Ходите в спортзал, на стадион и иные мероприятия или смотрите их по телевизору. Кстати, **быть болельщиком и болеть имеет один корень!**

ЛЕЖЕБОКИ

Практическое решение проблемы занятия спортом	Срок выполнения: с такого числа я начинаю работать над собой!
В этой графе запишите три варианта практических решений. Выберите из трех предыдущих пунктов то, что вам подходит больше всего.	А теперь остается самое малое, родимый вы мой! Берете календарик и отмечаете день, с которого начнутся ваши тренировки.
_____	_____
_____	_____
_____	_____
_____	_____
_____	_____

Сейчас же вспомните, где находится ближайший спортзал или стадион. Позвоните туда, узнайте, какие секции и группы там существуют.

А теперь исчезните до завтра с этой страницы!
Кыш в спортзал!

Успех
и женщина-а-а!

В корне всех великих достижений и величайших глупостей, сотворенных мужчиной, находится желание понравиться женщине!

Все для вас,
Все из-за вас,
Все ради вас,
Чтобы вас!..

Предупреждение для истеричек!

Милые дамы, то, о чем речь пойдет ниже, специально усилено и гипертрофировано для того, чтобы вас раздражить и обидеть.

Только, пожалуйста, не надувайтесь на нас! Все имеет скрытый смысл и к тому же не является стопроцентной правдой! Так что *не поддавайтесь на наши провокации...*

Ну что, мужики, давайте откровенно помолчим об очаровании существ, которые называются женщинами! Об их природе и великом вечном стремлении улучшить своего мужа.

Если мы, мужики-бизнесмены, не будем знать природных особенностей милых дам, не будем заранее изучать технику боевых искусств – «языкопашного» боя, то наш успех в бизнесе может благополучно не состояться. Большую услугу в этом может оказать хозяйка домашнего очага.

Посмотрим в корень мужских бед. Как мы с вами знаем, во всем виноваты женщины.

Обратимся к истории. И сразу ключевой вопрос к вам.

Как вы думаете, какого хрена мы с вами торчим на этой бренной земле?! Кто виноват?

Она, Ева!

Ей не только Адам, но и сам Господь Бог предоставил все: живи – не хочу! А ей для полного счастья не хватило одного яблока!

А современные женщины откуда произошли?

Конечно, от Евы! Это мнение религии.

А наука, которая во всем сомневается и всегда ищет свою персональную истину, говорит, что человек произошел от обезьяны.

Получается, из-за Евы нас выгнали из рая, а она впридачу ко всему еще изменила Адаму с обезьяной!

(А с кем же еще? Других-то мужиков еще не было.)

В постоянном поиске нового для апгрейда мужа – то есть его улучшения – женщины идут на мыслимые и немыслимые ухищрения (и даже на такое геройство, как проявление зачатков разума!), лишь бы своего Ромео сделать достойным себя.

Если полностью следовать этому желанию, постепенно мы превратимся в ее первую любовь – орангутана.

Однако, увидев свой законченный «шедевр» и поняв, во что он превратился, «скульптор» с поросячьим визгом первый же даст от него деру. А «улучшенные» таким способом мужчины смогут найти свое счастье разве что в вольерах макак в зоопарках.

Наша с вами задача – рассмотреть очень опасные для мужчин женские особенности.

Зараза эта передается дамам от рождения, но ни в одном реестре психиатрических заболеваний не значится. Ею страдают абсолютно все женщины.

Вспышки начинаются сразу после надевания свадебного платья. Хронически обостряются весной и осенью, в течение лета и зимы прогрессируют.

Одно из словесных проявлений этой вялотекущей лихорадки: «Ты меня любишь?..»

Что это за болезнь? Прежде чем приступить к ее разбору, рассмотрим ряд других примеров.

Как мы знаем, свет и тьма – это две противоположности, которые вечно борются за место под солнцем. Жизнь и смерть, тепло и холод, порядок и хаос, инь и ян, женщина и мужчина...

В электричестве борьба плюса и минуса рождает свет. Если минуса мало, а плюса с избытком, то лампочка от стыда будет краснеть.

Мечта каждой противоположности – полностью «поглотить» другую. Представьте себе, что они достигли своей мечты. Да тут же сами и «пропадут»!

Точно так же все происходит в отношениях между мужчиной и женщиной.

Высшая потребность женской натуры заключается в том, чтобы заставить мужа смотреть только в ее сторону.

В его сердце должна находиться только она. О чем бы он ни думал, все мысли должны сходиться только на ней!

Давайте рассмотрим схематичный план поведения лучшей половины человечества.

Она в белом подвенечном платье уже смотрит на тех, кто делит с ней мир ее мужа, – на мать, сестер, жен его друзей и т.д.

Жена инстинктивно, на глубоком подсознательном уровне, видит в них своих соперниц. Так потихоньку начинается борьба за территорию. Внешних проявлений – миллионы и миллионы.

Представьте, что она очистила кровные «квадратные метры» от родственников.

Но, «пообедав», она уже нуждается в ужине.

Смотрит – муж посвящает часть своего времени и внимания какому-то хобби! Начинается следующая серия наступательных действий.

Ахи-вздохи: «Мужья моих подруг ВОТ какие! А ты?! Они делают вот так и вот так, ах, КАК я им завидую! Вот если бы ты избавился от этого своего недостатка (рыбалки, футбола, телевизора – здесь может быть что угодно!) – цены бы тебе не было!»

Интересы мужа должны быть уничтожены подчистую!

Идем дальше: она наконец-то этого тоже добилась! На стадионе, среди болельщиков – она; она же в количестве двадцати двух игроков гоняет по полю мяч, даже на воротах торчит она!»

Дома на экране телевизора – она, в каждой шахматной фигурке – она, даже на рыболовном крючке болтается она! Ура, цель достигнута!

И вы можете жить спокойно? Черта с два!

А на «завтрак-то» ничего нет!.. Теперь начинаются поиски «жратвы» на его работе. Нет ли там каких-нибудь крыс в юбочке, которые претендуют на ее муженька?!

Начинает потихоньку – сначала раз в год, потом все чаще – появляться в офисе мужа, чтобы избавиться от женщин, которые его окружают.

Допустим, отделалась от всех этих гадюк, но и на этом она не остановится! Будет расширять и расчищать свою территорию до тех пор, пока ее муж не останется один, да и то – сидящий в доме, на утке около кровати.

Конечно, специально все преувеличиваю, но в целом это так.

Нужен ли вам такой мужчина, милые дамы? Подумайте!

Нужны ли вы сами себе такими, уважаемые мужчины? Без работы, без хобби, без друзей, без родственников –

один-одинешенек в своей спальне, сами знаете на чем. Можете даже не думать, ответ ясен и так.

Ни в коем случае нельзя отдавать женщинам все пространство своей жизни и позволять вмешиваться в дело, которым вы занимаетесь!

Вот один из мужиков устроился на работу руководителем Советского Союза и, не зная женской сути, начал допускать супругу к себе на работу.

И она сначала появлялась там редко, но потом, постепенно, стала себя трудоустраивать – на одну должность, на другую, третью. Куда бы ни смотрел супруг, где бы он ни находился, она всегда рядом.

Но было ей все мало и мало... В конце концов она собой полностью заменила целое государство. Не только у своего мужа все отобрала, но и у нас с вами оттяпала Родину!

Все это она делала не от злого умысла, просто-напросто была Истинной Женщиной!

Вы считаете, что я злобствую? Да не-е-т – просто констатирую факт!

А теперь, трудоголики вы мои несчастные, еще большая опасность – исходящая от вашей супруги. И возникнуть она может *с вашей же помощью*, ненаглядная вы моя деловая колбаса!

Во всех начинаниях, самопроявлениях в жизни, ваш фундамент, ваш тыл – это ваша лучшая половинка, ваша семья.

Вы – Царь, Бог, Пророк на своей половине – то есть на работе. Супруга же является всем на своей территории, то есть в семье.

Уважаемые коллеги, то есть мужчины!

И все-таки, положа руку на сердце, мы должны признать, что обязаны всеми своими успехами Женщинам! Поэтому о них мы с вами должны заботиться в первую очередь.

Учтите, они не только хотят получить все, как мы с вами, но и отдают взамен – опять же ВСЕ. После замужества они начинают целиком посвящать себя детям и тем балбесам, кем мы с вами являемся.

Вы, родной мой, с каждым годом все растете и растете не только в бизнесе, но и в возрасте, а также вширь, вдоль и поперек, в общем – успехи во всем! А каждый дополнительный рост требует добавочного внимания – в виде ласки, любви и заботы.

Ваша супруга, увидев, как вы заработались (ах, КАК вы заработались!!!), начинает уделять вам все больше и больше внимания, забывая о себе.

А вы, натянув на свои кривые ноги чудесно выглаженные ее руками брюки, вытянув свою растолстевшую шею из белоснежного воротника рубашки, напялив на себя костюм, который она так старательно для вас выбирала, и вдобавок ко всему распушив хвост, направляетесь на работу.

Встречая на своем пути надушенных и накрашенных дурочек, вы начинаете их сравнивать со своей половиной, которая осталась у ворот дома непричесанная, ненакрашенная, с ворохом вашего грязного белья.

Пока вы будете совершать великие мировые сражения за успех, она будет убирать в доме по тому маршруту, по которому вы прошли – носок над портретом вашей бабушки, галстук – на антенне телевизора, смятая рубашка – на дверной ручке, брюки – в старой цветочной вазе на балконе.

А мужики-то этого не понимают! Им подавай и жратву, и кристально чистую пещеру, много детей и абсолютнейшую тишину, а впридачу к этому – ее ухоженные ручки с длиннющими накрашенными ногтями!

Они вечно требуют от своей лучшей половины исключительно невозможного.

Ваша супруга – хотите вы этого или нет – с каждым годом будет проигрывать в конкурсах красоты, которые ежедневно устраиваются в вашей голове! В конце концов, в вашем окружении могут возникнуть победительницы, которые потребуют: «Или она, или я!»

Как быть?

Умные-пЕреумные советы

Самое глупое: развестись и перебежать к этой победительнице «Мисс Бессовестность».

Еще глупее: заниматься супругой, водить ее на занятия спортом и помогать вести домашнее хозяйство – то есть взять часть ее проблем на себя.

Неглупый: открыть собственное дело, чтобы вы могли финансировать домработников, которые возьмут на себя хозяйственные проблемы. Тогда у супруги останется время заниматься собой.

Почти умный: ежедневно, ежемесячно, ежегодно уделять ей хоть немного времени, чтобы она стала для вас «Мисс», «Кисс» и «Писс» всех мыслимых и немыслимых конкурсов.

Глупые рекомендации

Если хотите быть большим бизнесменом – никогда не женитесь!

Если желаете стать великим, обязательно придется пойти на эту «торжественную трагедию»!

Если вы все же решились на эту глупость – жениться, придется вооружиться не только до зубов, но и до мозгов!

Из года в год, из месяца в месяц, изо дня в день вам придется носить ее на руках, но так высоко, чтобы ей не пришло в голову опуститься до вашей мужской территории.

И ни под каким предлогом не пускать ее в ту часть вашей души, где находятся родственники, друзья, хобби и работа.

Из несбывшегося КВНа:
– Сегодня Катя наконец узнала, что нравится Петрову...
– А-а-а! (Это Катя из-за сцены.)
– Простите... Сегодня Катя наконец узнала, ЧТО нравится Петрову...

Вам придется регулярно – мягко, ласково, душевно, ни в коем случае (Боже спаси!) не обижая ее – «давать ей по морде», когда она начинает влезать туда, куда не надо (буквально не понимайте, не будьте таким же тупым, как я!). Нужно, чтобы у нее выработался рефлекс.

Это в первую очередь даже не вам нужно, а ей, чтобы она себя чувствовала счастливой до конца своей жизни – то есть Женщиной!

Упражнение «Не хочется»

Прямо сейчас оторвитесь от дурацкого занятия – чтения этой книги, и если супруга рядом, подойдите, скажите ей все прекрасное, что вы о ней знаете!

Что она красивая, обаятельная, ухоженная, что она ваш идеал нежности и женственности, что вы ей благодарны за то, что она замечательно вас понимает, что она ТАКАЯ умная! Ну, приврите же немножко! Вы же это умеете, раз вы мужчина!

Если ее рядом нет, оглядитесь вокруг в поисках телефона – поговорите с ней не как с женой, а как с любовницей! Назначьте ей свидание! Между прочим, по дороге не забудьте прихватить маленький букетище!

Все время хвалите за все достоинства, которых у нее нет! Уверяю вас, в скором времени все это у нее появится. Проверено и рекомендовано поколениями старперов!

А теперь шутки в сторонку!

Уважаемые дамы и дамочки! Многоуважаемые бабы и бабочки! Чего вы вообще хотите?!

Семью?

Тогда рекомендую заарканить себе достойного, хоть и редко встречающегося в природе, мужчину: сильного, крепкого, умного и обаятельного, исполняющего все ваши мыслимые и немыслимые прихоти.

Такого, который даст вам возможность жить в доме вашей мечты и подгонит под ваш красивый копчик или попчик желанную «телегу» со свитой, которая будет сопровождать вас во все романтические уголки вашего славного Простоквашино!

Или же вы хотите работу?

Работу, где вы будете претворять в жизнь все свои амбиции, где вы будете пропадать целый день.

Где вы будете получать все радости, славу, уважение и почести, а потом возвращаться домой, неся в своей голове баул с изнеможением, раздражительностью, неудовлетворенностью.

Одним словом, полный багаж отходов производства! И при этом восклицать:

– Ах, как мне хочется быть слабой Женщиной!

А иногда – вопить на весь окружающий мир:

– Перевелись мужики на Руси! Все они гады, сволочи!..

Секундочку...

Не перевелись они, а просто до безобразия размножились мужланы в юбках. Под предлогом работы, самореализации, мечты, убегающие из дома на... сами поставьте какую-нибудь высокопарную идею.

Выбирайте!

Ваш покорный слуга, общаясь со своими слушателями, количество которых уже перевалило за много-много тысяч, причем в разных странах, пришел к твердому убеждению. Крайне редко встречаются женщины, которые, сидя дома, у золотого корыта, не мечтают о работе.

Точно так же почти не встречаются работающие женщины, которые не мечтают быть домохозяйкой.

Какое решение не приняли бы, все равно будете жалеть, радость вы моя!

Если вы выбираете семью, есть опасность выскочить за какого-нибудь лопуха, который всю жизнь учился, но так и не научился работать, а уж тем более зарабатывать деньги.

Здесь вам придется быть максимально внимательной: изучайте родословную этих людей, обязательно – всю генеалогию (далеко не ходите, слишком уж увлекаться не стоит – достаточно до каменного века).

Если вы считаете себя дурой и в вас свирепствует комплекс неполноценности, можете вообще никого не искать – к вам сам придет мужлан в лаптях, в оборванной рубахе, с десятилетиями небритыми подмышками и запахом изо рта.

Пришел с работы, пожрал, посмотрел телевизор и завалился спать в той же робе, в которой работал в своем свинарнике!

Если это вас не устраивает, тогда ищите не только сильного, но и мудрого человека, который знает, что он Мужчина. Рядом с которым вы себя почувствуете истинной Женщиной!

Подумайте, нужна ли вам после этого работа?

А теперь потянулись и зевнули! Немножко прогуляемся по реалиям сегодняшнего бизнеса – посмотрим, чем и в какой сфере занимаются дамы.

Который час Геннадий, как жеребец на гонке, рвется к клавишам.

Мы договорились, он будет писать, а я буду моргать сонными узкими глазами и брюзжать на все, что он скажет.

Если вы любите читать популярные (а особенно так называемые «женские») журналы, то наверняка заметили, сколь часто в них публикуют всяческие глупости о том, как можно успешно совместить карьеру с благополучием в семье и воспитанием детей.

Да, конечно можно – если видеть свой карьерный рост в качестве мамки-няньки-кормилицы.

Редакции таких изданий очень любят печатать интервью с известными богатыми женщинами о том, как им удается сочетать любимую и высокооплачиваемую работу с семейной жизнью. Вместе с рецептами поиска хорошей няни или гувернантки и секретами успешной борьбы с лишними сантиметрами в районе талии.

И извилин...

Однако недавно изданная книга Сильвии Энн Хьюлит «Деловые женщины и миф о том, что можно иметь все» приводит убедительные доводы в отношении того, что совмещение успешной карьеры и материнства по сути невозможно.

Бальзам на вашу душу!

Результаты исследований сама автор называет сенсационными. Оказывается, от тридцати до пятидесяти процентов успешных в карьере дам не имеют детей, даже достигнув возраста сорока—пятидесяти лет.

Еще раз настоятельно рекомендую вам делать выбор между успешной карьерой или ребенком с прекрасным мужем впридачу.

Таково положение женщин, полностью принесших себя на алтарь бизнеса, ведь большее время своей жизни они тратят на работу.

По данным вышеупомянутого опроса, двадцать девять процентов успешных и тридцать четыре процента особо успешных в карьере женщин работают более пятидесяти часов в неделю, и количество затрачиваемого на бизнес времени у них никак не уменьшается.

Во-вторых, у бизнес-леди существуют большие проблемы с выбором спутника жизни. Мало того, что им некогда искать будущего мужа, так у них, видимо, есть определенные – и наверняка завышенные – требования к мужчинам.

Одна из известнейших кинозвезд Голливуда Глория Свенсон была знаменита тем, что никогда не ложилась дважды в постель с одним и тем же мужчиной – и к тому же никогда не бывала замужем!

Зачем мне муж? — отвечала она на вопросы назойливых репортеров. – У меня есть пес, который вечно ворчит, попугай, который здорово ругается, и кот, который шляется где-то по ночам... Ну зачем мне муж?!..

Ситуация осложняется еще и тем, что успешные в бизнесе мужчины в большинстве своем как раз и не хотят видеть успешных бизнес-леди своими будущими женами.

Кому нужны кобылы с мужским умом?!

Мужчины ищут молодых, менее активных женщин, которые будут няньчиться с их «эго». Наиболее успешные мужчины не заинтересованы в получении амбициозного партнера... нет, скорее уж соперника по браку.

Он хочет жениться на Женщине, а не на вечной Амбиции!

Большинство опрошенных бизнес-леди поведали, что не собираются заводить детей, пока их карьера не будет сделана. Рождение первого ребенка они откладывают на более поздний срок.

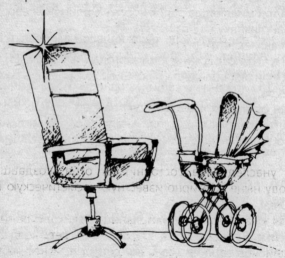

В мире не было случая, чтобы кто-то достиг всего, что он хотел! Это суфийская истина.

К сожалению, только три—пять процентов женщин способны родить в сорок лет здорового ребенка без неизбежных осложнений для обоюдного здоровья. Видимо, они верят в чудеса медицины и милосердие провидения. Впрочем...

Если верить «Книге рекордов Гиннесса», известны случаи (то есть не раз происходившие события), когда именно благодаря совершенно традиционной медицине женщины рожали вполне здоровых детей и после шестидесяти лет. Однако все они были не «бизнес-леди», а здоровые и крепкие работницы в основном физического и не слишком умственного труда...

А теперь, прекрасно зная великую женскую любовь к другим женщинам, особенно более красивым и более успешным, хотим вам дать немножко перчика, чтобы вы ночь не спали.

В списке двухсот богатейших женщин планеты, опубликованном журналом «Euro Business», королева Елизавета, владелица трех миллиардов одиннадцати миллионов евро, фигурирует под номером девятнадцать.

Королева Нидерландов – Беатрикс, чье состояние оценивается в три миллиарда сорок восемь миллионов евро, опережает англичанку на два пункта.

Возглавляет этот список Хелен Уолтер, владелица крупнейшей в США сети розничной торговли Wal-Mart. Ей за восемьдесят, и она обладает состоянием в сорок шесть миллиардов евро.

Хелен обогнала лидирующую ранее француженку Лилиан Беттанкорт, которая с ее четырнадцатью миллиардами евро теперь – всего лишь самая богатая женщина Европы.

Она унаследовала состояние от отца, создавшего в 1970 году ныне всемирно известную косметическую империю L'Oreal.

Самая юная богачка – жительница Великобритании Индия Джеймс. В списке она на 175 месте. Наследницей шестисот миллионов евро ее назначил дедушка, известный лондонский издатель Поль Реймонд.

Просто обратите внимание, откуда им это богатство досталось!

Вопросы на сообразительность

1. Наибольшее потрясение я испытываю при виде женщин, когда они... Что?

2. Какое животное очень похоже на кота, но не кот?

3. Жена оставила окна автомобиля полностью открытыми. Начался дождь. Муж, надев плащ, пошел к машине и обнаружил, что все двери и багажник заперты.

Ему удалось закрыть окна, не открывая ни одной двери машины. Как он выполнил задачу?

Ответы:

1. а) Косят под мужика!
   б) Укладывают шпалы.
2. Кошка.
3. Он забрался через окно в машину и закрыл окна изнутри, оставшись там переждать дождь.

Глава II
ЭКОНОМИКА БЛАГОПОЛУЧИЯ

История вопроса

Уважаемый Геннадий расскажет вам немного истории. А я побегу на несколько страниц вперед, чтобы приготовить для вас одеяло и подушечку. Как раз вы экскурсию зако-о-ончите, отдохне-е-те!

Проверка любви к истории – это испытание терпения, испытание на прочность.

Я простейшую историю знаю не так уж хорошо, вот поэтому разрешите предоставить слово нашему экскурсоводу-экономисту.

Спасибо!

Есть мнение, что достаточно изъять из истории человечества всего лишь четыреста-пятьсот гениев, чтобы мы с вами мгновенно оказались на пещерном уровне.

Конечно, Россия – страна гениев (а нынче еще и звезд), только мы с вами вряд ли входим в их число. И значит, без нас история российская не прекратит течение свое.

Так будут ли о нас вообще помнить потомки?

Это уж они сами решат, оценивая дела наши. Как и мы сами сегодня изучаем, что же полезного было у наших предков.

Чтобы стибрить из закромов их жизни чего-нибудь себе на пользу...

История экономики уходит в глубь веков. Начало лежит в раннем палеолите – 120 тысяч лет до нашей эры.

Тогда практически все люди были первыми – не потому, что в чем-то опережали других, а по той причине, что других-то как раз и не было. Более-менее разумная деятельность человека только-только начиналась – и, возможно, как раз с экономики!

Наидревнейшим людям нужен был не только инстинкт добывать себе пищу, но и умение рассчитывать свое пещерное хозяйство.

В порядочной стае должен был хоть кто-то понимать, где, как и сколько можно накопать съедобных червяков или забить волосатых мамонтов.

А главное – уметь потом все эти лакомства сохранять и выделять порционно – по-честному или «по справедливости».

А в ледниковый период попробуй только не рассчитай запас топлива для костра! Что с тобой тут же сделают стужа и вымерзающие сородичи?

Так что экономика появилась даже раньше, чем человеческая речь.

Ну, а те, кто безответственно **НЕ учился** рассчитывать способы удовлетворения своего желудка, сидели на длительной диете или умирали с голоду. То есть естественный отбор прекрасно действовал задолго до разъяснений старика Дарвина.

Всякий натуральный обмен (включая наидревнейший – проституцию) появился значительно позже – уже как отрасль экономических отношений.

И все это развивалось в радостном мирном бытии или в тяжких и жестоких войнах. У людей все чаще стала проявляться способность осознавать свои возможности и оценивать радужные перспективы.

С появлением письменности стало проще рассчитывать направление развития событий и легче учитывать, кто и сколько утаивает от соплеменников.

Первые каменные письмена доносят, что одним из самых мудрых правителей был царь древнего Вавилона Хаммурапи (1792–1750 гг. до н.э.). Именно при нем был переведен из устной формы в письменную древнейший свод законов государственного общества, который так и назвали – «Кодекс Хаммурапи».

Поначалу законы эти укрепляли государство. Но царство росло, и все больше средств требовалось для воплощения великих проектов, а также для содержания чиновников и армии.

А жили-то древние вавилоняне, выражаясь по-современному, на базе ирригационной экономики… и восточной деспотии.

В хозяйстве же страны главной проблемой была засуха, а оросительные каналы поддерживались за счет инвестиций и собираемых налогов.

И ложилось все это, разумеется, на плечи подданных…

Система была такова: чем больше производилось продукции (например, того же зерна), тем большая ее часть уходила на государственные нужды.

Один промышленник встречает банкира и спрашивает у него:
– Как вам удается забирать все деньги, которые мы зарабатываем?
Банкир отвечает вопросом на вопрос:
– А как вам удается зарабатывать все те деньги, которые мы у вас забираем?

Народ это очень живо и остро прочувствовал и… стал выращивать ровно столько, сколько было необходимо, чтобы только-только прожить. И ни зернышком больше – все равно ведь выгребут на «развитие» отстающих регионов!

В результате каналы забились илом, поля запустели. На ирригационные работы денег в казне уже недоставало – почти весь сбор налогов уходил на содержание царского двора и армии.

А чиновникам и вовсе уже не хватало «на жизнь», и на этой почве закономерно расцвел первый чиновничий беспредел.

Царская администрация тут же принялась бороться с коррупцией и взятками – ведь то, что оседало у чиновников, не доходило до царя! Этот рожденный в древности «великий почин» дожил и до наших дней. Значит, и пороки, с которыми он боролся, тоже не умерли...

Что уж говорить про те давние времена, когда все это только зарождалось?

Экономика царства слабела, и государство от этого тоже не становилось сильней. Этим воспользовались добрые, но воинственные соседи.

И не стало в Месопотамии Вавилонской империи...

О древнеегипетских топ-менеджерах и правителях известно уже чуть больше. Периоды расцвета государства чередовались там с гражданскими войнами – как и у нас в XX веке!

Ранее народ воевал хаотично, «рубились» до полного удовлетворения своих эмоций и амбиций.

И первым известным в истории полководцем, который ввел **плановое** решение военных проблем, стал фараон Тутмос III (1525–1473 гг. до н. э.). Он намечал объекты приложения усилий, а потом упорно овладевал ими.

Под его целеустремленным руководством египтяне уже не распыляли свои силы, а наносили сосредоточенные и последовательные удары. Тутмос III не только подавил все внутренние мятежи, но и распространил господство Египта на Малую Азию.

Годы его правления считают вершиной могущества Египта.

Ну а как насчет источника побед? Откуда же черпал ресурсы мудрый фараон? Ведь даже великий Нил вовсе не бездонен...

Пейсаховича вызвали в прокуратуру.
– Где вы взяли деньги на «Волгу»?
– У меня был «Москвич». Я его продал, приодолжил и купил «Волгу».
– А где вы взяли деньги на «Москвич»?
– Был у меня ИЖ, я его продал, приодолжил и купил «Москвич».
– А где вы взяли деньги на ИЖ?
– А за это я еще при Сталине отсидел!

Первые двадцать лет царствования Тутмос III был всего лишь номинальным соправителем своей тетки Хатшепсут (1525–1503 гг. до н.э.) – пожалуй, единственной во всей истории Египта женщины-фараона.

Правила она долго и грамотно: подняла экономику страны, вырастила целое поколение, не знавшее горя войны и жаждавшее подвигов.

Между делом увлекалась фараонесса и географией – создала отряды, которые путешествовали по соседским странам, неся в руках вместо копий символические пальмовые ветви мира. Карты составляла, указывая, где какой народ живет, чем знаменит и что имеет...

...А племянник, как только получил власть, решил пойти иным путем. Воспользовавшись накопленными знаниями и ресурсами, стартанул лихо! Пошли на соседей отряды воинов – только уже с копьями вместо веточек...

И при Тутмосе Египет расцвел еще больше, чем при тетке!

Вывод очевиден: сила государства не только в одних лишь победоносных войнах, но и в том, чтобы в перерывах между походами обустраивать экономику и восполнять население.

Но зачем же захватывать новые земли и покорять другие государства?

Да чтобы использовать их ресурсы! А еще потешить свое самолюбие и внутреннюю оппозицию подавить. Ведь когда идет война, все заняты, а лишних можно на фронт отправить или избавиться от них по-тихому – как от потенциальных перебежчиков.

В военное время правителю никто слова против не скажет – у него под рукой действующая армия. А любые налоги под предлогом войны можно и повысить, сыграв на патриотических чувствах...

Впрочем, война нужна скорее слабой экономике, когда в своем государстве голодно, а у соседа такие хорошие табуны и тучные нивы...

Во время войны в слабом государстве усиливаются элементы командной экономики.

А вот сильной экономике, пожалуй, война не особо-то и нужна, разве только локальные конфликты с блестящими победами – для поддержания имиджа. Зачем завоевывать, когда можно купить? Да и риска меньше.

Сильная экономика основана на свободе выбора, на законах, защищающих собственность, на выгоде. Ведь ей нужен обмен и договор.

А сопредельные страны и сами в сильный Союз запросятся!

Как-то во времена бывшего Союза ССР в Верховном Совете ломали головы: как бы побыстрее и посытнее накормить страну. Выступил один депутат и предложил простой выход:

– Давайте объявим войну сразу США, Канаде и всей Западной Европе. Они нас победят и будут задарма кормить.

Тоскливый голос с галерки:

– А если мы их?..

Разумеется, экономика издавна существовала не только в экзотических странах, но и на нашей отечественной почве. А у нас известными и долговечными правителями были отнюдь не фараоны, а попросту Романовы.

Приглядимся-ка к свершениям хотя бы парочки из них.

В XVII веке Русью правил царь Алексей Михайлович Романов (1645–1676) – отец Петра I. Называли его «Тишайший», и царство его, как судят по этому прозвищу зарубежные историки, было сонное и отсталое.

Iолько как же тогда смогло оно, сонливое такое, без крутых реформаций и иностранных новаций, торговать со всей Европой, да еще и цены на свою продукцию по собственному желанию устанавливать?!

А ведь в 1654 году западная граница Московского государства без крутой бойни расширилась аж до самого Днепра. Ну разве могла целая Украина сама присоединиться к слабенькому государству? Может, вовсе и не было оно слабым?

Попробуем вникнуть чуть подробнее.

Царевич Алексей получил образование, как в ту пору было принято, по древнему образцу. В совершенстве изучил чин церковного богослужения. Но главным воспитателем царевича был боярин Борис Морозов, увлекавшийся Западной Европой. Он-то и ввел много нового в учебу и быт царевича.

Морозов одевал Алексея в немецкое платье и обучал иностранным культурам. Таким вот образом, «сверху», европейские обычаи стали проникать в русское общество.

Царь полюбил иноземные потехи, на комедийные действа брал с собой семью, детей (в том числе и будущего Петра I), обучал их иностранным языкам.

Дворцовый этикет при нем смягчился. «Тишайший» запросто ездил в гости к своим подданным, выпивал с ними на пирушках, был отзывчив и вникал в их дела. А около дворца стоял ящик, куда любой человек мог опустить жалобу... для самого царя!

Сам государь отнюдь не был тихим ни по натуре, ни по делам своим – наоборот, был вспыльчив, иногда выходил из себя и даже давал волю рукам. А быстроту он любил не только в мыслях, но и в поступках.

Почему же его назвали «Тишайшим»? Да просто был тогда такой царский титул для тех, кто умел поддерживать порядок в стране...

Царство росло и крепло. Опять-таки создавались ресурсы для будущих начинаний его сына – Петра I.

Для соблюдения равноправия полов обязательно вспомним даму из рода Романовых: Екатерина Алексеевна (1762–1796 гг.) – матушка-государыня, как неофициально величали ее в народе.

Императрица Екатерина II, в девичестве немецкая принцесса из малого княжества Софья Фредерика Августа Ангальт-Цербстская, царствовала на Российском престоле без малого 34 года.

Империя досталась Екатерине в состоянии текущего развала. Флот, любимое детище Петра, был заброшен. Русская армия стояла где-то в Пруссии, и солдаты месяцами не получали жалованья.

Крепости пребывали в запустении. Хлеб стал очень дорог. Тюрьмы переполнены. Чиновники кормились взятками, потому что жалованья им не выдавали. Казна была пуста.

Екатерина сразу же приняла ряд срочных мер: запретила вывозить хлеб за границу и тем самым удешевила его, сбавила цены на соль, установила пенсии, издала указы против взяточников, ввела новые штаты служащих.

Своей главной целью она сделала установление порядка и законности в государстве. Хотя в народе тогда была сильна вера не столько в силу законов, сколько в волю монарха (теперь-то все по-другому).

Вместо огромного количества медных монет в оборот были введены бумажные деньги – ассигнации, которые упорядочили положение с финансами.

Екатерина заботилась и о здоровье народа. Именно при ней стали впервые налаживать врачебное дело: открывались больницы, госпитали, приюты для больных.

Не побоялась она даже одной из первых в столице сделать себе прививку против оспы – дело это тогда было еще совсем новым и потому страшноватым для наших предков.

В экономике Екатерина нередко руководствовалась принципом «если не мешать другим исполнять свои обязанности, то все научатся решать и отвечать за свои действия сами».

Главными же достоинствами управленческих методик императрицы были стабильность и предсказуемость. Это любовников она меняла часто, а вот министров на должностях держала подолгу.

Даже когда ей доносили, что некий крупный государственный чиновник по старости лет с обязанностями своими уже не справляется, она отвечала: «Что ж, у него помощники есть – выправят, а он пусть при почете останется, все ж к нему привыкли».

А разве плох был тот кабинет министров, те начальники? Они провели победоносную войну с Турцией и установили влияние России на всю Европу. Разве что не упредили Пугачевский бунт.

Жила Екатерина более для истории, для потомков — так сама говорила. Старалась оставить о себе прекрасные воспоминания и в конце своей жизни составила список примерно из 500 пунктов, где с немецкой педантичностью перечислила все свои добрые дела, совершенные ради Отечества.

В общем, немало: 500 дел/36 лет = почти 14 добрых дел в год!

При Екатерине Россия широко раздвинула свои границы. Исполнилась мечта Петра Великого: русские корабли отныне могли плавать по Черному морю. Крым (Таврия) был объявлен независимым от Турции, а позже, благодаря дипломатии графа Потемкина, и вовсе отошел к России.

Вообще-то присоединение новых земель всегда было любимых занятием отечественных монархов. Со времен первых Романовых и вплоть до 1914 года Российская империя расширялась в среднем на 80 тысяч квадратных километров *ежегодно!*

Только в XIX веке ее площадь увеличилась на треть. Это означает, что территория бывшего СССР была создана не «тоталитарным режимом», а столетними усилиями российских государственников.

Наш Мирзакарим Санакулович — великий интернационалист. Но пока он отвлекся со своими одеялами и подружками, позвольте чуть продолжить о поиске смысла в днях текущих, познавая свои буржуазные корни.

И предпринимательство появилось в нашем государстве не во времена президента Горбачева, а столетиями ранее.

В России процесс «обуржуазивания» начался еще в XVIII веке. Бизнес-слой Российской империи был чрезвычайно разнородным.

Дворянство считало это занятие недостойным своего благородного сословия. Их участие в торговле чаще воспринималось как нечто выходящее за рамки приличий.

Например, Екатерина II, узнав о желании графа Апраксина вступить в купеческую гильдию, назвала его сумасшедшим. Отсюда делаем вывод, что и в прошлом России многие значимые дела вершились в большинстве «придурками», т.е. людьми необычными.

Дворянство владело практически всеми плодородными землями державы. И главная их задача сегодня бы называлась «обеспечение продовольственной безопасности страны».

А вот купцы всегда стремились получить всякие там титулы, медальки и сопутствующие им привилегии – чтобы активнее развивать «амбиции» собственного дела. Каждая эпоха диктует свои внешние формы, в наше время для этого больше подходит статус народного избранника.

Мы слабо представляем реальную историю русского дела. Ее писали разные люди, иногда совесть имеющие, а порою работающие исключительно на волю заказчика.

Но «...если бы торговое сословие и в прежней Московии, и в недавней России, – отмечал историк русского купечества П.А. Бурышкин, – было бы на самом деле сборищем плутов и мошенников, не имеющих ни чести, ни совести, то как объяснить те огромные успехи, которые сопровождали развитие русского народного хозяйства и поднятие производительных сил страны?

Русская промышленность создавалась не казенными усилиями и, за редкими исключениями, не руками лиц дворянского сословия. Русские фабрики построены и оборудованы купечеством. Промышленность в России вышла из торговли».

А торговое сословие было в своей массе здоровым, а не таким порочным, как его представляли легенды иностранных путешественников.

Наверно, истина, как всегда, где-то посередине. Не все они были сволочами, хотя и вряд ли были идеальными. Скорее всего, были у них и высокие проявления, и на приюты давали, бывало, и шампанским лошадей попаивали. Были людьми чести, но могли и схитрить.

Ведь успех возможен, если есть страсть. А уж если она есть, то во всем.

Экономическая же культура создала идею преображения жизни через преодоление греховной основы человека путем... трудотерапии!

Труд есть добродетель, исполнением которой человек приближается к Богу. Поэтому неудивительно, что религиозность в купеческой среде способствовала упрочению деловой репутации.

При отсутствии письменных документов (которые входили в практику деловой жизни очень медленно) верность Богу сравнивалась с твердостью и надежностью в «держании слова» при устном заключении договора.

Может, в том и состояла «Великая русская мечта»?

О «Великой американской мечте» мы слышим часто: есть где-то за океаном такая страна – Америка, где всякий, даже чистильщик сапог, если очень захочет, может стать воротилой большого бизнеса.

Нужны для этого лишь деловая хватка и энергия, которую можно обрести в основном на американской почве или по их рецептам-технологиям. И в чем-то тут американцы правы.

Ведь до сих пор самая известная и пока стабильная валюта – это их доллар.

И с другой стороны, большинство лауреатов Нобелевской премии представляют тоже США! Но не все же они были ранее чистильщиками сапог. Многие получили образование и развитие своим талантам в других странах, в том числе и в России.

Может быть, важное отличие русского дела от западного бизнеса в том, что, по мнению автора «Москвы купеческой», в России «само отношение предпринимателей к своему делу было несколько иным, чем на Западе».

На свою деятельность смотрели не только и не столько как на источник наживы, а как на **_своего рода миссию, возложенную Богом или судьбой_**. То есть было важно не только то, как зарабатывал человек деньги, но и как тратил.

В русском купечестве была в большом ходу присказка **_«Бог богатством благословил и отчета по нему потребует»_** или, как выражал по-французски ту же мысль Павел

Павлович Рябушинский, «Richesse oblige!» (**«Богатство обязывает!»**).

История многих ранее известных деловых семей – Кокоревых, Губошиных, Крестниковых, Морозовых и многих других – могла бы стать легендой, подобно легендам о Форде, Моргане и Рокфеллере, но судьба распорядилась с ними менее справедливо.

Сегодня многим из вас, дорогие читатели, открыт путь создания своих деловых «фамилий».

Вот и весь наш «краткий курс» экономической истории от мамонтов до Мамонтовых.

Вопросы на сообразительность

1. В газетах сообщалось о находке монеты, датированной 33 годом до нашей эры. Можно ли доверять такому сообщению?

2. В чем может заключаться историческая правда об Иване Сусанине?

3. Что нужно сделать, если вы совершили эпохальное открытие?

Варианты ответов

1. а) Это смотря в какой газете! Армянской – можно: ведь армяне, как они сами утверждают, приняли христианство за 300 лет до Рождества Христова...

   б) Датировок «до нашей эры» на монетах быть не может (тогда о новой эре еще никто не знал).

2. а) В подлинности имени и фамилии.

   б)Он и вправду заблудился.

3. а) Запастись справкой о психическом здравии!

   б) Найти подходящую эпоху.

Здоровая экономика

Среди множества задач, стоящих перед государствами, одна из первейших – здоровье нации. Мудрые китайцы подсчитали, что население Земли составляют:

– 15% – абсолютно здоровые люди;
– 15% – серьезно больные;
– 70% – считающие себя больными. Но таковыми не всегда являющиеся.

Да, конечно, успехи здравоохранения серьезно подорвали соображения Чарльза Дарвина о естественном отборе. И сегодня те, кто в неухоженных природных условиях давно бы уже перестал топтать землю необутыми пятками, благополучно доживают до возраста, который нашим давним предкам показался бы преддверием бессмертия.

С другой стороны, если бы большинство людей были по-настоящему больными, мы бы давно все повымерли!

Подсчитайте-ка количество своих рабочих дней в году и число дней «больных». Получится, что «здоровых» явно больше!

Значит, большую часть жизни мы все же здоровы. Ноющий зуб еще не означает тяжелую болезнь. Часок-другой в кабинете стоматолога – и все закончено.

Кстати, о зубах.

Это же целая песня, как мы следим за своими зубами! В зависимости от отношения к этому вопросу можно узнать о человеке многое – даже его национальное происхождение.

Еврей идет к стоматологу, когда еще ничего не болит. То-о-олько почувствовал неладное – сразу к врачу, чтобы тот ВСЕ осмотрел, что надо – упредил и обезвредил, причем за минимальные деньги.

Русский идет не сразу, а лишь «пронаслаждавшись» болью несколько дней: «Все думал – авось завтра само по себе рассосется».

Узбек же чаще всего идет, когда от дикой боли уже развалившегося зуба иссякли все его силы...

Все, все, ухожу со сцены!

А ведь люди давно придумали специальное, почти священное слово – **профилактика** («предохранение» в переводе с греческого).

Почему же мы все (от русских до узбеков) так часто забываем «предохраняться»?

А как прикажете сохранять и тем более «предохранять» здоровье, когда вечно не хватает денег, дома нечего есть и нервы постоянно изматываются назойливыми материальными просьбами домашних?

Можно, конечно, просто устраниться от проблем и заняться философическим созерцанием собственной уникальной личности. Хотя это вряд ли позволит воспарить над квартплатой и походами в магазин.

Или все-таки придется, подобно Илье Муромцу на тридцать первом году жизни, «слезть с печи», стать добытчиком и обеспечить свой дом достатком.

Тем более что в отличие от былинного героя здоровья у вас вполне хватает.

Россияне в целом представляют собой достаточно здоровую нацию. При этом, правда, с не очень продолжительной жизнью...

В то же время в ряде не столь глобально здоровых европейских стран люди живут подолее нашего лет на десять–пятнадцать. И официальный срок выхода на пенсию там составляет 67 лет. Может быть, корни залегают не только в генофонде, а еще и в образе жизни?..

Ну и кто будет возражать, что хоть какое-нибудь, а тем более здоровое существование на этой земле возможно без какого ни на есть управления хозяйством!..

А между прочим, именно так переводится с очень древнего и греческого на наш нынешний и российский словечко «экономика»...

И что же творится с экономическим здоровьем нашей принципиально «здоровой нации»?

Одни сильно умные люди говорят, что по мировым экономическим оценкам мы стоим на уровне африканских стран. Это при наших-то скрытых ото всех на свете (и даже от самих себя) экономических возможностях!

Другие чрезвычайно мудрые человеки утверждают, что наш рубль в десятки раз больше обеспечен товарами, нежели даже самый крутой американский доллар. А по сырьевым запасам мы куда богаче многих!.. Только вот учет у нас, как «правильнописание» у Винни-Пуха, сильно хромает.

Поэтому нечего других слушать — будем сами решать, в какой стране мы живем и какие же мы есть на самом деле.

Вообще любая держава сильна лидерами. Вот появился пару веков назад Наполеон Бонапарт — и за несколько лет слабая прежде Французская республика стала наисильнейшей империей со многими колониями и зависимыми государствами.

Ну а здоровая экономика преуспевает прежде всего за счет грамотных и здоровых специалистов (в том числе и в правительствах).

В экономике, как и в живой природе, все взаимосвязано и регулируется почти естественным образом. На рынках, как и в звериных чащах, более сильный съедает слабого. А более мощная валюта с удовольствием «закусывает» менее жизнеспособными конкурентами.

В девяностые годы наш рубль слабел не сам по себе. Причин была масса, в том числе и появление на наших просторах американского доллара — денежной бумажки, более устойчивой к инфляции. Возможно, потому, что зеленый — цвет жизни!..

Доллар же силен не столько своей обеспеченностью национальным ресурсом (американцы предпочитают больше эксплуатировать ресурсы зарубежные), сколько очень сильной политикой государства, которое его печатает.

Население почти всего мира использует «грины» и «баксы» как средство накопления, стараясь уменьшить влияние инфляции на личные сбережения.

Теперь появилась единая европейская денежная единица «евро» — молодая, но уже очень перспективная.

Возможно, завтра для остальной (неевропейской) части народонаселения изобретется какой-нибудь «азио»...

И куда тогда деваться России и ее россиянам со своим «древо»-рублем?

Да всё туда же — в бизнес(!), который зависит не столько от какой-то конкретной валюты, сколько от законов рынка.

Один из них сформулирован еще в тридцатых годах двадцатого века и может быть назван **теорией предвидения состояния экономического рынка**.

Разработал теорию больших циклов конъюнктуры (длинных волн) Николай Дмитриевич Кондратьев — один из крупнейших экономистов XX века. Он родился в 1892 году, был арестован в 1930 — и за что?!

В период индустриализации, когда всю страну призывали возводить заводы и фабрики, он заявил, что неплохо бы рядом строить еще детские сады и вообще всяческие полезные для народа социальные объекты.

Иначе получается, что это народ для промышленности, а не промышленность для счастья народа.

Ну и что же удивляться, что в 1938 году Кондратьев навсегда исчез в лагерях НКВД? Позже он, конечно, был полностью реабилитирован.

И где-то на этом сложном и не очень долгом жизненном пути он все-таки успел изложить основы **предвидения экономического развития**.

Кондратьев изучил динамику цен на сырьевые и промышленные показатели, уровень зарплат, объемы добычи золота и международной торговли в Англии, США, Франции и Германии с 1790 по 1920 год.

И обнаружил, что подъемы и спады уровня деловой активности повторяются с определенной периодичностью и длятся в среднем около 50 лет.

Значит, можно заранее готовиться к экономическим потрясениям, если учитывать поведение этой «экономической волны»!

Беда была лишь в одном: в то время никакой рыночной экономики в СССР уже не было, а учитывать капитализм было совершенно незачем.

Человек, излишне опередивший свое время, конечно, попал под современные ему отечественные жернова.

И только сейчас мы воспринимаем кое-что из его находок.

Позвольте очень и очень упрощенно показать вам картину кондратьевской волны.

Фаза роста

Чаще всего начиналась с войны или другой причины увеличения правительственных расходов.

Внедрялось множество сделанных ранее изобретений, шел быстрый рост молодых отраслей.

Осваивались новые рынки, рос объем международной торговли.

Фаза вершины

Резкий скачок цен, особенно на энергоносители. Повышение процентных ставок.

Начало монополизации. Сильная инфляция. Усиливаются колебания валют относительно друг друга.

Фаза снижения

Экономический спад. Инвестиций в реальное производство становится все меньше. Снижаются процентные ставки.

Фаза депрессии

Низкая инфляция, почти нулевые процентные ставки. Никто не хочет ни давать, ни брать кредиты. Безработица.

Подъемы и спады уровней деловой активности повторяются с определенной периодичностью и длятся в среднем 50 лет. При этом экономика всех стран регулярно проходит одни и те же фазы: рост, вершину, снижение, депрессию – и опять рост!

Любопытно, что ритм волн столетиями не меняется, несмотря на заметные изменения в развитии человеческой цивилизации. Меняются лишь вовлекаемые в движение экономические показатели.

Значит, можно заранее готовиться к экономическим потрясениям, если учитывать поведение этой «экономической волны»!

Конечно, у этой теории есть противники: они утверждают, что все это слишком просто. Однако большинство экономистов-капиталистов (от Карла Маркса до современников) подтверждают теорию цикличности.

По мнению многих ученых, верхняя точка подъема нынешней мировой экономики была пройдена в начале семидесятых годов прошлого века. С середины того же десятилетия началась фаза снижения.

Стало быть, на «экономическом дне» некоторые страны оказались в середине девяностых годов. В ближайшее же время – уже до 2020-х годов – на подъеме мировой экономики нас ждет много хорошего и радостного.

Помимо большой кондратьевской волны, есть еще и малые и совсем малюсенькие. Но это вы уж сами изучите, если понадобится.

Кому это полезно знать? Да нам с вами!

Потому что это дает возможность предугадать заранее время экономических бумов и кризисов (коль скоро мы ступили на путь капразвития).

Планируя стратегию своего бизнеса, неплохо бы иметь представление, в какой фазе волны мы находимся.

Тогда можно будет достаточно точно представлять, **на какие виды товаров и услуг сохранится длительный спрос,** и именно на этом сосредоточить свои усилия. А над чем лучше не напрягаться, а пожить в свое удовольствие, выращивая пчел.

Это полезно знать, если вы стали бизнесменом не на пару недель, а решили посвятить этому многие годы.

Вот, пожалуй, и все о самом сложном в стратегии экономики.

Подведем итог: **в этом мире не надо изобретать свои революционные представления о бизнесе.**

Технологии наиболее удачных решений извлечения прибыли определены задолго до нас с вами.

Стоит лишь повнимательнее оглядеться вокруг и постараться заглянуть вперед немного дальше кончика собственного органа обоняния...

Каждый день мы получаем от СМИ информацию о погоде, курсе валют или о состоянии фондового рынка.

Это те вещи, на которые каждый из нас в отдельности никакого влияния оказать не сможет, даже если очень захочет. А вот они-то как раз на нас влияют, да еще как.

Вышел без зонтика в ливень – получи отрезвляющий душ вплоть до самого нижнего белья. Аналогично и с состоянием рынка. Нестабилен он – и здравствуй, дорогая инфляция!

Основными показателями фондового рынка являются индексы, как те же температура и давление для погоды.

Самый древний индекс – **Dow Jones (Доу – Джонс)** – впервые появился в Америке в 1896 году, когда подсчеты велись еще карандашиком на бумажке.

Чарльз Доу, создатель индекса, не был финансистом или биржевым маклером – он был журналистом, основавшим компанию «Доу Джонс», которая собирала и распространяла среди биржевиков финансовые новости, влиявшие на бизнес.

Сто лет назад даже деловым людям было сложно разобраться в ежедневной путанице биржевых новостей и понять, что на самом деле творится на рынке. Чарльз Доу предложил свой фондовый индекс именно для того, чтобы положить конец этому беспорядку.

Сейчас все тридцать компаний, акции которых представлены в Dow Jones Industrial Average, являются ведущими в своих отраслях.

Их акции составляют примерно пятую часть от восьмитриллионной стоимости акций всех американских компаний. А еще – около четверти от всех акций, котирующихся на Нью-Йоркской фондовой бирже.

Существует и альтернативная фондовая биржа – **NASDAQ (Насдак)**. Она, в отличие от Нью-Йоркской, не предъявляет

слишком высоких требований к молодым и растущим компаниям.

Эти фирмы, особенно активно возникающие во времена развития компьютерной техники и электронных средств связи, часто были небольшими и обходились малым количеством сотрудников. Их начальный капитал был меньше, чем необходимо для принятия в клуб солидных компаний, поэтому они не могли уплатить крупный взнос.

Вот у них и возникла идея создать фондовую биржу для малых и средних компаний и взимать с них меньшую плату.

Дело оказалось очень успешным и даже получило собственный индекс, который теперь в мировых экономических новостях указывается рядышком с тем же «Доу – Джонсом».

Свои индексы существуют в каждой развитой стране, в том числе и в России. Правда, отечественные индикаторы экономики слишком молоды и глупы, чтобы забивать ими вашу мудрую голову...

Индекс – как хорошее вино: чем старше, тем лучше. Ибо именно с его помощью можно проследить, как фондовый рынок в прошлом реагировал на конкретные ситуации.

А это, в свою очередь, дает неплохие возможности для прогнозирования дальнейших подвижек на фондовом рынке.

Кое-кому удается на этом сколотить неплохое состояние. Хотя...

Среди самых богатых семей Америки (Гейтсов, Дюпонов, Меллонов, Пью, Рокфеллеров...) только один Уоррен Баффет сделал состояние на инвестициях.

И основные успехи его сорокалетних инвестиций – результат точного расчета настоящей стоимости компании и покупки ее акций по цене ниже этой стоимости.

Как правило, он покупал целиком сам бизнес на корню, а не расцветшие на его веточках листочки акций. При этом работал только в тех отраслях, в которых разбирался, которые ему нравилось изучать.

Зоологическое отступление

Биржевики с Уолл-стрит особенно часто употребляют четыре «зверских» слова: быки и медведи, кабаны и овцы.

Откуда в языке биржевых игроков взялась «животная» тематика? Из Нью-Йорка и прямо с Уолл-стрит – самой деловой улицы.

Она называется так в честь когда-то стоявшей там стены, которая не позволяла домашним животным разбредаться далеко от поселения на конце Манхэттена.

Биржевики, рассуждая о рынке, говорят: «Быки зарабатывают, медведи зарабатывают, овец и кабанов режут».

Бык бьется, ударяя рогами вверх. «Бык» – это покупатель, поставивший на подъем рынка и выигрывающий от повышения цен.

Медведь дерется, надавливая лапами вниз. «Медведь» – это продавец, поставивший на понижение рынка и выигрывающий от падения цен.

Кабан жаден. Таких убивают, когда они пытаются удовлетворить свою алчность. Некоторые «кабаны» покупают или продают слишком много и уничтожаются даже небольшим неблагоприятным движением рынка.

Другие «кабаны» передерживают свои позиции, ожидая увеличения прибыли, даже когда рынок двинулся в обратном направлении.

Овцы – пассивные и боязливые последователи тенденций, намеков и учителей. Иногда они «нацепляют рога быков» или «шкуры медведей» и пытаются задираться. Их легко узнать по жалобному блеянию в периоды неустойчивости рынка.

Как только рынок начинает работать, «быки» покупают, «медведи» продают, «кабаны» и «овцы» путаются под ногами.

А не определившиеся с выбором роли игроки ждут за кромкой поля...

Из них обычно и строят свои пирамиды другие представители «экономической зоологии».

Отступление высокохудожественное

Какая может быть связь между экономикой и живописью с ее живописцами?

Их творения не менее совершенны, чем экономические законы... и к тому же могут служить средством сохранения сбережений!

Вот, к примеру, знаменитый французский художник Поль Гоген (1848–1903) тоже был биржевым дельцом.

Довольно стеснительный и невысокий (метр шестьдесят) молодой человек в 1872 году устроился служащим на биржу в Париже и уже через год работы смог заработать вполне приличные деньги.

Это позволило ему жениться и обеспечить своей семье полный достаток. За последующие десять лет семья переезжала во все более комфортабельные квартиры.

Поль начал совмещать приятное с полезным — коллекционировал картины, писал их сам и создал за этот период пять детей.

Но в 1882 году разразился биржевой крах, и это привело к потере основного дохода Гогена.

Он оставил семью, предпочтя одиночество, и полностью отдался живописи. Спустя некоторое время из любителей он перешел в основной состав профессионалов.

Впрочем, по достоинству оценить его шедевры смогли лишь потомки...

Американский миллионер звонит своей жене из Европы:
— Дорогая, я тебе послал «Феррари» и Пикассо. Ты их получила?
Жена отвечает:
— Кажется, получила. Но кто из них Феррари, а кто Пикассо?

***

У нас осталось еще одно немаловажное для будущего воротилы экономики понятие — **FOREX** (от английского словосочетания FOReign EXchange market).

Это международный валютный рынок, сформировавшийся в то время, когда международная торговля перешла от фиксированных курсов валют к плавающим.

На рынке Форекс торгуют деньгами: на евро можно купить, например, канадские доллары, а за евро расплатиться египетскими фунтами и т.д. – хоть рублями за тугрики, если найдутся любители такой экзотики!..

Здесь стоит обратить внимание на то, что и спрос, и предложение непостоянны и подвержены влиянию самых разных событий в мире – от «Бури в пустыне» до саммита в Кремле.

Созданный механизм позволяет зарабатывать на разнице курсов – покупать партию определенных денежных знаков по одной цене, чтобы впоследствии продать ее дороже. Правда, некоторые меняют валюту и для своих личных целей, а не из одних только спекулятивных соображений.

Этот рынок по объему превосходит все остальные.

Даже если сравнивать с оборотом американской биржи ценных бумаг (300 миллиардов долларов в день) и оборотом акционерного рынка (10 миллиардов долларов в день), то объем валют, которым оперирует Форекс, колоссален – около 4 триллионов долларов ежедневно!..

Строго говоря, Форекс не является «рынком» в традиционном смысле этого слова. Он не имеет конкретного места торговли, как, например, фондовая биржа.

Торговля происходит по телефону и через компьютерные терминалы одновременно в сотнях банков по всему миру.

В основе валютных операций лежит **международная торговля** и, что более важно, **международное движение капиталов.**

Спать не хочется? Тем, кто еще не уснул и продолжает мучительно читать, бонус.

Стоит пастух, пасет овец. Вдруг останавливается новенькая крутая машина, из нее выходит молодец в самом дорогом костюме и в самых модных туфлях, очках и галстуке. И предлагает пастуху: «Если я точно скажу тебе число овец в твоем стаде, ты отдашь мне одну овцу?»

Пастух соглашается.

Молодец достает ноотбук, присоединяет мобильный телефон. Связывается со спутником, долго обрабатывает полученную информацию... и наконец печатает отчет на 150 страниц и говорит пастуху: «В стаде ровно 1411 овец».

Пастух соглашается, предлагает забрать одну овцу, наблюдает за выбором молодца и за тем, как тот тащит ее в машину.

Вдруг пастух спрашивает: «Если я точно назову твой бизнес, отдашь мне животное назад?»

Молодец: «Давай».

Пастух: «Ты – консультант».

Молодец: «Как ты догадался?»

Пастух: «Легко. Первое: ты пришел, хотя тебя никто не звал.

Второе: ты хотел получить плату за ответ, который я и без тебя знал.

И, наконец, третье: ты ни хрена не понимаешь в моем деле, потому что ты выбрал себе мою собаку».

В начале девяностых годов прошлого века, с появлением в России частного бизнеса, мало кто интересовался какими-то фондовыми рынками.

Население больше привлекал доход от вложений в российские трастовые компании типа «МММ», «Властилина» и т.п.

Как же круто было!

В месяц от 70 до 100 процентов прибыли доходило. Зачем нам были нужны их «Доу – Джонсы» и какие-то там фонды. Ведь в 1990 году индекс Доу – Джонса показывал доходы всего до 20 процентов годовых.

А вот к середине девяностых наши «пирамиды» начали лопаться и исчезать, как мыльные пузыри. Крайне удивленные вкладчики оставались наедине с собственным возмущением – почему же им все-таки не дали халявно разбогатеть и прикупить за один год жене сапоги, себе автомашину, а семье – новую квартиру?!

Тем временем Американский фондовый рынок взял да и резко пошел на подъем! Те, кто вложил деньги в 1995-м, в 1999 году снял в 4 раза БОЛЬШЕ... (Позже рынок просел.)

Для чего мы так долго рассказывали о фондовом рынке? Он ярчайшим образом демонстрирует состояние здоровья экономики стран и отдельных отраслей хозяйства, **позволяя ориентироваться в динамике будущего развития не только всего рынка в целом, но и вашего конкретного дела в частности.**

Вопросы на сообразительность

1. Сложные проблемы всегда имеют простые, легкие для понимания ... решения. Какой эпитет здесь пропущен?

2. Как следует экономисту относиться к реальности, если она не соответствует теории?

3. Как разделить пять яиц между пятью людьми так, чтобы одно яйцо оставалось в корзине?

Варианты ответов

1. а) Чужие.
   б) Неправильные.

2. а) Как Винни-Пуху к пчелам: «Это неправильные пчелы и они делают неправильный мед»... Это просто неправильная реальность!

б) Как к частному случаю.

3.а) Разделить — пожалуйста! Но кто сказал, что после этого яйца надо отдавать каждому в руки?! (Б. У. Ратино)

б) Один человек получает яйцо вместе с корзиной.

Сила денег

Я искренне убежден: финансовый успех, если человек к нему не готов и не думает о других сторонах жизни – это начало большой трагедии.

Запомните! Деньги – это лишь малю-юсенький камешек огромного Эвереста.

Если человек незрелый и не знает, для каких душевных и духовных изысканий нужны средства, он, соприкасаясь с богатством, просто погибает как личность.

А впридачу утаскивает в эту пучину погибели еще и свою семью вместе с близкими!

Я вспоминаю времена своей службы богатству.

Бесконечные приемы, бесконечные проекты, бесконечные «гости». «Друзей» с каждым днем становится до хрена и больше.

И каждый тебя хочет! О, простите! Буквально не понимайте! Каждый хочет, жаждет и вожделеет твоих денежек!

И все они перед тобой заискивают с лютой ненавистью в душе, но все-таки терпят – потому что могут чем-нибудь от тебя поживиться.

И вот когда в один прекрасный день я освободился от этого гнета, снова «делать деньги» уже не захотел, потому что это страдание. Потому что эти деньги заставляли меня корчить из себя Очень Деловую Колбасу.

Обязательно нужно быть там, где не хочется, и обязательно общаться с теми, с кем не хочется.

Невозможно даже один день спокойно отдохнуть. Дома – с утра до вечера, как по расписанию, звонят подчиненные, приходят бесконечные гости... И ты сидишь с ними за столом, как идиот...

Родные мои!

Я увидел, что такое деньги – большие деньги, но остановил свой бизнес.

Выбрал другой путь и стал счастливым человеком, потому что увидел весь этот безумный мираж.

Теперь у меня нет к этому интереса, потому что я там был. А у многих из вас есть тяга к миражу богатства. В погоне за этим миражом вы теряете свою единственную жизнь – вот что самое страшное! Понимаете?

Впрочем, это только мое мнение.

Однако мне хочется, чтобы Господь Бог дал вам громадные деньги и огромную власть, чтобы вы быстрее поняли: чего-то главного в вашей жизни не хватает и не ради этого, оказывается, стоит жить!

При одном воспоминании о той богатой жизни у меня возникает чувство ужаса. Это потерянные годы, дорогие мои! Тогда я просто-напросто не принадлежал самому себе.

И самое интересное, что по мере того, как растет богатство, уменьшается личная свобода. Когда вы – миллионер, у вас возникает отчаяние.

Вы когда-нибудь слышали слово «карцер»? А я не только слышал – я там был! И десять лет выздоравливал от жизни богача, когда мои Наставники освободили меня от моего богатства на долгие годы!

Потом постепенно стали возвращаться вкус жизни, запах лугов, цвет неба...

Жизнь ради денег – это такое несчастье! Это удел обычных людей.

Поэтому наша с вами задача в том, чтобы побыстрее освободиться от материальной зависимости. Это одна из задач, точнее – предварительная задача.

Если позволите, приведу в пример одного миллионера «собственного изготовления».

Жила-была одна дама преклонных лет. На пенсию она ушла с поста замдиректора школы по учебной части.

Своих детей она не могла иметь по состоянию здоровья. Муж ушел в иной мир. Она осталась одна в своей коммунальной комнатке общей площадью 19 квадратных метров.

Когда мы познакомились, разговорились, подружились – начали потихонечку приводить в порядок ее здоровье.

Нужно было не только восстановить ее здоровье, но и сделать так, чтобы она больше не болела. А для этого надо было найти ей какое-нибудь занятие, потому что главный источник ее болезни – это одиночество, нереализованность и старость – именно они противостояли моей работе.

Как специалист-психолог я разузнал, что у нее есть кое-какие мечты.

Исподволь начал ее тренировать и убеждать, что претворить фантазии в жизнь – это реально!

Когда она наконец-то согласилась с этим, ее первыми словами были:

– Отку-у-да я возьму деньги?! Кто мне их даст? На мою пенсию... Да и чем мне заниматься?

– Займитесь тем, в чем чувствуете себя хорошо, что дает вам наслаждение!

Она все время от меня отбрыкивалась:

– А что может дать моя преподавательская деятельность? Что, я открою свою частную школу, что ли? Я уже не в состоянии, годы берут свое!

– Вы откройте производство, – отвечаю.

– Что я буду производить, училок, что ли? ЧТО?!

– Какой предмет вы преподавали в школе?

– Зоологию.

– Ну и найдите в ней что-нибудь нужное для народа.

Она начала копаться в своем сознании. Одна идея, вторая, сотая... В конце концов на одной мы остановились.

Эта дама построила в своей малюсенькой комнатушке, где помещался всего-навсего крохотный стол и кровать, специальные стеллажи и начала разводить очень редких и очень ядовитых насекомых. Вот на что она пошла.

Вложений в это дело потребовалось ноль копеек. У вас могут возникнуть вопросы, откуда она взяла этих редких насекомых, не вложив при этом ни гроша...

Но в том-то все и дело, что **не деньги делают голову, а голова – деньги**.

В конце первого года работы ее состояние составляло несколько десятков тысяч долларов. В конце второго года – уже несколько сот тысяч.

Бизнесом она занималась два-три года, потом отошла от дел. Но при ее активном участии мы нашли хорошего руководителя для продолжения предприятия. Теперь это целая компания, филиалы которой находятся уже и за рубежом.

Яд этих насекомых дефицитен и ценится в фармакологии, а производимые на его основе лекарства очень дорого стоят. Так что к сегодняшнему дню эта женщина имеет целый фармацевтический завод по выпуску дорогих лекарств.

Но...

Зачем она зарабатывала? Для чего ей нужны были деньги? Ради чего она пошла в бизнес?

Ее нереализованным желанием было открытие собственной школы.

Свою мечту она воплотила, да еще как!

На сегодняшний день она содержит ряд школ, где работают самые высокооплачиваемые педагоги, а дети учатся бесплатно.

И еще она прошла гериатрическое (омолаживающее) лечение.

Теперь я горжусь тем, что она замужем, и тем, что супруг на двадцать один год моложе ее, но несколько лет даже не подозревал об этом! А когда узнал, то не мог понять, почему рядом со своей женой он выглядит старше...

Родные мои!

Вы поняли свою задачу? Деньги не должны быть самоцелью, на их зарабатывание у вас должно уходить совсем немного времени!

Я не устану повторять, что самый великий капитал – это человек, а самые великие деньги – это идеи этого человека.

А теперь – торжественный выход Геннадия! Встречайте!

Money, money, money...

Что такое деньги и для чего они нужны – все мы знаем с детства. Во всяком случае, мы с детства так думаем...

Деньги изначально появились как простая счетная единица обмена – а стали нашим постоянным и необходимым попутчиком по жизни! Они попадаются везде, они пролезли всюду!

Деньги — это не только цифры (на счете в банке, на купюрах, в документах на недвижимость тещи), но еще и товар, который имеет срок годности, и если не портится сам, то портит нервы и здоровье владельцу.

Латинское слово «moneta» («советница») было одним из имен Юноны, римской богини плодородия, супруги самого Юпитера и покровительницы брачных союзов и родов. Как видно, неплохие советы давала мужу монетка-жена, если даже римский монетный двор помещался как раз при храме богини Юноны.

Сами по себе денежки не хороши и не плохи — они просто нужны. Хотя источники их получения могут быть самыми разными.

Известное всем выражение «Деньги не пахнут» приписывают императору Веспасиану. Сей алчный римский мужичина в поисках доходов не брезговал совершенно ничем — вплоть до самых последних отходов. Неудивительно, что именно ему пришла идея поставить на городских улицах платные туалеты (водопровод, к сожалению, уже был — и притом бесплатный!).

А в ответ на брезгливые вздохи приближенных Веспасиан как-то раз взял да и достал горсть монет и попросил присутствующих определить, какая из них получена из... то есть от общественной уборной. И таким наглядным и радикальным образом на века он заменил сослагательное предположение «Пахнут ли деньги?» на категорический императив «Деньги не пахнут!»

Ну кто же скажет, что он был не прав, когда теперь появилось столько средств для отмыва денег? Хотя и не все из них косметические...

И кстати: некоторые деньги действительно пахнут! Или по крайней мере пахли. Например, индейцы майя, проживавшие в Центральной Америке примерно там, где нынче находится Мексика, использовали средством платежа... какао-бобы. Ценились они по нынешним меркам просто ахово: за сотню какао-бобов можно было купить взрослого и сильного мужчину-раба!

При крупных суммах плоды считали целыми стручками. Поэтому древние «фальшивомонетчики» не ленились и подменяли бобы в стручках чем-нибудь менее ценным. Возможно, именно такая легкость архаического «фальшивомонетничества» и подтолкнула более поздних банкиров к поиску других, более надежных способов защиты платежных средств.

В Средиземноморье одно время были в ходу своего рода «монеты», вытисненные на особых сортах кожи.

Полинезийцы в своей межостровной торговле использовали в качестве платежей некоторые чрезвычайно редкие раковины.

На Руси в обороте были выделанные меховые шкурки. Только представьте себе «кошелек» тогдашнего торговца в базарный день... Куда там новым русским с их жалкими «лопатниками»!

Но всё превзошли металлы. Даже слиток вульгарного серебра легко делился на части: нужный кусок можно было просто топором отрубить! Отсюда, говорят, произошло и само словечко «рубль» — то есть отрубленный ломоть.

Учитель рассказывает ученикам о свойствах металлов.

— Дети, вот сейчас я опущу эту золотую монету в кислоту. Скажите, как по-вашему, она растворится в ней?

— Нет! — сказал один из учеников.

— Почему?

— Если бы она могла раствориться, вы бы ни за что не опустили ее в кислоту.

Примечательно, что золотые и серебряные **монеты появились во многих странах раньше, чем национальная письменность**. Но счет-то им все равно приходилось вести на бумажке! Стоит ли удивляться, что в дополнение к металлическим монетам люди стали использовать и деньги бумажные.

Первые банкноты появились в Китае. Оно и понятно: все-таки древнейшая родина вообще всякой бумаги! Они изготовлялись из прочного волокна шелковицы (тутового дерева) и были голубого цвета из-за плодов шелковицы, попадавших в бумажную смесь.

Поначалу экономика Китая благодаря денежным бумажкам пережила небывалый расцвет. Со страной приключился форменный «экономический бум» – особенно при династии Мин (1368–1644).

Но хитрые китайские императоры быстро просекли ситуацию и стали выпускать все больше и больше банкнот. Только вот изобилия-то самих товаров от этого никак не наступало! Денег становилось все больше, а товаров оставалось столько же, и это с неуклонной закономерностью привело к росту цен и соответственно к инфляции

В 1620 году банкноты были изъяты из оборота. Инфляция обесценила их и попутно разрушила всю денежную систему. В Китае вновь были пущены в обращение только монеты – из золота и серебра. Заодно в страну вернулся и бартер, в просторечии – меновая торговля.

А вот в Европе венецианские купцы же решили, что тяжелые монеты можно выгодно заменить на легонькую подписанную бумажку. Так они изобрели долговую бумагу, сегодня называемую **векселем.**

Раньше для заключения сделок в других странах купцам приходилось брать с собой монеты, но в пути их могли и ограбить. А вот что было делать жулику-налетчику-грабителю с листком бумаги? Ведь большинство населения не могло даже прочитать, что там написано! Грамотные же поэты на дорогах не разбойничали, а отчасти сведущие в письменности чиновники были загружены по месту службы.

Хитрость купеческая заключалась в том, что дома купец выплачивал монеты своему меняле, а тот выписывал ему квитанцию – вексель. Эта бумага была платежным поручением денежному меняле другой страны – и тот выдавал предъявителю монеты. На эти деньги купец и закупал товары.

Понятно, что в наше веселое время безопасность «бумажных» операций значительно снизилась, ведь подделать вексель ненамного труднее, чем подпись на столь популярных в некоторый период чековых книжках.

Меняется все: времена года и мода на костюмы, преображаются нижнее белье и противозачаточные средства, а мы по-прежнему лезем в свой (или чужой) карман, чтобы достать денежку и заплатить – кондуктору в автобусе, кассиру в булочной, гаишнику... ох, пока еще ГИБДДеятелю на боевом посту.

С годами мы уже не рассовываем деньги по карманам, а заводим кошельки, бумажники, кейсы и коробки от ксерокса...

Впрочем, это ничего не меняет – живые, натуральные деньги ежедневно присутствуют в нашей жизни.

В наше время во многих странах введены безналичные расчеты по пластиковым карточкам – чтобы у богатых от обилия купюр не оттопыривались карманы на соблазн грабителям.

А государству было удобнее контролировать доходы и расходы физических лиц.

У пластиковых расчетных карточек есть и еще один плюс. Если ими пользуется большинство населения, то это значительно увеличивает товарооборот в государстве. Почему?

Да очень просто! Покупатель с наличными может потратить в магазине только ту сумму, что лежит у него в кармане. А кредитная карточка ограничивает его платежеспособность лишь борьбой с личной жадностью в пределах всего текущего счета в банке!

И все равно люди носят при себе наличные для оперативных расходов – пожертвований в церкви, покупки с рук билета на финальный матч любимой команды, оплаты интимных услуг...

А ведь есть на свете и такие люди, которые никогда не держат «живых» денег в своих карманах. Это их позиция, их жизненный стиль.

Говорят, например, что президент США Джон Кеннеди с подросткового возраста никогда не держал при себе наличных. Как выходец из более чем состоятельной семьи, он мог позволить себе быть «выше денег», оставаясь свободным от ежедневных мелочных расчетов.

Билл Клинтон, с детства мечтавший во всем походить на Джона Кеннеди и добившийся своего, тоже принципиально не носит при себе наличных.

Но это «президентская рать». А ведь есть, и немало, таких семей, где деньги – гость редкий, и они вынуждены порою элементарно выживать. Однако и при этом их жизнь не останавливается.

У них рождаются и подрастают дети, которые вступают в жизнь с установкой, что главное – это деньги. Они помнят, как без них плохо, и уверены, что любое дело начинается только с денег и только ради денег.

Почему-то очень многие подсознательно уверены, что человек просто не в состоянии много заработать!

Процентов девяносто людей ведут ту же самую жизнь, что и их родители. Жизненная формула потомков проста: «Это всегда делалось так, и мне тоже не удастся ничего изменить. Тут ничего не поделаешь!»

Если оставаться на этой позиции, то, конечно, никаких денег не заработаешь: как было у папаши «сто двадцать рэ инженерских», так и у вас останется. А вот если все-таки встать с дивана и начать действовать в соответствии с современными условиями, то и сфера приложения сил найдется, и денежки (не самые малые!) появятся.

Главное здесь – понять: любое дело начинается не ради денег самих по себе, а для извлечения прибыли. И для получения удовольствия, разумеется

Самое простое – это заработать деньги.

Труднее их рационально потратить.
Но самое сложное – их сохранить и приумножить.

Рассмотрим эти вопросы более детально.

Первое. Если вы не безнадежный лодырь и не тяжело больной, то заработать деньги – не проблема. Можно устроиться в какую-либо фирму, можно создать свою компанию. На худой конец, можно читать населению лекции о вреде табака или успехе в бизнесе, собирать стеклотару или «бомбить» по дорогам на автомобиле.

Другое дело, что денег может хронически не хватать. Тогда необходимо повышение квалификации, дополнительная подработка или поиск доброго и отзывчивого спонсора.

Достойных профессий множество. Главное – зарубить себе на носу: **получение дохода – дело вполне реальное**. И если человек мучает себя и окружающих нытьем, что хорошей работы нет, что его знания никому не подходят, спросите его: а сколько же времени в этом месяце он потратил на поиск подходящей работы?

Человек каждый день ходит на работу и работает в среднем по восемь часов. Искать себе прибыльное занятие по душе нужно таким же образом – **каждый день с утра до вечера** (можно с перерывом на обед).

— Ты такой здоровый, а просишь милосты-
ню! Работать надо!
— Так это я после работы!

Конечно, можно проснуться к обеду и сделать пяток звонков, услышать отказы и убедить себя, что вокруг — только козлы, неспособные оценить вашу гениальность. В этом случае оставаться безработным можно очень-очень долго...

А вот известный американский финансист венгерско-юридического происхождения Джордж Сорос учил, что для реализации своих планов надо применять самые широкомасштабные действия: «Если хочешь найти работу в банке — посылай письма-анкеты сразу во все».

Работу получить реально, любой труд оплачивается... ну почти везде, а иногда еще и вовремя! Значит, зарабатывать вы можете, и даже неплохо зарабатывать!

Второе. Итак, деньги у вас уже есть, и вы несете их, скажем, в магазин — сделать несколько приятных покупок. Само собою, пивком любимым затариться, новую норковую шубку жене купить...

Раз в магазин, два в магазин, три — и бюджет семьи безжалостно оскудел. Начинаем урезать расходы, откладывать на потом дорогостоящие приобретения ...

Давайте разберемся: сколько же денег нам надо? И на что именно?

Да, разумеется, мы каждый день едим. Но чем больше мы принимаем внутрь, тем чаще, извините, бегаем до туалета. Нашему организму с юношеских времен расти уже не надо, а калории нам потребны в минимальных количествах и исключительно на поддержание сил.

Ну, разумеется, можно забивать денежки в любимый гардероб!

А еще есть разнообразные способы тратить средства на детей и их воспитание попутно с образованием. И еще существуют совершенно очаровательные и нескончаемые расходы на обустройство дома, медицину, спорт...

Список этот продолжать можно, но нужно ли?

Чтобы уметь разумно тратить свои деньги, неплохо бы научиться разумно считать действительно необходимые затраты, то есть планировать свои расходы!

Купил, например, сосед автомобиль производства пятнадцатилетней давности, с целью деньжат для семьи подзаработать. Начал по вечерам заниматься извозом, и потекли доходы от клиентов. Это, конечно, плюс.

Но неплохо подсчитать еще и расходы: на бензин, техобслуживание, запчасти, резину, ДТП, штрафы за превышение и употребление, оплату парковок и разборок! А что же по итогам года? Он в плюсе или еще из семьи средства утянул? Взял, так сказать, взаймы для своей машины.

Или другой пример.

Купила женщина порося, чтобы по осени мясом и салом родню побаловать. А теперь весь сезон тратит силы на его кормление и поение, покупку кормов и разгребание хлевов...

К осени подрос боров. Приехали родственники, чтоб порося перевести в мясопродукт. Событие, само собою, отметили, водочки выпили, всем мясца по кусочку раздали... Вот и весь кабанчик!

Так вот: если все затраты на борова сложить да сравнить со стоимостью мяса на рынке, что получим? Странно, что боров этот вообще по земле мог ходить – ведь вес-то его сообразно затратам выходит совершенно отрицательный!..

Но так принято. Традиции куда сильнее расчетов. И экономика тут отдыхает.

Так что грамотно тратить заработанное мы учимся всю жизнь, порою так и оставаясь в двоечниках.

Третье. Как сохранить деньги? Как их приумножить? Основной враг денег – **инфляция.**

Инфляция – это неизбежное следствие слишком быстрого роста в обращении денежной массы, вызывающей ее обесценивание (помните китайские «денежные бумажки»?). Или, наоборот, это следствие сокращения товаров производства при сохранении объема денежной массы. Результат тот же – рост цен и обесценивание денег.

Ведь что кувшином по камню, что камнем по кувшину – все равно кувшину плохо.

А кувшин в данной аналогии – это ваши с нами сбережения.

И тут нет никакой ошибки в последовательности слов: вы-то нас пока еще не слушали, а мы уже-таки знаем, как это все сберечь!..

– Почему ты плачешь? – спросил прохожий маленького мальчика.
– Мама мне дала рубль, а я его потерял.
– Вот тебе рубль, только не плачь.
Мальчик взял рубль и заплакал еще горше.
– Ну что ты опять заревел?
– Как что? Если бы я не потерял мамин рубль, то у меня сейчас было бы два рубля!

Допустим для скромности, что вы – как бы миллионер. В минувшем году ваш личный доход составил один полновесный миллион баксов. Кстати, сумма физически довольно приличная: при весе одной сотенной бумажки в 1 грамм ваш миллион потянет добрый десяток килограмм. Так что не верьте милым боевичкам, где банкиры и бандиты размахивают кейсами с десятками миллионов наличности!..

И вот с заработанными килограммами денег вы решили позволить себе отойти от дел и пожить в свое удовольствие. Не доверяя никому своих доходов и закопав их в страшно тайном месте – у тещи на огороде, за сараем, вы уезжаете в путешествие навстречу приключениям.

Через год возвращаетесь и обнаруживаете, что вас поджидают две новости: одна хорошая, другая не очень.

Первая – деньги целы, крысы вашу «банковскую» банку не вскрыли.

Вторая – купить на эти же деньги можно уже чуть меньше. Ваш миллион подтаял, как снег под весенним солнцем! Обидно, да?

Даже при самой щадящей инфляции (три процента в год) ваш миллион «похудеет» на тридцать тысяч «зеленых» (это примерно грамм триста денежных бумажек)! Из которых вам, само собой, уже не достанется ни цента...

Получается, что **чрезмерное количество денег – гарантия вашей постоянной занятости.** Заработав деньги, вы будете непрестанно хлопотать об их сохранности. Для этого придется изучать рынки, фонды, трасты и всякое экономическое прочее.

Надо будет научиться и надежно вкладывать, и рисковать, но при этом, как в казино, готовиться не только к выигрышам, но и к поражениям. Трастовые компании порой тоже разоряются.

«Траст ми!» – так успокаивал Терминатор № 2 своего юного друга. Что означает: «Доверься мне!» **Трастовая компа-**

ния – компания, специализирующаяся на операциях по доверительному управлению имуществом, портфелем ценных бумаг или наследством.

Интересно, кто же им доверяет и на каких основаниях? Впрочем, дураков не сеют и не пашут...

Надежные банки дают очень маленький процент дохода, а слабые банки, наоборот, сулят большие соблазны, но их услуги чреваты большим риском.

Вы начинаете делить свои активы, создавать инвестиционный портфель – не держать же «все яйца в одной корзине»!

Остатки даете в долг. Правда, назад их не всегда получаете...

Легли Абрам с Сарой спать.
Сара уснула, а Абрам ворочается, места себе не находит.
– Абрам, ну чего ты не спишь?
– Да вот, Сарочка, я должен Изе сто рублей...
Сара стучит в стенку:
– Изя! Абрам тебе должен сто рублей?! Ну так вот, он их тебе не отдаст! А ты, Абрамчик, спи спокойно – теперь он спать не будет!

Словом, если вы успешно извлекли прибыль, то это только начало! В дальнейшем некоторая (а может, и подавляющая) часть вашего сознания будет постоянно занята этими деньгами.

Напоследок – один ***полезный совет*** на извечную тему: **«Как запросто научиться не тратить деньги по мелочам на всякие глупости».**

Для воплощения совета в жизнь нужны всего две вещи: кошелек (ай, ну пусть даже это будет бумажник!) и маленькая яркая бумажка размером со спичечный коробок или пластиковую карточку.

Напишите на ней фразу типа: «А мне это точно сейчас надо?!» и приклейте ее (карточку, а не фразу!) в портмоне на самое видное место.

И всё!!!..

...А вот когда вы завтра соберетесь за что-то заплатить, достанете кошелек, откроете... и прежде всех ваших бабок, дорожных чеков или пласт-кардов увидите вы именно эту зловредную бумажку.

И если вы все равно купите эту вещь, значит, она действительно была вам нужна более всего остального. По крайней мере, в этот момент.

Этот простой копеечный листик сможет научить вас делать выбор между собственными деньгами и тратой их на ненужные «пустышки».

Но кто мешает вам сделать маленький альбомчик из подобных предостережений, который придется пролистать между открытием бумажника и укоризненным взглядом супруги с последней семейной фотографии?..

А главное в этой затее — **обязательно подсчитать** в конце дня, месяца, года или вообще между зарплатами: **«Сколько же удалось НЕ потратить?»**

Ну и для чего же вся эта **экономия**?

А чтобы научиться **«не сорить деньгами»**!

Ведь многие и остаются неимущими только потому, что не умеют эффективно тратить хотя бы то, что у них и так уже есть!..

Вопросы на сообразительность

1. Что дороже: полкилограмма двугривенных или килограмм гривенников?

2. Сколько будет, если 500 рублей разделить на половину?

3. Чем отличается гиперинфляция от инфляции?

1. а) А кому и те, и другие нужны, кроме совсем уж нищих? Только карманы рвать.

    б) Килограмм любого металла всегда дороже, чем полкило того же металла.

2. а) Хорошо хоть не на троих...

    б) 500 : 1/2 = 1000 руб.

3. а) Приставкой – так же, как гипермаркет от просто маркета.

    б) При гиперинфляции украденный кошелек забирают, а деньги выбрасывают.

Налогодатели и налоговзятели

В основе создания любого государства находятся страх, жадность и инстинкты!

Мысли классиков, то есть мои!
Норполеон Мирзакидонский!

Нельзя лишать человека последнего: из-за этого случилось столько бунтов...

Спартак, экс-гладиатор
и восставший раб

Правильный взгляд

Сегодня ежеквартально наш родной производитель товаров и услуг подсчитывает, сколько же надо отстегнуть налогов в госбюджет и другие бюджеты. А на общественных рынках это происходит ежедневно.

Государство, исходя из своих интересов, тоже подсчитывает поступления – запланированные и реальные. И делает оно это очень тщательно, иногда при помощи полиции, милиции и прочей «блюстиции», помогая производителю отчислять обязательное.

Увы, ни одно государство не в состоянии жить без налогов, собранных с верноподданных. Или с покоренных...

Сами же «данники» делятся на две категории: одни считают, что все налоги надо платить обязательно и полностью; другие же – что можно либо не платить вовсе, либо «максимально минимизировать».

Первые в большинстве своем населяют Европу, Северную Америку и еще некоторые цивилизованные страны вроде Австралии (имеется в виду колонизованное побережье).

Господа, там проживающие, исторически обладают добропорядочным и законопослушным характером: раз надо платить – значит, так надо. Иначе государство «поставит тебя в угол» – не столь отдаленный, сколь труднодоступный.

Когда-то и мы тоже были финансово цивилизованной страной (хотя бы в смысле налогов) – Союзом ССР. Налоговая дисциплина была обязательна практически для всего населения.

«Цеховики», подпольные бизнесмены советских времен – не в счет. Их были единицы – во всяком случае, известных ОБХСС – так тогда назывался Отдел по борьбе с хищениями социалистической собственности.

Платили тогда все и за всё, даже за бездетность! А ведь страна была огромной – одна шестая территории всего земного шара, хотя рождаемость и держалась в основном за счет любвеобильных и детородных восточных республик...

Ай, вру: платили не все и не за всё!

Вот много ли посадили директоров в советские времена за сокрытие налогов? То есть их, конечно, сажали, только за другие грешки, а не за неуплаты в госбюджет. За это чаще репрессировали бухгалтеров.

С зарождением частных предприятий их собственники стали искать различные пути повышения дохода.

И нашли-таки способы!

Один из них – сокращение обязательных выплат в бюджет. Появилась целая идеология «минимизации налогов» – это когда ты платишь настолько мало, насколько позволяет чувство авантюризма и уровень бухгалтерии – как минимум двойной: «черно-белой».

Некоторые бизнесмены придерживаются другой позиции: «Если проверят и начислят, тогда все оплачу!» Но вдруг пронесет? Чего прежде срока, в том числе и в чисто уголовном значении, со своими денежками расставаться?

Но чем дольше не платятся налоги в бюджет, тем более уязвим становится сам бизнес. Впрочем, как и сам его руководитель. И если налоговое бремя становится куда ощутимее, чем отчисления на взятки, – что вы предпочтете платить?

Увы – деньги не решают всех проблем.

Если вы не отчисляете налоги в бюджет, то расплачиваетесь своими нервами. Потому как налоговые проверки случаются не так уж и часто, а вот тревожный внутренний самоконтроль работает практически постоянно.

А это ой как плохо сказывается на сне и пищеварении, а значит, и на здоровье всего организма.

Конечно, расходы на бизнес должны быть обоснованными. И рассчитывать и выплачивать налоги нужно. Глядишь, и здоровья больше останется – как у налогоплательщика, так и у налогового инспектора.

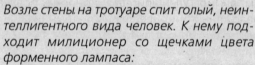

Возле стены на тротуаре спит голый, неинтеллигентного вида человек. К нему подходит милиционер со щечками цвета форменного лампаса:
– Давай вставай, бомжара. Не положено здесь.
– Я не бомжара! Я – новый русский!
– Во врет! А чего здесь валяешься?
– Не валяюсь. Заплатил налоги
и сплю спокойно!

Конечно, если активно, как таракан от тапка, уклоняться от выплат в бюджет, то можно сохранить десятки процентов дохода валовой прибыли.

Однако часть утаенных от государства денег все равно придется вложить в страховой резерв (заначку) – на случай погашения результатов проверок, подключения консультантов, аудиторов, адвокатов... да на те же отступные, наконец!

Впрочем, если в хозяйстве не все в порядке с налоговой политикой, об этом может никто и не знать, кроме самого хозяина. И главбуха, конечно.

Но они-то живут с этим знанием постоянно, даже если и не вспоминают о своих грешках каждый день. Так и до пенсии здоровья может не хватить.

И тогда придется работать и экономить исключительно на аптеку.

Многие из нас готовы платить любые деньги, лишь бы еще хоть на годик себе жизнь продлить. Или хотя бы для того, чтобы моложе выглядеть. И времени не жалеют, и средств выкладывают без счета – а уж поздно! Здоровье-то не купишь...

Так зачем же заранее самому себя разрушать? Минздрав же предупреждает: **дурение закона опасно для вашего здоровья**.

Конечно, большинству налогоплательщиков в других странах отдавать государству серьезную часть заработанного тоже не слишком радостно.

Но сожаление быстро покидает тамошних «заложников экономики», потому что там уже давно так заведено, как, скажем, в «Тиле Уленшпигеле»: доносчик получает свою долю с заложенного имущества неплательщика.

А наследником остального становится король, гарант монархии, диктатуры и свободы доносов.

А у нас пока заведено иначе.

Неправильный взгляд

Налоги были всегда и везде, даже если и назывались по-разному – жертвой богам, податями, барщиной или церковной десятиной. Денежку или натуральный продукт собирали либо по-доброму – по ведомости, либо сопровождая вразумляющим ударом в лоб.

А кому все это выгодно? Госслужащим – это ясно. Им это нужно, чтобы поддерживать и улучшать нашу жизнь... Да еще тратить большую часть собираемого на поддержание нерентабельных предприятий и прочих загадочных «отечественных производителей».

А кому невыгодно?

Ставки налогов принимаются царями-батюшками да парламентами и думами. И основная идея у депутатов куда как благородна: взять у имущих для неимущих. Согласно традиционному англоязычному анекдоту: «Почему Робин Гуд грабил богатых? Потому что у бедных нечего было взять!»

Отчасти поэтому большинство неимущего населения горой стоит за изъятие у богатых их богатства – в полном соответствии с заветом Шарикова: «Взять и все поделить!» И тешат они себя при этом надеждами о неизбежном росте своей родной потребительской корзины.

А что же происходит на самом деле?

Корзина действительно растет, но как-то сама по себе, как возможное вместилище, безо всякой связи с реальным наполнением. И оттого становится лишь все пуще... пустее... пустопорожнее – вот как сбываются бедняцкие мечты об обогащении за чужой богатый счет.

Классовое неравенство существовало всегда. Были и есть богатые и бедные, а между дефолтами иногда появляется и средний класс.

Однако далеко не все богатые позволяют себя «раздеть». Для защиты у них есть средства, кадры и ресурсы влияния.

У малоимущих таким возможностям взяться просто неоткуда.

Нью-буржуа могут использовать все мыслимые выходы из положения – в том числе и легальные. Если же имеющихся средств не будет хватать, они могут и новые создать. И будут продолжать отстаивать свои интересы, проводя нужные поправки к законам и используя оффшорные территории.

Но самое главное их преимущество в том, что они владеют предприятиями и поэтому могут сами определять, сколько средств из прибыли тратить на свои личные нужды.

Остальные же владеют только профессиями, рабочими местами, а некоторые счастливцы – еще и окладом.

И все-таки: кто же и как платит налоги?

Обеспеченные люди. Доход минус расход (в который включены издержки на их собственное содержание). На остаток-сальдо начисляется налог. Поэтому они сами вполне легально устанавливают уровень своих налоговых отчислений – то есть регулируют убытки и прибыль.

Меньше разница – меньше и налог.

Обычные люди. Зарплата минус налог. Что остается, идет на их личные нужды. При этом они совершенно бессильны перед государством, вводящим удивительные и разнообразные новшества в изъятии доходов у населения.

В результате из хорошей исходной идеи налогообложения делаем довольно плохой вывод: возможно, налоги приводят к уменьшению дохода прежде всего малоимущих, а вовсе не богатых.

Выходов, конечно, два.

Первый – терпеть и надеяться, что к пенсии все устроится лучшим образом... Кстати, а как собирается во время этой вашей пенсии действовать пенсионный фонд в случае, не дай, Минфин, дефолтов?

Второй выход зовет с уютного дивана на рискованные подвиги – учиться бизнесу и организовывать свое дело. Это позволит не обременять собою пенсионный фонд и биржу труда. А помогая себе, будете создавать еще и новые рабочие места.

И все-таки можно представить и даже надеяться, что и у нас система налоговых выплат перейдет от фискальной к престижной.

Едкая налоговая истина

Представьте: наступил день, когда сбылась ваша давнишняя мечта...

Вы продрали глаза, включили телек, а там выступает президент, король или Великий кормчий:

– Дорогие сограждане! Мне выпала большая честь объявить вам, что сегодня – первый день национального праздника! Отныне полностью отменяются все налоги! Ура-а!

Придя от этого известия в экстаз, вы радостно вскрикните:

– Ну наконец-то! – и пуститесь в пляс.

Через полгода, вдоволь наплясавшись и нагулявшись, выходите в мир и видите там тако-о-е...

Вокруг – горы попахивающего мусора. Машины проржавели и не ездят. Врачи в обнимку с учителями «счастливо» умерли с голодухи.

Дети, навечно освободившиеся от гнета школ и институтов, каждый день патрулируют улицы города с плакатами «Да здравствует отмена образования!»

Книги из библиотек наконец-то начали использовать по назначению – ими топят новомодные печки.

Но не все так страшно! Всеобщую разруху подслащивают несколько моментов!

Милиция исчезла!

Поскольку телевидение не работает, то от знакомых вы узнали, что политики тоже безвременно вымерли!

Все бюджетные организации, которые раздражали вас своим бюрократизмом, абсолютно все – от ЖЭКа до Жилдорстроя – исчезли.

Военные подались на гражданку и радостно бомжуют. Пограничники разбежались, границы открылись – гуляй, не хочу!

Заводы как не работали, так и не работают!

Гаишникам раздали новые погоны – теперь они переквалифицировались в соловьев-разбойников.

Наступило время романтических ночей со свечами – электростанции-то встали!

Ну не жизнь, а сказка!

Вы лихорадочно соображаете, что же делать дальше. И тут наконец-то вспоминаете, что у вас, оказывается, есть родственники!

Начинается всеобщий сбор родни, назначение старейшин, их заместителей. Ведь кто-то должен решать за всех глобальные проблемы бытия.

Поняв, что старейшине тяжеловато одновременно думы думать и лопатой на огороде махать, его освобождают от черного труда и говорят:

– Ты думай, а мы, каждый из нас, по редьке тебе будем выделять!

То есть опять тот же налог!

И все снова постепенно вернется на круги своя. И как же тут быть?

Безотходного производства не бывает, дорогие вы мои жмоты!

И для того чтобы жить спокойно, вам придется если уж не возлюбить налоги, то хотя бы постараться относиться к ним спокойно.

Налоги будут уходить на содержание порядка, на поддержку слабых и неимущих, на финансирование больниц, на выплату пенсий, и... на паразитов.

В природе без кровососов не бывает. Точно так же и в человеческом обществе: раз эти «присоски» существуют, их тоже надо любить и понимать.

Хочу вас утешить – не вас же одного они обдирают, радуйтесь!

Для того чтобы жить спокойно, не волноваться за детей, за свою старость, за старость близких людей, вам придется любить всеобщее благо, которое называется «налог» и терпеть эту великую несправедливость, которая называется «созданный людьми закон»!

Если вам этого не хочется, не платите налоги. Тогда будете жить в пещерах и терпеть дубинки питекантропов.

А теперь переходим к низкоинтеллектуальному упражнению.

Найдите три принципиальных различия между государственным налогом и рэкетом!

Если найдете, вас ждет награда от налоговой полиции в размере десяти тысяч у.е.! Не забудьте потом отстегнуть долю рэкетирам!

Вот вам несколько подсказок.

1. Рэкет. Отсутствие униформы компенсируется мышечной массой. Налоговая полиция. Отсутствие мышечной массы компенсируется формой.

2. И рэкетиры, и налоговики ездят на БМВ, то есть на Боевых Машинах Вымогателей.

3. Обе структуры предлагают свою защиту. Рэкетиры – от напастей налоговой полиции. Налоговая полиция – от себя!

4. И туда и сюда устроиться на работу стоит большого труда.

5. Главное качество и для рэкетиров, и для работников налоговой полиции – это безжалостность.

6. У рэкетиров нет фиксированного оклада, у налоговиков зарплата мизерная. Тем не менее и те и другие живут припеваючи!

7. Налоговая полиция и рэкет – это хозрасчетные организации!

Кстати, таможенники тоже относятся к хозрасчетникам!

Однажды волею случая я оказался за столом с руководителем таможни одного южного государства.

Как гражданин, которому приходится очень часто пересекать границу, я поинтересовался, почему в этом государстве с такой удивительной периодичностью меняются законы на прямо противоположные?!

Он ответил: «Мы заботимся об интересах народа!»

Я так ничего и не понял! Что он хотел этим сказать?! Но потом, после того, как пара бутылок «пролетела» через его горло, он разъяснил:

– Понимаешь, брат, моя организация – хозрасчетная! Я должен не только государство кормить, но и своих сотрудников!

Через три-четыре месяца после выхода законов поступления денег в казну за счет штрафов и конфискаций уменьшаются. Люди просто приспосабливаются к существующим порядкам! За это нас и сверху, и снизу начинают...

Вот мы и вынуждены часто менять правила на случай, если кто-то не успеет познакомиться с новыми поправками и нарушит их. Но как разбогатеем, стабильность у нас обязательно появится!

Слушай, а что мы все о работе, да о работе? Мы ж отдыхать пришли! Давай лучше выпьем! Подай-ка вон те огурчики!..

Так что поймите их, бедных страдальцев-чиновников, дорогие сограждане! Будьте же сердобольнее, не оставляйте своих собратьев без масла на их корочку хлеба!

Шутки шутками, но давайте теперь поговорим об очень серьезном и сокровенном, *о самом главном – Божественном налоге.*

Кто-то платит государственный налог, кто-то нет – это дело каждого. Человеческие законы слепы, от людей спрятаться можно.

Но есть налог, за неуплату которого наказание приходит неминуемо, и «амнистий» ни для кого не существует!

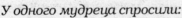

У одного мудреца спросили:
– В вашей семье всегда достаток. Поделитесь опытом, как вы распоряжаетесь своим доходом?
– Все очень просто, – ответил он. – Сначала я отдаю долги. Потом – даю в долг. Что останется, на то и живу!
И разъяснил:
– Часть денег я возвращаю своим родителям за то, что я получил от них с момента рождения до зрелости.

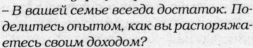

*Другую часть даю в долг детям. Они
вернут мне ее, когда повзрослеют.
Что остается от затрат, то – мое.
Но каждый месяц сороковую часть
приходящих ко мне денег отдаю лично в руки Господу Богу на умножение.
Понятно? Нет?!
Я отдаю нуждающимся! И Господь регулярно возвращает мне проценты.
У него – самые большие процентные
ставки!
Вот и вся моя бухгалтерия! Так я и
разбогател.*

...В Бухаре в стене одного медресе было такое окошечко, через которое могла пройти только рука.

В советские времена это окошко заложили кирпичом и
пристроили там магазинчик, где продавали туристам су-
вениры – местные матрешки. А на окошечко повесили ло-
зунг «Пролетарии всех стран, соединяйтесь!»

До революции, у этого окошка ежедневно стояла очередь богатых, обеспеченных людей. Они брали сороковую часть своих доходов, приходили и оставляли ее в око-
шечке.

Кто за стеной принимает деньги, они не видели. И тот
человек с другой стороны, тоже никого не видел. В окошко пролезала только рука.

Приходил нуждающийся человек и говорил: «Я хочу
женить своего сына, но у меня ничего нет, мне нужно
столько-то денег».

Без единого слова из окошка появлялась рука и давала
нужную сумму.

Или: «Я хотел бы выдать свою дочь замуж, у меня нет
того и того», – и снова появлялась дающая рука.

И когда у того, кто брал, появлялась возможность, он
приходил к этому окошечку, говорил, что когда-то здесь
брал вот столько-то, оставлял деньги и уходил.

Эта традиция существовала испокон веков.

Дорогие мои!

Когда кто-то в чем-то сильно нуждается и он от всего сердца начинает молиться Богу или, если хотите, Высшим силам, оттуда приходит помощь!

Но не в виде манны небесной, которая сверху на голову падает, а через близких людей того, кто просит.

Помощь начинает приходить через вас. Через вас, понимаете?!

Если вы не помогаете близким, тем, кто в этом нуждается, особенно постаревшим родителям, за это всегда наказывают!

И даже не наказывают, а подталкивают к исправлению, дают возможность задуматься.

То, что дали нам родители, мы никогда не сможем им вернуть, но надо хоть что-то регулярно, ежемесячно им возвращать.

Раз Господь вам послал больше, чем другим, значит, через ваши руки, через ваш ум он передал хлеб насущный другим и в первую очередь родителям. В этом – ваше назначение. Помните, пожалуйста, об этом всегда! Это не просто красивые слова!

Так это или не так, узнаете в одном самостоятельном упражнении.

Попробуйте проследить, как к вам приходят деньги и куда они уходят.

В этих приходах и расходах есть удивительный мистический момент. Уловите его, пожалуйста!

Это упражнение поможет вам определить, на какой должности вы работаете. Сейчас я говорю не о вашей профессиональной деятельности, где вы являетесь руководителем.

Есть одна очень глубокая тайна, о существовании которой редко кто задумывается.

Деньги – это одна из разновидностей силы. А всякая сила имеет свою тайну.

Давайте ваши доходы условно разделим на несколько частей:

- трудовые
- нетрудовые
- **незапланированные.**

Вот как раз на эти нежданно-негаданные, незапланированные деньги стоит обратить внимание. Почему? Начну объяснять издалека.

На Востоке существует особая экономика – мистическая, Божественная.

Наши Наставники всегда говорили нам:

– Наступит день, когда ваши знания будут востребованы определенными силами – силами, которые помогают нуждающимся. И вот тогда вы приступите к исполнению своих истинных обязанностей.

«Назначение на работу» может произойти очень незаметно, с испытательным сроком.

С каждым годом через ваши руки будет проходить все больше и больше денег. Знайте – часть из них не принадлежит вам. Это особые, священные средства. Не посягайте ни на одну копейку из них!

Чтобы не ошибиться, старайтесь даже добавлять туда свои деньги. Они незамедлительно будут вам возвращены. Дающая рука не оскудеет!

Тогда я мало что понял. Но однажды, совершенно случайно, вдруг обнаружил, что меня «назначили на работу». Куда – не скажу, а то сразу начнете прикидывать, из какого дурдома я сбежал!

Что с тех пор стало происходить?

Вдруг ни с того ни с сего появляются деньги – какие-то проценты. Другими словами, прибыль, которую я не планировал. О! Хорошо! Хотя вроде ни в чем не нуждался, но все равно не помешает!

Но...

Не проходит и нескольких часов, как появляется какой-нибудь человек – просит материальной помощи или денег в долг.

Внимание! Здесь самое интересное вот что! Просят ровно 75 процентов от той суммы, которая «свалилась с неба»!

Один раз – случайность. Два – совпадение. Но когда таких случаев сотни, тысячи, это уже закономерность. Хочешь не хочешь, но это заставляет задуматься!

Когда Наставники объяснили, на какую должность я был определен, стало очень грустно! Оказывается я, со своими знаниями и возможностями, годами труда и тренировок потянул только на почтового клерка!

Ну, и то неплохо. Лучше, чем ничего.

Родимые мои бизнесмены!

Как обеспеченный человек обеспеченным, скажу одну очень серьезную вещь: следите за своими доходами и за теми людьми, которые нуждаются в вашей поддержке!

Если они просят, то просят не ваши деньги. Они приходят за своей законной гуманитарной помощью, которую им отправил «Красный Крест», находящийся за гранью нашего понимания.

Вы можете очень легко вычислить тех людей, которые нуждаются в вашей помощи, по некоторым параметрам.

1. Деньги вы получаете всегда раньше, чем приходит просящий.

2. Получатель всегда появляется в течение недели.

Если после поступления суммы минуло семь дней, но никто за ней не пришел, значит, эти финансы не из «почтового вагона», а ваши личные.

Используйте их в свое удовольствие, тратьте, на что захотите!

3. Проситель никогда не спрашивает больше 75 процентов от этих денег! Если попросил меньше, уточните, сколько ему нужно на самом деле. Может, он просто поскромничал.

Но если его сумма с 75-процентной отметкой все же не совпадет, значит, эти средства принадлежат другому «клиенту».

4. Каждый раз, отдавая деньги, вы будете знать или чувствовать, что вернуть их человек не в состоянии.

5. Список нужд, на которые отправляется поддержка свыше: еда, одежда, свадьба, похороны, лечение,

обучение, коммунальные платежи, покупка дома или квартиры.

Остальное сами уточните, пожалуйста! Должен же я для вас поле деятельности оставить!

А теперь техника безопасности.

Правило, которое ни в коем случае не следует нарушать:

Никогда не давайте в долг! Если отдали, тут же забудьте!

Будьте настоящим почтальоном, который в конце дня не помнит, кому какую посылку доставил.

О том, что правая рука дает, не должна знать даже левая, и наоборот! А уж тем более – другие люди!

Если эти правила соблюдать не будете, вас может ждать «увольнение» с конфискацией имущества окончательно и бесповоротно!

А тех 25 процентов мзды, которые вы будете получать на этой службе впридачу к тому, чем занимаетесь, хватит на все.

Даже не пытайтесь их истратить полностью – просто не сможете! Эти деньги имеют свойство нарастать как снежный ком и липнуть к вам как банный лист к одному месту, то есть ко лбу!

Говоря о таких налогах, я не хотел бы вас особо утруждать. Это целая наука. Если удастся, еще поболтаем об этом по душам в другой раз.

Вопросы на сообразительность

1. Что больше: 5% от 70 долларов или 70% от пяти долларов?

2. Сколько девяток в ряду чисел от одного до 100?

3. Как увеличить число 6 в полтора раза, не прибегая к помощи арифметики?

Варианты ответов:

1. а) А сколько раз я могу получить эти мои проценты?
   б) Одинаково и равно 3,5 доллара.
2. а) Подсказка: единичек в этой сотне – 21 штучка, а но-
ликов – 11. Может, вычесть одно из другого?
   б) 20
3. а) Отдать его в долг под 50% «моментальных».
   б) Перевернуть его. Будет 9.

Сексуальная часть экономики

Ну-у наконец-то дошли до самой приятной темы!

Уважаемые господа и господамы! Перед вами три пути: первый, второй и третий!

Первый. Можете строго следовать народной молве: «Где работаешь, там не дерись!»

Плюсы: вы всегда официальны. В любое время можете пугать каждого, грозно говоря: «Уволю!» Можете даже приводить свои угрозы в действие.

Если вы всех держите на расстоянии, тогда строгая субординация, спокойствие и благодать вам обеспечены.

Минусы: никаких!

Ну, правда время от времени у вас может случаться насморк. Увидев хорошенькую сотрудницу, будете шмыгать носом! Опять же, это единственная болезнь!

Второй вариант. Скрестите службу и дружбу с романом.

Плюсы: будете не только с работы домой нестись, но и из дома на работу. Да так, что только пятки будут сверкать!

С появлением на службе любовницы в офисе мгновенно появится романтика, приятные разговоры...

Впрочем, не только у вас с ней, но и у всего коллектива!

Ваши доходы будут расти – как-никак, теперь вам надо обеспечивать не только свою семью, но семью любовницы тоже!

Минусы: с каждым годом ваши расходы на все увеличивающиеся ее потребности тоже будут расти и расти.

Может наступить день, когда вы сорветесь с вершины, на которую сами себя загнали, скалолаз вы мой озабоченный! Вот тогда будете всю жизнь падать. Сами не захотите – добрые люди все равно помогут!

Третий путь – самый приятный.

Чтобы улучшить экономические показатели своей организации, переспите со всеми, включая дворника!

Плюсы: познакомитесь со всеми врачами-кожвенерологами. Столько друзей сразу появится!

Минусы: ой, даже не спрашивайте! Лучше анекдот почитайте.

...Напали разбойники на одну деревню. Долго думали, как бы над жителями поиздеваться. Наконец решили:

– Значит так! Все местные мужики сейчас снимают штаны и встают в ряд. Кого жены с закрытыми глазами только по одному достоинству узнают, тех не трогаем.

Мужики построились. Выходит первая баба:

– Это не мой... Это тоже не мой... Это... О, это мой!

Разбойники – в шоке! Как такое возможно?

Выходит следующая женщина:
– Не тот, тоже не тот.... А, вот мой!
Разбойники переглядываются, ниче-
го не понимают! Решили «заслать» к
пленникам кого-нибудь из своих ря-
дов.
Вызывают еще одну жительницу:
– Та-а-к... Это чужой, это тоже чу-
жой... Хм... А это вообще не из нашей
деревни!

Так что, дорогие мои, попробуйте прочувствовать все дальнейшие речи про экономику – а из вашей ли это деревни?

Для чего слово передается Геннадию.

Позволю себе смелое утверждение: нет яркой личности, авторитета, обладающего качествами лидера и не имеюще-го, скажем, столь же ярких способностей на любовном фронте.

Успешный в делах человек, как правило, успешен и при-влекателен во всем.

А вот «состояние нестояния» плачевно сказывается не только на личной жизни, но и на бизнесе.

Поэтому отечественным производителям товаров и услуг (ну, и детей, конечно!) желательно страстно любить не толь-ко своих женщин и свое дело, но и саму экономику в целом.

Ведь когда она зрелая и цветущая, то разве не бывает плу-товски привлекательной?!..

Конечно, любовь может принимать самые различные формы и разновидности.

Вот, например, большие государственные мужи и мел-кие предприниматели многих развивающихся стран часто очень «по-любовному» ориентируются на державы с раз-витой экономикой. Стараются в чем-то подражать им, за-игрывать с ними – то есть как бы пофлиртовать, имея в ви-ду далеко идущие планы и более чем серьезные намере-ния.

Чтобы позаимствовать ума или инвестиций.

Только вот «старшие партнеры», умудренные не только экономическим, но и любовным опытом, в таких случаях ведут себя так же осторожно, как и с любовницами.

Да, опытные ловеласы будут милы и терпеливы и, возможно, смогут даже что-то пообещать, но все это – «потом, после, когда-нибудь»...

В общем, если все будет хорошо, то поженимся, а если нет – то созвонимся.

И что же делать, если в роли такой настойчивой в своих притязаниях «любовницы» выступаете вы сами?

Для начала повнимательнее присмотритесь к предмету своих желаний. Постарайтесь понять, что особенно нравится вашему потенциальному партнеру, а чего он (она, если это фирма или страна) на дух не переносит. Тогда вы сможете определить ту степень близости, на которую можно реально рассчитывать.

В бизнесе, как и в любви, излишняя скромность может сильно навредить, но и в напоре не переусердствуйте!

Если, преодолевая забор, вы не учтете натянутую поверх него колючую проволоку, то ваш ущерб вряд ли ограничится одними лишь порванными штанами.

Поэтому не экономьте силы понапрасну, и чтобы взять некую определенную высоту, прицеливайтесь «с запасом» – ну хотя бы немножко повыше той планки, которую вы хотите преодолеть в данном конкретном прыжке.

Хотите зарабатывать миллион долларов – ставьте целью сразу десяток «лимонов». Хотите попасть на мировой рынок – нацеливайтесь прямо на мировую бизнес-элиту.

И ваше членство в элитном бизнес-клубе станет вполне реальным, если только вы побеспокоитесь планочку заранее еще чуть повыше поднять.

Хотя, быть может, чьи-то амбиции вполне удовлетворит и просто свой маленький, зато классный ресторанчик.

Но это – сегодня. А завтра, послезавтра?

Время, как и пространство, тоже имеет свои измерения. А значит, и в определении сроков исполнения ваших планов тоже можно «завышать планку».

Хотя как раз в отношении времени такая формулировка, пожалуй, не слишком пригодна.

Тут «планку» скорее стоит занижать – то есть планируя дело, заранее назначить себе нереально короткие сроки, чтобы потом, почти выбившись из сил и не уложившись в свой надуманный график на день-другой, все-таки прийти к финишу победителем.

И чтобы завтра вы, пока еще будущие воротилы большого бизнеса, смогли грамотно поддержать беседу с другими боссами в перерывах между официальными встречами на Давосских форумах, то вот вам буквально несколько элементарных экономических понятий.

Посмотрим в прошлое, чтобы понять происходящее вокруг нас в суровом настоящем.

Термин «экономика» (от греч. oikonomia) означает «управление домашним или государственным хозяйством».

В XVI веке развитие капиталистических отношений дошло до той стадии, когда возникла потребность в описании процессов, происходивших в хозяйственной жизни общества.

Вот тогда и зародилась первая школа экономики – «Меркантилизм», и возникла экономическая теория первоначального накопления капитала.

Эта школа лишь описывала происходящие процессы, без выведения каких-либо закономерностей. Она заложила первые экономические понятия и определения.

Затем в XVII–XVIII веках зародилась так называемая «классическая» школа. Ее появление связано с развитием буржуазии, которая хотела избавиться от феодалов, владевших основными средствами производства и землями.

Поэтому представители буржуазии впервые заговорили о том, что наряду с землей (и другими факторами производства) в стоимость товара входит также и труд, а следовательно феодалы эксплуатируют крестьян.

Это были первые попытки создания трудовой теории стоимости.

У козы глаза грустные, потому что муж – козел.

Если возмутились, чего это мы тут написали, прекрасно. Не сердитесь – это просто проверка на внимание: вдруг вы уснули, читая нашу колыбельную.

Маленький ребенок в кроватке:
– Бабушка, можно уже спать или ты
еще попеть хочешь?

Позднее, уже избавившись от класса феодалов, буржуазия сама испугалась трудовой теории стоимости.

В XIX веке экономика стала развиваться ускоренными темпами. Сложился огромный класс наемных рабочих, которых эксплуатировала уже сама буржуазия, отбирая за ничтожную плату созданное ими.

А вскоре на мировую арену вышел господин Карл Маркс (1818–1883). Родился он в германском городе Трир, в семье адвоката. В изучении экономических процессов Маркс делал упор именно на производство и окончательно сформулировал теорию прибавочной стоимости.

Он подлил масла в огонь, говоря, что **стоимость создает только труд и ничего больше**.

Только вчера узнал, что Карл Маркс и Фридрих Энгельс – это не муж и жена, а четыре разных человека.

Как и следовало ожидать, в противовес теории Маркса сразу возникло сразу несколько направлений. Главным предметом их изучения было не производство, а ПОТРЕБЛЕНИЕ.

Это позволяло собственникам уйти от «неприятных» вопросов. И к концу XIX века возникла так называемая «неоклассическая» школа, объединившая основы этих направлений.

Вот и вся лекция.

Мы же понимаем, что на вашем **сегодняшнем** бизнес-уровне вам пока не хватает ни денег на покупку, ни времени на изучение учебников по экономике...

Конечно, неспециалисту такие определения мало что дают. А со стороны вообще вся наша нынешняя экономика может показаться хаосом, бардаком и полным «отсутствием присутствия» хоть каких-то закономерностей.

Но...

Кто-то из великих сказал, что мы считаем случайными те события, закономерность которых выходит за рамки нашего понимания.

Так что и в экономике, где вроде бы действуют некоторые законы, случайность может прикинуться закономерностью, а закономерность показаться случайностью.

Точно так же, как легкий флирт может закончиться созданием крепкой семьи, а долгий роман – полным крахом...

Банальная статистика, кстати, утверждает, что браки по расчету крепче, чем браки по любви. Возможно, происходит это потому, что у партнеров изначально нет никаких несбыточных иллюзий относительно друг друга.

Тем, кто в сводки ЗАГСов не верит, стоит вспомнить, что и в минувшие тысячелетия браки заключались в подавляющем большинстве по расчету.

Родители сами выбирали женихов и невест своим чадам, а уж потом благословляли. И жили эти семьи дольше, и детей рожали больше.

А вот безоглядно-сумасбродная любовь чаще всего даже и не создавала семьи (вспомните хотя бы Ромео с Джульеттой!).

И даже угасшая любовь – это в лучшем случае спокойное отношение друг к другу, без взаимных претензий, либо в случае худшем – скандалы, сопровождающиеся уничтожением нервов и заканчивающиеся **разделом имущества**.

А раздел имущества – это та же экономика, и очень жизненная.

Поэтому, насколько сложными на первый взгляд ни казались бы вам вопросы устройства общества и семьи как его ячейки, именно от разумного их решения зависит качество нашей повседневной жизни.

А в обществе и, разумеется, в экономике, конечно, кое-какие свои законы действуют, и освоить их можно... в принципе.

Предметом экономики являются не деньги или же само по себе богатство в форме кладов, недвижимости или материальных ценностей, а прежде всего сами люди.

*– Это вы давали объявление о вознаг-
раждении за пропавшую собаку?*

– Да! А что, вы ее нашли?

*– Еще нет. Но я хотел бы получить
аванс.*

Экономика – это наука, которая изучает поведение людей, их решения, связанные с выбором из ограниченных ресурсов.

На основании выявленных законов дает схему для понимания человеческого поведения.

Экономика – это наука о том, как постоянно выигрывать в жизни.

Каждый человек, если только он не мазохист, стремится к благу. А возможность создания экономических благ всегда связана с наличием ресурсов.

Если же ресурсов для производства сразу всего желаемого **не хватает, то** необходим **механизм решения**: что нужно делать сейчас, а что отложить на потом. Какие потребности стоит удовлетворять немедленно, а на какие, как на чужой пока еще каравай, рта не разевай.

Поэтому общество постоянно сталкивается с проблемой **выбора.**

*Корреспондент газеты спрашивает
у главврача психбольницы:*

*– Какой самый простой тест на ин-
теллектуальные способности паци-
ентов вы используете?*

*– Наполняю ванну водой до краев. Ря-
дом ставлю кружку и чайную ложеч-
ку, а затем прошу освободить ванну
от воды.*

Корреспондент улыбается:

– Ну, любой нормальный человек, конечно, выберет кружку!
Главврач:
– Нет, нормальный вытащит пробку из ванны.

Еще в XVII веке французский писатель-моралист Жан де Лабрюйер писал: «Мы недостаточно долго живем, чтобы извлечь пользу из своих ошибок. Мы всю жизнь делаем ошибки. Умереть исправленным – вот вся польза, которую можно извлечь из своих постоянных ошибок».

Не разделяя пессимизма мудрого француза, замечу: существует немалая вероятность не достигнуть даже и такого результата!

Хотя бы потому, что мы далеко не всегда удосуживаемся проследить за последствиями сделанного выбора и принятого на этом основании решения.

Например: решая бросить курить, мы уменьшаем спрос на табак.

Тем самым провоцируем производителей сигарет снижать цены, увеличивать рекламу и искать другие пути стимулирования никотиновой зависимости населения.

А кого-то из мелких и малоустойчивых к колебаниям спроса производителей наше весьма здравое решение может просто разорить.

Ну, так Минздрав же их предупреждал, что неудовлетворенный спрос может стимулировать как рост производства, так и рост цен.

Вот на что способен этот самый магический **спрос**.

А народная мудрость еще смеет утверждать, что, мол, «за спрос денег не берут»! Еще как берут – порой и последние отбирают.

Хотя кому-то поумнее, быть может, как раз наоборот – и дают.

Вот в ресторанном бизнесе, к примеру, именно спрос формирует меню. Необходимо точно знать, сколько посетителей придется обслуживать и кто именно будет завсегдатаем.

И в зависимости от контингента предлагать в меню устриц и «"Дом* Периньон" урожая 1985 года, розовое» или сосиски и «продвинутое» (в самый организм) пиво.

* Общеобразовательное отступление для любителей шампанского.

«Шампанское – вино королей и король вин» (французская поговорка).

Название этого, пожалуй, самого знаменитого вина происходит от французской провинции Шампань, где виноград начали выращивать еще в III веке. Примерно через тысячу лет здесь начала развиваться истинная культура виноделия. Производимые вина получались слегка газированными, с фруктовым вкусом и очень питкие, но они имели одну весьма неприятную особенность – тенденцию к вторичному брожению в бочках, которые иногда взрывались, за это вино из Шампани называли «дьявольским».

Говорят, первым укротил «дьявольское вино» Дом Пьер Периньон (Dom Perignon) – монах-бенедиктинец из аббатства Отвилье, расположенного на берегу Марны, в самом центре провинции Шампань.

С 1668 года и до конца своей жизни (1715) легендарный монах выполнял здесь обязанности виноградаря и винодела.

Осень 1688 года выдалась необычайно холодной, виноград собирали поздно, и в результате по бутылкам было разлито недобродившее вино. С наступлением теплых весенних деньков замерзшие дрожжи ожили, и вино в закупоренных бутылях стало выделять углекислый газ в виде множества сверкающих пузырьков.

Дом Периньон пришел в ужас – вино испорчено! – и стал пытаться исправить положение, как-нибудь осадить пузырьки. Для этого он купажировал вино: смешивал разные сорта, экспериментируя с пропорциями.

Когда же у него ничего не получилось, он махнул рукой и с горя «принял на грудь» изрядную порцию прямо из опытной бочки получившегося напитка. И... ему понравилось!

Тогда в один из воскресных дней монах, проявив замечательную деловую хватку, принес аббату большую флягу из толстого зеленого стекла. «Игристый нектар, божественный напиток», – вкрадчивым голосом ответил Дом Периньон на вопрос священника о содержимом сосуда. Полюбовавшись игрой божественного нектара, аббат осушил бокал.

Вино ему так понравилось, что за первым бокалом последовал второй, затем третий... Напрасно прихожане ждали своего аббата – проповедь в тот день не состоялась.

Впрочем, и уже укрощенное «дьявольское вино», стремительно завоевав огромную популярность не только среди монашеской братии, но и у мирян, принесло Дому Периньону массу хлопот и неприятностей. В частности, именно он произвел первый выстрел пробкой из горлышка – только вот полетела пробка не в потолок, как у нас теперь принято, а прямехонько в лоб старому аббату монастыря Отвилье. Аббат отделался огромной шишкой, сиявшей по очереди всеми цветами радуги, Дом Периньон – довольно суровой епитимьей, а пробку на бутылке шампанского с тех пор закрепляют специальной проволочной «уздечкой» – она называется мюзле. Кстати, необходимость разливать шампанское только по самым прочным бутылкам из толстого стекла Дом Периньон понял тоже на горьком опыте: несколько бутылок, которые он разослал окрестным знатным особам, взорвались прямо у них на столе.

Легенда гласит, что еще один монах того же аббатства, Дом Рюинар, передал рецепт шампанского своему предприимчивому племяннику Николя Рюинару, и тот в 1727 году основал первую торговую марку шампанского.

Приходит мужчина в ресторан. Садится за столик. Показывает пальцем на человека за соседним столиком, уснувшего в салате.

— Официант, мне — того же самого!

Вот и все!

Это, пожалуй, норма для начинающих.

«А при чем же тут секс в названии статьи?» — спросите вы.

Очень умно отвечаю:

— Экономика — дело не столь уж сложное! Успешный бизнес (как и успешная брачная жизнь) возможен при двух условиях:

1) либо Вы родственник(ца) или большой приятель(ница) влиятельного лица;

2) либо вы знаете законы бизнеса и эффективно пользуетесь ими.

Во всех иных и ужасно противных случаях вам в бизнесе вместо побед и подсчета доходов предстоит долгий и нудный секс. Причем совсем даже не в активной роли.

И еще одно, пожалуй, роднит секс и бизнес: большинство деловых людей объединяет некая аура привлекательности. Это похоже на то, что в сексуальном плане называют «sex appeal» – то, что заставляет обратить на вас внимание.

Ну, а своего рода «buziness appeal» поможет «полюбовно» работать с действующими партнерами и привлечет к вам новых клиентов.

А испробовать себя в деловом использовании этой ауры помешать вам не может никто.

Кроме вас самих же!

Вопросы на сообразительность

1. Что можно противопоставить сложной и непонятной истине?
2. Что следует предвидеть в вагоне трамвая?
3. Что можно делать в казино без риска?

Варианты ответов

1. а) А других ставок на этом кону нет?
   б) Простую и правдоподобную ложь.
2. а) Попу впередистоящего!
   б) Появление контролера.
3. а) Быть хозяином казино
   б) Утешать проигравшихся.

Управление временем

Я всегда придерживался того правила, что дела, намеченные на день, надо делать в тот же день.

Герцог Веллингтонский, 1850 год

Я придерживаюсь жесткого правила – полного отсутствия правил.

Негерцог М. Норбеков, 2004 год

Рождаемся мы на свет нагими и уходим из жизни с пустыми руками. Главное, что нам принадлежит, – это отпущенное на этом свете время.

Но... Нас захватывает вихрь событий, и мы тратим силы на выполнение мелких, сиюминутных задач, а по-настоящему важные дела частенько откладываем на потом. И в этой повседневной гонке мы не успеваем даже определить, где же и когда «припарковаться» на отдых.

Невероятно занятые и загруженные, куда же мы так мчимся? И стоит ли так торопиться жить?

Вот что еще в шестнадцатом веке говорил испанец Бальта-сар Грасиан:

«Всему свое время – и все тебе будет в радость. Для многих жизнь потому слишком долга, что счастье очень кратко: рано радости упустили, вдоволь не насладились, потом хотели бы вернуть, да далеко от них ушли.

По жизни они мчатся на почтовых, к обычному бегу времени добавляют свою торопливость; в один день готовы проглотить то, что им не переварить за всю жизнь; проживают радости в долг, пожирают на года вперед, спешат и спешат – и все проматывают. Даже в знаниях необходимо знать меру, не набираться тех сведений, которые и знать не стоит.

Дней нам отпущено более, чем блаженных часов. Наслаждайся не спеша, зато действуй не медля. Деяния закончены – хорошо; радости кончились – худо».

А разве что-нибудь изменилось сегодня, в веке уже двадцать первом?

Вот и попробуем поучиться управлять своим временем – так сказать, домашними средствами.

Можно начинать день пораньше. В глубокой тайне ото всех часиков в шесть утра вылезаете из своей (или чужой) теплой кроватки и – на физические упражнения. Затем – в душ и к завтраку.

А затем можно уже и... еще поспать! И все наши благие намерения по тайм-мониторингу (управлению временем) уйдут под подушку Морфею...

Так что для чистоты эксперимента сразу включаемся в деловой ритм – и за работу! Или к прочим заботам. День растягивается, полнится новыми и острыми впечатлениями, и перед уходом ко сну уже кажется, что с утра прошло суток трое...

...Надолго вас при таком режиме, конечно, не хватит!

Но гордость за свои крутые способности будет наполнять вас и тешить ваше самолюбие в течение по крайней мере всего сэкономленного времени.

Впрочем, многим (как и вам до эксперимента) личное время собственной жизни безразлично. И такие упражнения могут их вовсе и не впечатлить.

Рассмотрим-ка тогда один из «мягких» вариантов сокращения бестолковых времяпотерь.

Допустим, вам нужно что-то освоить или нечто изучить.

Но никакие знания за деньги не купишь (мы говорим о «реальном» товаре, а не липовых сертификатах его подлинности).

А тратить годы на учебу просто лень и неохота. Да и где их взять, эти годы-то? Вот прямо как в таком вот примере.

Представим, что вам, милая дама, неожиданно подвернулся очень даже приличный жених. И этот умник и красавец уже согласен отдать вам свое сердце, руку и счет в банке.

При этом он не какой-нибудь там сопредельный поляк, а совершенно натуральный иностранец!

Понятно, что вам предстоит подготовка к свадьбе и естественное знакомство с его родителями, потом переезды, «грин-карта» и...

И как вы собираетесь с этим всем справиться, мадам-фрау-миссис, если в школе у вас по неродному языку была... ну хотя бы тройка по старой пятибалльной системе?..

А в результате любви страстной вы оказываетесь еще и в положении не столь безнадежном, сколь интересном...

Ну что вы, в самом деле, паникуете?! Это же для дела – чтоб он, красавец этакий, не передумал обручаться!

Если уж у вас достало воображения представить себя невестой, то войти в роль будущей мамы вам будет не сложнее, чем натуральной девице оказаться в том самом интересном положении!

Только сейчас главная ваша проблема вообще-то в другом: где же взять невообразимую уйму времени, чтобы худо-бедно (а лучше – хорошо и богато) выучить этот английский, идиш или какой-то иной?!

Оказывается, овладеть неродимой речью можно и за сравнительно небольшой срок. Методик известно множество. Не погружаясь по самую макушку в миры Илоны Давыдовой, познакомимся с утверждениями и других научителей.

Например, есть методика, по которой всего через 48 часов занятий есть шанс **прочесть без словаря** английский текст на следующей странице или любой другой (перевод – на странице, которую я вам пока не назову).

How to learn a foreign language using Sliding system

It is necessary for every cultured person to know a foreign language. It is better to know 2 foreign languages. By the way, the European Union expects every specialist to know at least 2 foreign languages.

You may think, "How much time and energy should I need to learn at least one foreign language? You can't do without Norbekov's system of health protection." Academician Norbekov's system of training is really fine. It contributes to good health and development of one's mind and soul, it puts a person in good spirits, brings joy and enthusiasm.

A new system of learning foreign languages named Sliding is also based on human and noble principles.

You can learn English, German or French without wasting time, energy and money.

Having spent 38 years on scientific research Academician V.A. Votinov, author of the new Russian system of learning foreign languages, Sliding, has come to perfectly wonderful conclusions that radically change our ideas of the training process.

For example, the process of learning foreign languages up to a sufficient high level shouldn't last more than 3 weeks (48-60 teaching periods). After that one should use the foreign language practically and improve it.

Please compare: the process of starting the engine should not take more than 3-5 seconds, not longer. If the engine doesn't start after 3 or 5 seconds, a clever driver will eliminate the defect and start the engine within 3 or 5 seconds, not more. And what about an unexperienced driver? He will keep trying until the engine fails.

That can be applied equally to learning foreign languages: the first result should be seen in 2-3 weeks, not more. If it turns out otherwise, one should change methods of teaching languages or the instructor.

Here is another interesting conclusion. It turns out, that there is no need to repeat many times foreign words from foreign texts in order to learn them by heart. They will easily enter one's memory if one is able to create special conditions under which spontaneous memory can work.

These are only few examples.

А если вам и теперь неоткуда добыть заветные «48 часов», то, так и быть, сбегайте на с. 198, быстренько, но внимательно прочтите перевод и сразу же (не растеряв восторженного делового запала!) возвращайтесь к этим строкам.

Будем условно считать, что пару лет на занятиях языком (не собственным биологическим, а иностранным!) мы с вами уже сэкономили.

А ведь время жизни – ресурс уникальный и капитал бесценный, который, увы, нельзя накопить, как вклады в сбербанке. Хотя и говорят: «Время – деньги».

Впрочем, денежный эквивалент у времени все-таки есть – это информация.

Однако, не зная, как работать с информацией, легко заблудиться в интернетах, засидеться в библиотеках и заспаться на семинарах, бездарно тратя массу времени.

Начните с малого, как учил мудрый вождь пролетариев-гегемонов, – с учета и контроля. Ведь эффективность использования личного времени нетрудно оценить и безо всякого высшего образования, а обладая лишь знаниями в пределах «Арифметики» Пыркина для второго класса.

В конце трудового дня или столь же трудовой недели обобщите для себя на бумажке в клеточку, какими именно «необходимыми» и «первоочередными» делами вы за это время занимались и что действительно удалось сделать. А главное, сколько времени ушло впустую.

Покажите себе, что называется, документально: кто есть who (то есть «ху» из вас кто?).

Для особо одаренных в математике рискну привести даже жутко сложную формулу:

День/часы+ Что сделано – Что не вышло = Количество часов в пустой суете

Ставлю кремлевские куранты против жестяного будильника – рядом с вашими «достижениями» отдыхает даже «Сказка о потерянном времени» или соответствующее сочинение о Спящей Царевне.

Что значит «Зачем мне эти куранты»? Во-первых, как раз такой формат циферблата подходит для отсчета бездны ваших временны́х потерь.

А во-вторых, эти часики вы все равно не получите! Пока не научитесь управлять своим временем...

Так что самое время поставить новый эксперимент над собой – как раз в духе и по рецепту той самой сказочки.

В свободный день... Как это нет времени?

Вы ведь только что составили целый реестр своих потерь! Вот теперь загляните в него и определите на ближайшее будущее, от чего можно отказаться, чтобы потом не заносить это в новый скорбный список.

Уверен: и не один, а два-три подходящих дня у вас найдутся буквально на следующей неделе.

Так вот, в этот сэкономленный день зайдите в театр к знакомому гримеру (нет знакомого? Так заведите!) и попросите сделать ваше лицо таким, словно вам лет этак за 70... Только не говорите мне, что вам уже 84!

Просмакуйте самоощущения старика, украшенного морщинами, пигментными пятнами и сединными клочьями вокруг веснушчатой лысины.

Ох, как же, наверное, здорово будет пройтись в этой маске по улице, заглянуть в кафе и полюбезничать с девушками!

А когда вас, как старого греховодника, повлекут в отделение, оправдывайтесь хотя бы тем, что обкатывали костюмчик для Дня Всех Тупых.

По крайней мере, хоть в строгом учреждении у появится время, чтобы проанализировать реакцию окружающих и произвести свою внутреннюю самооценку.

Возникло ощущение, что жизнь подошла к концу? Ну и для чего же жили-то?

Для чего бытие, раз уход предрешен?
Для чего алчный путь в жизни определен?
Если место предписано это оставить?
Для чего нам покой, кто на миг лишь рожден?

Омар Хайям

На что растрачены теперь уже бывшие силы? Что осталось от пылких эмоций и страстей?

В памяти не задержалось даже название таблеток от этого... Ну когда все забываешь!

Хорошо, что эту маску пока еще можно смыть, как театральный грим. А перед продолжением «гастролей» подумать о дальнейшем беге по еще далеко не законченной жизненной дистанции...

Конечно, даже и к зрелым годам не всем случается слетать к звездам или открыть Америку. И хотя всякий оставляет что-то после себя, но об одном человеке помнят несколько минут, а память о других живет столетиями.

Примеров – полным-полно. Ну хотя бы вот...

В 1257 году во Франции духовник короля Людовика IX организовал институт для неимущих студентов из бедных сословий. А звали его Робер де Сорбон.

На протяжении 750 лет его имя носит высшая школа, ставшая одной из престижнейших в мире. Раньше это было маленькое здание.

Сегодня Сорбонна – учебный комплекс, размещающийся на пяти гектарах земли в центре и пригородах Парижа. Это комплекс почти два десятка учебных заведений, где ежегодно обучается сто двадцать тысяч студентов.

Может быть, и после нас останутся хоть какие-то дела, если мы, сэкономив дорогое время, сможем результативно использовать его?

В нашем случае – на бизнес, где нужны знания, расчет и оправданный риск.

Вопросы на сообразительность

1. После какого события вероятнее всего будет обнаружена потерянная вещь?

2. Какая профессия в нашей стране наиболее дефицитна?

3. О чем следует подумать, прежде чем «свернуть горы»?

Варианты ответов:

1. а) После протрезвления!

   б) После покупки взамен нее новой.

2. а) Профессия царя-батюшки: какие даже и были, все уже кончились!

   б) Профессия пророка. Ибо нет пророка в своем отечестве.

3. а) О динамите!

   б) О возможном изменении климата.

Иностранный язык по системе «Слайдинг»

Иностранный язык нужен каждому культурному человеку. Лучше, когда человек владеет двумя иностранными языками. Кстати, в Европейском союзе уже сейчас принято требование, чтобы каждый специалист владел по меньшей мере двумя иностранными языками.

«Это ведь сколько сил и времени надо потратить, чтобы овладеть хотя бы одним иностранным языком?» – подумаете вы.

На самом деле овладеть английским, немецким и французским языками можно без больших затрат времени, сил, здоровья и денежных средств.

После 38 лет научных исследований и поисков автор новой отечественной системы обучения иностранным языкам «Слайдинг» академик В. А. Вотинов пришел к совершенно удивительным выводам, которые в корне меняют наши представления обо всем, что касается обучения.

Вот, например: процесс овладения иностранными языками до достижения достаточно высокого уровня ни в коем случае не должен продолжаться больше, чем 3 недели (48–60 учебных часов). Дальше обязательно следует практическое применение языка и его совершенствование.

Сравните: процесс запуска двигателя автомобиля должен продолжаться 3–5 секунд, не более. Если двигатель автомобиля через 3–5 секунд не завелся, то умный водитель устранит неисправность и заведет-таки двигатель за 3–5 секунд, не больше. А неопытный водитель? Он будет продолжать попытки завести двигатель, пока окончательно не выведет его из строя.

Так и при изучении иностранного языка: конкретный результат должен быть получен через 2–3 недели, не больше. Если не получается, надо менять методику или преподавателя.

Еще один удивительный вывод. Оказывается, совсем нет необходимости зубрить иностранные слова к иноязычным текстам. Они запоминаются сами, если вы умеете создавать такие условия, при которых работает непроизвольное запоминание.

И это – только некоторые из примеров.

Смелая
осторожность

Что же такое **риск**?

Это слово испано-португальского происхождения буквально означает «подводная скала», то есть опасность. Вообще же под риском понимают «действие наудачу, в надежде на счастливый исход».

Значит, идти на риск нас вынуждает неопределенность, неясность обстановки.

Многие идут на риск совершенно сознательно – ведь это неотъемлемая часть профессиональной стороны их жизни. Среди них космонавты и моряки, пожарные и водолазы, охранники и налётчики...

Экстремалы тоже рискуют сознательно, но не профессионально, а ради острых ощущений от очередного «стакана адреналина», бьющего по организму с опасностью для жизни или здоровья.

> – Как вам удается покорять стольких жен-
> щин? – спросили как-то Ржевского.
> – Да просто подхожу, – отвечал пору-
> чик, – и спрашиваю: «Мадам, не отдади-
> тесь ли вы немедленно?»
> – Поручик, но ведь так можно и по морде
> схлопотать!
> – Можно. Но чаще – отдаются!..

Рисков существует множество, буквально для каждого вида деятельности – профессиональный, деловой, половой...
С их перечнем можно ознакомиться в любой страховой компании и по нему судить, в какой же сфере наиболее опасно
подвизаться.

Кстати, вопросик даже не на сообразительность, а на за-
сыпку: ну-ка назовите область деятельности, в которой смер-
тельный риск «на боевом посту» самый высокий, а вот стра-
хование по профессиональному признаку вообще не произ-
водится?

Поднатужились – и хватит. Ответ: государственные дея-
тели, включая монархов. Примеры подберите сами... и потом удивляйте друзей свое образованностью и проница-
тельностью.

Однако в противоположность людям сознательного риска
людей, которые рискуют неосознанно, куда больше. Они по-
ступают «на авось» и, даже собственными руками подпили-
вая сук, на котором сидят, совершенно не ожидают вполне
закономерного падения.

А потом абсолютно искренне, «на голубом глазу», удив-
ляются происходящим с ними ЧП! Они склонны считать, что
попали в тяжелую ситуацию не вследствие своих собственных поступков, а в результате происков судьбы или злобнос-
ти несчастного случая.

Две старушки из древней Кампучии
Были очень во всем невезучие:
Попадали в котлы,
И на зубья пилы,
И в другие несчастные случаи.

Такие «невезучие» просто обожают искать виноватых. Это же пресловутый «первый русский вопрос»: «Кто виноват?»

Но если у одних вторым вопросом после этого становится «А судьи кто?!» (то есть кто же, кроме меня самого, имеет право определять степень чьей-то виновности в моих неудачах?!), то другие ставят перед собой куда более конструктивную проблему: «Что делать?»

Они анализируют допущенные ошибки (свои и чужие — например, партнеров) и решают, как следует поступать в дальнейшем, чтобы потери обошли стороной, а случайности не застали врасплох.

А поскольку полностью уклониться от риска невозможно практически ни в одной из жизненных ситуаций, то главное — это действовать: ведь выбор есть всегда!

Тому же Илье Муромцу на распутье судьба (в виде трех дорог) предоставила весьма сложный выбор — конечно, для его жизненной ситуации. И все-таки он выбрал, причем сразу и все!

А вот менее волевой человек в такой ситуации...

Стоит витязь у камня на распутье и читает:
– Налево поедешь – ох и наваляют! Прямо поедешь – огребешь по полной! Направо поедешь – мало не покажется!
Вот, думает, досада какая! Всюду плохо. Может, не ездить никуда, а тихонько восвояси воротиться?

– Эй, ты, перед булыжником! – раздается тут голос сверху. – Давай решай по-быстрому, а то прямо тут огребешь!

Так что неважно, кто вы – профессиональный богатырь или рядовой милиционер, простой рабочий или большой босс. В жизни чаще всего **никто, кроме вас самого, о вас не позаботится!**

Разница лишь в том, что владельцу компании в решении подобных вопросов помогает стать умнее и предусмотрительнее своя служба безопасности.

А вот остальным приходится надеяться только на себя.

И при этом, разумеется, рисковать! Не обязательно жизнью или здоровьем – возможно, «всего лишь» карьерой или благосостоянием...

Опыт многих народов убеждает: тот, кто все же умеет вовремя рисковать, оказывается в большом выигрыше (не путайте с казино – там все продумано за нас, в том числе и возможность счастливого исхода... из казино!).

Хотя и во многих ситуациях в бизнесе неопределенность обстановки тоже возникает не сама по себе, а создается искусственно.

Например, конкуренты путают все карты и всячески вам мешают. Сразу же возникают всевозможные разбирательства-препирательства, а трудовые конфликты начинают мешать работе коллектива...

Но почти каждым риском можно в какой-то степени управлять.

Отдельно взятый человек может попытаться и вообще исключить из своей жизни многие «индивидуальные риски».

Допустим, бросить курить, перестать пить спиртное, стараться не гулять под сосульками, избегать летать самолетами...

Закончить спать с женщинами и мужчинами...

Тогда он умрет не от риска, а просто от такой жизни!

Предприятие же создается не для того, чтобы помирать от скуки или безделья, а для получения прибыли. А поскольку степень риска часто соизмерима с ожидаемой прибылью, то лучше всего заранее рассчитывать на сокращение числа источников риска либо их активности.

Например, хорошо бы вовремя выявлять недобросовестных конкурентов и партнеров, а затем ограничивать контакты с ними. Или прекратить общение совсем. Хотя, например, устранение конкурентов, кстати, тоже связано с риском!

Теща сидит на диване. Над ее головой висят старинные массивные часы. Когда теща встает, часы падают.
– Вечно они опаздывают! – раздосадованно говорит зять.

Чем лучше мы изучили обстановку, тем вернее будет принятое решение и тем меньше риск. Вовремя полученная информация позволит определить общие тенденции развития и избежать потерь от резких изменений рыночной конъюнктуры. А служба информации, при хорошей оснащенности и квалификации, обеспечит тщательное изучение положения на рынке, состояния конкурентов и потребительского спроса.

Тем не менее неизбежный риск в бизнесе все же существует. Его, правда, можно заранее учесть и переложить на плечи страховой компании. Сюда относятся возможные потери от стихийных бедствий, революций, краж и многого другого.

Однако есть риски, которые ну никак нельзя нейтрализовать полностью. О них постоянно пишут и вещают, но подавляющее большинство нашего населения почти не берет их в расчет.

Это *риски политические*.

А ведь инвестиции, операции с недвижимостью, капстроительство, банковская, страховая и многие другие виды деятельности совершенно бесперспективны без учета политических рисков.

Очень важно заранее определить *свои слабые места*.

Например, вы хотите правильно распорядиться полученным кредитом. Перепроверяете партнеров, контролируете целевое использование займа, планируете налоги, мотаетесь по командировкам...

Но если не доверяете своему бухгалтеру... Возможно, в итоге вы же еще и останетесь всем должны!

Запомните: *очень многое зависит от вас, а не от приходящих со стороны рисков!*

Возьмем в качестве примера по управлению рисками и безопасностью на предприятиях опыт американских профессионалов:

6% их времени уходит на планирование рисков компании и разработку общих мер по их управлению;

20% – на организацию управления безопасностью;

5% – на создание правовых основ защиты информации (составление контрактов и т.п.);

14% – на пресечение потерь от попыток промышленного шпионажа, совершения конкретных преступлений против собственности и другой нежелательной активности конкурентов;

14% – на расследование только что указанных действий;

18% – на контроль безопасности персонала (проверку новых сотрудников и оценку действующих);

7% – на защиту особо уязвимой информации и материалов;

16% – на физическую безопасность защищаемых объектов.

Таким образом, 45% рабочего времени американские специалисты затрачивают на *изучение рисков* для предприятия и разработку общей системы мер по их контролю.

Но в результате реже возникает необходимость в ликвидации негативных последствий (и опасных сотрудников).

Однако в западных странах фирмы на всякий случай застраховываются даже от убытков, которые может причинить нерадивый персонал...

Для управления большинством бизнес-рисков (вернее, для избежания их или сведения возможного ущерба к минимуму) существуют давно отработанные системы.

Наиболее распространенные из них – лоббирование, путем использования возможностей политических партий и движений, издание и поддержка средств массовой информации.

Но ведь не всякая организация «потянет» свою партию плюс собственный аналитический центр с независимыми источниками информации и аналитиками.

Может быть, поэтому и не идут к нам инвестиции. Новые программы и проекты привлечения денежек разрабатываются часто, да что-то не ловится ничего в них...

А вот мужик все же поймал золотую рыбку!

– Давай быстро мне три желания исполняй! Мы люди грамотные, тоже, небось, сказки читали.

А она ему и отвечает:

– Охренел совсем? Кризис же в стране! Жизнь дорожает... В таких условиях могу исполнить только одно желание.

Задумался он, чего бы такого себе заказать одним махом и ничего не упустить.

– Во! Придумал. Сделай так, чтобы у меня всё было.

Подумала золотая рыбка и отвечает ему.

– Хорошо, мужик. У тебя уже всё... БЫЛО!

Поэтому главное – никогда не забывать ГЛАВНОЕ!..

Вопросы на сообразительность

1. Что больше всего способствует новшествам?

2. Если что-то хранить достаточно долго, что с этим можно сделать?

3. От чего зависит количество пострадавших в катастрофе?

Варианты ответов

1. а) Обветшалые традиции.
   б) Отсутствие проверок их качества.
2. а) Продать как антиквариат.
   б) Выбросить.
3. а) От количества свидетелей.
   б) От расстояния до места катастрофы: чем расстояние больше, тем больше пострадавших.

Чужеземные рынки _____

Выход вашей могучей компании на международный рынок (или забег на территорию соседнего колхоза) может иметь различные побудительные мотивы – от желания хоть иногда подальше уезжать от милой супруги до жажды потешить свои амбиции на экзотической территории.

Но вот действительно для дела важны совсем другие причины.

Одна из важнейших задач по развитию предприятия – это создание условий для его *инвестиционной привлекательности.* То есть надо сделать так, чтобы предприятие не испытывало нужды в привлечении финансов для осуществления ваших грандиозных планов.

А привлекательной для инвесторов компания становится прежде всего *при наличии в ее товарообороте экспорта.* И желательно, чтобы доля этого экспорта была не менее четверти от общего объема оборота компании (так нас учат классики экономики и экономическая классика).

Именно в таком случае фирма приобретает статус, при котором финансисты готовы без особых душевных мук дать вам денег. Вполне может быть, что даже в любых нужных вам количествах! Ведь они уверены, что деньги к ним вернутся.

Если вы динамично развиваетесь, умеете выигрывать и способны к конкурентной борьбе даже на чужой территории, то у вас **всегда** будет несколько предложений от финансовых учреждений.

Ведь они живут за счет процентов от выдаваемых кредитов или дивидендов от размещаемых средств.

А если обслуживающий вас банк не сможет предложить выгодные условия финансирования, деньги всегда можно купить в другом банке. Или в другой стране.

Инвесторы сами постоянно ищут, куда бы надежнее вложить средства. И их очень интересуют эффективно работающие компании.

Но для постоянной работы на внешнем рынке *важнейшим условием* является *поддержка компании правительством страны*, где ведется ваша основная деятельность.

Ведь даже при самых радужных стартовых условиях ваш филиал или «дочка», как только они начнут постоянную работу за рубежом, обязательно станут испытывать давление местных и заезжих конкурентов.

Американский капиталист приехал к папе Римскому и предложил ему много миллионов долларов, чтобы он к молитве о хлебе насущном добавлял: «Дай мне сегодня стакан кока-колы». Капиталист долго уговаривал и умолял папу, но получил отказ. И, уже уходя, процедил сквозь зубы:

— Хлеб насущный, хлеб насущный... Интересно, сколько за эту рекламу дали булочники?

Конкуренты начнут грязно наезжать или культурно демпинговать, сбивая цены на аналогичные товары. Тогда и вам придется тоже снижать цену. Ну и кто кого?

Здесь, как и в спорте, победит сильнейший – или тот, у кого жировой запас побольше.

А при чем же тут правительство? Да при том, что при его участии ваши силы будут пополняться за счет ресурсов родной державы!.. Большинство мировых компаний (в том числе и частных) поддерживается именно правительствами их государств.

Потому что во всем мире принято считать: **международная конкурентоспособность страны – это необходимое условие для признания за ней статуса мощной экономической державы.**

А значит, плохая работа фирмы или ее крах на рынке какой-либо другой страны – это хоть и малюсенький, но все же ощутимый нравственный минус для конкурентоспособности родного государства.

Ну, что-то вроде царапины на носу или пятнышка на лацкане.

Поэтому, когда в вашем международном бизнесе начинаются неприятности, присмотритесь: возможно, через менеджмент конкурентов просачивается ***реальная конку-***

рентоспособность другой державы, ее экономики и ресурсов.

А чтобы не допустить ущемления своего имиджа, правительства стран всегда использовали, а дальше будут просто обязаны использовать все свои внешнеполитические и экономические ресурсы.

Это и разнообразные спецслужбы с их спец- опять же возможностями, и длительные льготные кредиты, и программы господдержки – вплоть до политического лоббирования.

Возможно, когда-нибудь и Россия будет так же поддерживать своих бизнесменов, и не только в ресурсодобывающих отраслях бизнеса...

Вот, кстати, и неплохой пример небольшого в общемто государства, которое заботится о международном имидже своих компаний не менее других развитых стран, – Япония.

Замечательные технологии японского менеджмента известны во всем мире. Японские управленцы прославились своим умением вовлекать весь коллектив в различные «соревнования» за лучший результат труда.

Контроль за всеми этапами изготовления продукции у них осуществляет 80 процентов состава фирмы! Как уж тут не создавать продукцию высшего качества?

Кроме того, весьма трудно конкурировать со страной, правительство которой очень трепетно относится к разработке новых технологий и новейшим научным исследованиям.

Для этих целей только в период с 1996 по 2002 год правительством Японии было выделено около 150 миллиардов долларов. В то время как **весь** пятилетний российский бюджет меньше этой суммы. Утешимся хоть тем, что гениев, талантов, ископаемых и территории у нас куда больше, чем у японцев...

Сегодня не только правительства, но и все крупнейшие компании мира несут постоянные расходы на повышение своей международной конкурентоспособности.

Одним из ее основных показателей (кроме рейтингов акций компаний) является вложение средств в научно-исследовательские и опытно-конструкторские работы (НИОКР).

Средние расходы на НИОКР ведущих компаний мира
(в % от продаж)

Страны	Компьютеры и офисное оборудование	Автомобили	Электроника и полупроводники
США	Apple Computer – 15,4 IBM – 13,5 Xerox – 11,0	Chrysler – 4,2 Ford – 3,1 GM – 2,3	Motorola – 8,9
Япония	Fujitsu – 11,0 NEC – 9,1 Sharp – 6,1 Canon – 5,0 Casio Computer – 4,9	Honda – 4,2 Nissan – 3,8 Toyota – 3,2	Hitachi – 9,9 Toshiba – 8,1 Mitsubishi Electric – 7,6 Matsushita Electric – 6,2 Sony – 6,0
Европа	Siemens – 9,8	Mersedes-Benz – 4,8 BMW – 3,9	Philips – 7,4

Получается, что если всерьез и надолго заниматься развитием экспорта своего бизнеса, то реальнее делать это в том направлении, где государство имеет приоритеты.

А теперь

Этно-Экономические Советы!

Кое-кому они пригодятся за столом переговоров с представителями иных наций, народностей или племен. В конце концов, и в Монголии есть какая-то своя экономика!..

Для успешных переговоров мало купить разговорник и повертеться перед зеркалом, оценивая стиль своего костюма.

И одного лишь горячего желания не провалить переговоры тоже недостаточно.

Чтобы подготовить успех, нужно заранее выяснить деловой менталитет нации будущего партнера (с психотипами отдельных личностей пусть разбираются ваша служба безопасности и отдел информационной аналитики).

А еще у каждого народа – свои традиции, культура и деловой этикет.

Охватить все нации мы, конечно, не сможем, поэтому остановимся лишь на некоторых.

Япония

Народ там скромный и трудолюбивый.

Японцы не любят прямых взглядов «глаза в глаза» и не сразу приступают к главной теме встречи. Они подолгу обсуждают многие отвлеченные темы, так как считают, что это способствует созданию хорошей атмосферы для переговоров.

Поэтому стоит запастись терпением – первые встречи могут затягиваться.

На поставленные вопросы японцы не отвечают прямо. Они почти никогда не говорят «нет». Хотя в их словаре такое слово есть. Вместо этого активно используются обороты вроде «это трудно сделать».

А «да» может означать вовсе не согласие, а только то, что вас слушают – вроде универсального российского «ну» или «угу».

Итальяно-японские переговоры провалились! Когда подали напитки, итальянцы провозгласили свое традиционное «Чин-чин!». Для них это что-то вроде немецкого «Прозит» или нашего «Будем» – то есть тост, означающий примерно «На здоровье!».

Но по-японски-то «чин-чин» означает «мужской половой член»...

Арабские страны

Переговоры и встречи с представителями этого красивого и культурного народа проходят очень спокойно и корректно.

Арабские бизнесмены уделяют немало времени беседам на общие темы, интересуются вашей культурой. Стараются продолжить переговоры в экзотической неформальной обстановке – таковы законы их гостеприимства. Если ваша искренность для них очевидна, проблем не будет.

У них почти нет процентов на кредиты для развития дела – ростовщичество считается грехом. Некоторых может интересовать не столько доход от будущей совместной работы, сколько сама идея сотрудничества с представителями такой огромной и непонятной даже самой себе страны, как Россия.

Арабский нефтяной магнат говорит американскому туристу:

– Ваша дочь мне очень нравится! За нее я бы дал столько бриллиантов, сколько она весит.

– Хорошо, – отвечает американец. – Дайте мне две недели для ответа.

– Да, да, я понимаю, вам нужно время поразмыслить.

– Не столько чтобы поразмыслить, сколько чтобы ее откормить.

В **Европейском союзе** единый менталитет пока еще не сложился – это процесс куда более длительный и сложный, чем ударное введение единого евро.

Германия

Жизнерадостные и громогласные немцы обычно участвуют только в тех переговорах, в которых их выгода ими просчитана заранее.

Педантичность, пунктуальность, организованность и бережливость – это их жизненная основа. Так что если вы вдруг продемонстрируете перед ними нечто подобное, то вполне сможете добиться успеха.

Помните: никаких отклонений от запланированных графиков встреч!

Как приходят поезда разных стран?
Французский точно опоздает, зато приве-
зет кучу посторонних баб.
Русский опоздает очень сильно, зато уйдет
раньше графика.
А немецкий прибудет строго по расписа-
нию, даже если русские украдут все
рельсы...

Сами переговоры проходят в четкой и строгой последовательности и ведут к вполне предсказуемому результату.

Только для этого вы и сами должны просчитать все наперед, чтобы в результате переговоров не заключить какой-нибудь новый «Брестский мир»...

Франция

Жизнерадостные французы сами придумали про себя анекдот.

Обустраивая территорию будущей Фран-
ции, Господь создал живописные луга и
долины, великолепные горы и чистые ре-
ки, украсил страну лесами и виноградни-
ками...
А потом Всевышний вдруг задумался: не-
ужели он сотворил рай на земле?!
И чтобы уравновесить содеянное, создал
Он француза с его характером...

Французы к переговорам готовятся очень тщательно. Стараются учесть любое их развитие и возможные спорные моменты.

Общаются они в очень быстром темпе. В самом начале, как и все, предпочитают общие темы.

И вы будете просто неотразимы, если заставите их поверить, что умеете разбираться в блюдах и напитках.

Самые важные темы переговоров французы умеют обсуждать вскользь – как они говорят, «между грушей и сыром».

И еще: если будете сидеть, не раскрывая рта, не ждите успешного исхода переговоров!

Англия

Соседка Франции. Эти страны вечно «воюют» друг с другом, причем с переменным успехом. Вот поэтому англичане – полная противоположность французов.

Если французы на переговорах болтают без умолку, то англичане больше тяготеют к недосказанности. Они сдержанны в суждениях, а умение держать паузу – одна из главных их особенностей.

Перед переговорами с англичанами необходимо продумать сценарий беседы – экспромт здесь недопустим. Русская напористость может быть не понята ими и даже воспринята как грубость.

У англичан очень развито чувство собственности и справедливости, поэтому они предпочитают честную игру.

Темы для «дежурных» разговоров – о погоде, спорте и старых добрых английских традициях. Расспросы о семье и их имуществе могут быть расценены как вторжение в частную жизнь.

Англичанин в европейской гостинице каждые две минуты спускается к портье и просит стакан воды, с которым возвращается в номер.

– Вас так мучает жажда? – интересуется портье.

– О, нет, что вы! Просто в моем номере пожар.

США

Еще одни англоязыкие.

Американцы ценят в партнерах честность и откровенность (не путайте с открытостью!). Они быстро переходят к сути, оставляя формальности юристам.

Хорошо реагируют на юмор (как следует зубрите их анекдоты – но только их: чужой юмор американцы не переносят!). Всячески стараются подчеркнуть свое дружелюбие и вносят в переговоры минимум официальности, даже если между вами значительная разница в положении и возрасте.

Задают много вопросов, свидетельствующих о неподдельной заинтересованности.

А вот чего следует опасаться, так это затянувшихся пауз. Тогда ваш выход – о погоде, индексах, налогах... ну о ковбоях, наконец!

Два ковбоя едут по прерии. Жара, пыль и ску-учно...

Находят они бизонью лепешку – совсем как коровью, только побольше и постарше.

– Джон, – говорит Гарри, – если ты съешь это дерьмо, я дам тебе 10 баксов.

Джон покряхтел, но слопал и получил свою прибыль.

Через десяток миль встречается им другая лепешка.

– Гарри, – говорит обрадовавшийся Джон, – а если ты съешь эту лепеху, то уже я дам тебе 10 баксов.

Договорились и едут дальше.

– Джон, – опомнился наконец Гарри, – а тебе не кажется, что мы задаром дерьма наелись?

Россия

Давайте посмотрим на себя со стороны, глазами иностранцев.

На переговорах россияне проявляют склонности к крайностям. Наше стремление быстрее перейти от формальных бесед к установлению дружеских отношений воспринимается как проявление эмоциональное и непоследовательное.

Уступки другой стороны — то, что хорошо для японцев, — мы чаще всего воспринимаем как слабость.

Наше нежелание ответить взаимностью на их уступки воспринимается как позиция «отказать себе поболее». Из-за чего достижение «консенсуса» затягивается.

И еще об одной нашей особенности.

Предварительные переговоры проходят, как у всех, — в офисах.

А вот стол главных переговоров, для достижения наименьших формальностей, стараемся перенести в баню или охотничий домик.

Вопросы на сообразительность

1. Какой знак нужно поставить между 7 и 8, чтобы в результате получилось число больше 7, но меньше 8?

2. Что произойдет, если решение проблемы потребует множества совещаний?

Варианты ответов

1. а) Знак «~». Или просто тире.
   б) Запятую.
2. а) Ничего не решат.
   б) Совещания станут важнее проблемы.

Глава III
КОГДА ХОЧЕТСЯ ВСЕГО И СРАЗУ

Портрет бизнесмена

Если вы собираетесь открыть собственное дело, следует знать, на что вы собираетесь потратить свою жизнь.

Вот несколько контрольных вопросов.

Подумайте, сколько денег вам нужно, чтобы открыть собственное дело, чтобы начать.

Миллион долларов?

Сто тысяч?

Тысячу?

Определитесь, пожалуйста.

Если вы думаете: «Чтобы начать собственное дело, мне нужна такая-то сумма», – знайте, что вы – дурак. Таких, как вы, на пушечный выстрел нельзя подпускать к бизнесу, потому что подобные вам дельцы и разоряют свои семьи.

Когда я сам лично по просьбе своих друзей провожу беседы по ключевым кадровым вопросам, то всегда спрашиваю:

– Сколько вам нужно финансов, чтобы вы раскрутились, чтобы вы стали богатым?

Если этот претендент говорит даже: «Один доллар», – я знаю, что передо мной сидит быдло. Передо мной сидит начитанный дурак, с подачи которого организация моего товарища может разориться.

Не деньги делают голову – голова деньги!

Сами бизнесмены подразделяются, можно сказать, на три категории.

Первая – это предприниматели, чей бизнес строится на основе стремления выжить, сохранить семью. Их мы с любовью будем называть работострадальцами.

Самый хороший стимул крутить мозгами, к которым прикреплены обе ноги, – это чувство опасности, чувство голода. Это один из самых сильных катализаторов, который действует наверняка, когда уже терять нечего. Одним словом, чувство, которое возникает при угрозе выживанию, вы согласны?

Вторая категория бизнесменов – это те, которым нужны деньги, слава и удовлетворение амбиций.

Когда ты хочешь прославиться, когда хочешь ездить в модных машинах, бывать в престижных домах – это вторая фаза, слабая основа бизнеса. По сравнению с первой – это ария уже с элементами антидуховности. И здесь есть свои опасные нюансы.

После накопления критической массы денег и прибабахов наступает скукота, хандра, депрессия и хаос. Тогда автоматически начинается поиск дополнительного пространства.

Здесь очень часто подстерегают разврат, развал семьи, и все заканчивается плачевно, потому что цель достигнута, жир набран, а дальше – ничего...

Третья категория – это бизнес, построенный на духовности, на самореализации, на улучшении жизни и процветании того места, в котором сам реформатор находится. Это может быть село, это может быть город, это может быть страна и дай бог – весь мир.

Определитесь, пожалуйста, какой бизнес вас интересует, что вы хотите, каково на сегодняшний день ваше стремление?

Самая лучшая, самая мощная, самая надежная опора – это третий пункт, где у вас есть душевные и духовные основы, когда вы думаете только об идее, стремитесь к ее реализации. А деньги зарабатываете попутно, снова вкладываете их в идею и расширяетесь.

Между прочим, выбор сферы деятельности имеет громаднейшее значение! Это первооснова всего!

Работа-то бывает разной! Чтобы чересчур вас не утомлять, упомяну лишь несколько видов, первые попавшиеся.

Работа-любовь

Если вы занимаетесь любовью, то есть работой, во время которой забываете абсолютно все, отдаваясь ей, растворяясь в ней, – это ваше!

Любовь дает силу, любовь дает творчество, любовь дает гениальность во всем. Ах, чего не сделаешь ради любви?! Да горы можно свернуть!

Достанете хоть из-под земли эти маленькие или огромные деньги, необходимые для развития источника своей любви, то есть деятельности.

Работа-каторга

Это когда вы работаете на дядю или тетю. Если организация не является вашей, значит, вы – чей-то раб. А рабский труд – он и в Африке рабский!

Реестр здесь широк, найдите внутри этого отрезка свою должность. Нижний предел – уборщица, верхний – президент государства.

Все эти должности не ваши, вам их дают, а потом точно так же, с треском, отбирают.

Работа-проституция

Это где вы работаете за деньги, ради денег и во имя денег, дурачок вы мой ненаглядный!

Законы достижения богатства таковы, что если пашешь ради денег, никогда не будешь жить в достатке.

Вы меня поняли?!

Больше мечтайте о больших деньгах, и кукиш вы их получите!

Любая работа, выполняющаяся ради денег, за короткое время успеет вам надоесть, и на работу будете ходить как на тихое страдание.

Милые мои! Наступит день, когда вы ни за какие коврижки, ни за какие шиши не сможете себя заставить пойти на это страдание. Потому что все, что делается за деньги, называется проституцией.

В этом случае истинные проститутки – сама невинность! Уверяю вас!

Сейчас докажу.

Они-то тело продают, и знают за что. А другой человек свой ум сбывает. Третий – жизнь выставил на продажу, радостно меняет ее на деньги. А есть и такие (боже спаси от них!), которые продают собственную душу.

А еще помните: у проституток есть своя профессиональная болезнь (в придачу к еще кое-каким). Это потеря способности получать оргазм, которая называется фригидностью. Поэтому долго они своим ремеслом не занимаются.

У остальных – такая же ситуация. Только наступает интеллектуальная, творческая и душевная импотенция.

Работа – такая!
Работа – сякая!

Дорогие мои! Человек может быть счастливым, только если он правильно выбрал сферу своей деятельности!

Найдите собственное дело, ради которого вы готовы отдать собственную жизнь. И тогда все у вас получится!

А теперь о своем видении бизнеса расскажет Геннадий.

Бизнес – это энергия, напор, постоянное движение вперед. Это выбор лучших для себя решений, сулящих большее.

Решений, дающих прибыль вам, вашим сотрудникам, вкладчикам и еще многим другим, включая даже конкурентов!

Бизнес – это агрессия, если хотите. Это атака, штурм и натиск!

Это работа на опережение. Опережающая инициатива в рамках законов, порою на границах этих рамок.

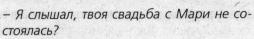

> – Я слышал, твоя свадьба с Мари не состоялась?
> – Да, мы расстались.
> – А ты сказал ей про своего богатого дядю?
> – Сказал... Поэтому теперь она моя тетка!..

Как может человек даже очень культурный, но слабый духом и не сосредоточенный целиком на интересах дела бороться с промышленным шпионажем и защищаться от угроз разорения конкурентами?

Как он будет регулировать отношения не только с органами финансового контроля, но и с рэкетом?

Для натур нежных и скромных есть другие профессии, где именно их черты характера востребованы.

Но и желающих сорвать куш на халяву или урвать по случаю жирный кусок тоже вьется вокруг бизнеса великое множество.

А вот реально рискнуть не призрачной карьерой и не старым авто с новыми шинами, а серьезными средствами и порою собственной головой, ввязавшись в профессию бизнесмена...

Такие, конечно, найдутся, только их очень немного.

Статистики утверждают, что только около пяти процентов населения способны заниматься бизнесом как постоянной профессией – исключительно благодаря особому складу характера.

Что ж, не все из нас стали народными артистами или космонавтами.

И ведь тут-то мы закономерно соглашаемся: да, для этого надо иметь талант, обладать силой воли, настойчивостью... здоровьем, наконец!

Не каждому по силам стать и классным художником или кутюрье...

Однако же остальные девяносто пять процентов, которых ждут и никак не дождутся другие чрезвычайно полезные ремесла, чуть ли не всем скопом устремляются в бизнес, млея от радужных надежд разбогатеть – по-крупному и стремительно.

И уповают они при этом на раскрытие своих чаще всего и в зачатке не существующих предпринимательских талантов, да еще на вечные «авось пронесет» и «кривая вывезет»...

Пронести, конечно, может – вдоль всех порток до кончиков ног. А уж если вывезет...

Может, к бизнесу стоит приступать не так уж безоглядно?

Взвесить собственные возможности, оценить перспективы, прикинуть запасные варианты и обходные маневры...

Но для этого же нужна хоть какая-то свобода выбора!

Нужен просторный и не застывший в неподвижности рынок!

Нужна, наконец, возможность оперативного принятия решений – и часто новых, нестандартных, парадоксальных!..

В центральных городах этого предостаточно. И бизнес здесь расцветает таким махровым цветом, которому позавидовало бы любое банное полотенце.

А на что можно рассчитывать в мелких населенных пунктах? Там, где все местные фантазии ограничены не самой радостной реальностью и все потребности удовлетворяются одиноким сельпо и самоотверженной деятельностью пары наезжих лоточников?..

Может быть, тогда не стоит людей с редким талантом предпринимателя пригибать, прижимать и усреднять к общему невысокому уровню?

Их же надо сохранять как вид!

И даже не занося в Красную книгу, предоставлять им все мыслимые возможности! Или хотя бы не мешать, не тормозить, не одергивать...

Если это действительно талант, а не рвач, он сделает немало полезного и для себя, и для края своего.

В противном же случае его призовут края иные.

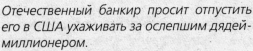

_____

Отечественный банкир просит отпустить его в США ухаживать за ослепшим дядей-миллионером.

– Пусть переведет капиталы сюда и приезжает сам, – говорят ему в ОВИРе.

– Но простите, ведь он ослеп, а не охренел!

Вопросы на сообразительность

1. Какая формула отказа самая неприятная?
2. Что главное в искренности?
3. Где явно нет злого умысла?

Варианты ответов

1. а) Да пошел ты на... в... или к...!
   б) Отложим.
2. а) Ей никто не верит.
   б) Уметь ее изобразить.
3. а) На дороге в ад – она вымощена одними лишь благими намерениями.
   б) Там, где есть явная глупость.

Нет ничего проще

Говорят, самое трудное – это управлять другими.

Вот банальный пример простой ситуации в одном действии.

Вы принесли в свой офис великолепную картину «Обнаженная незнакомка» и желаете поскорее повесить ее на стену. Начинаете объяснять подчиненному: какой именно взять гвоздь и куда его вбить, насколько шляпка должна выступать, чтобы не сорвалась картина.

А еще – на каком расстоянии от потолка... и где взять молоток... да откуда же добыть стремянку или хотя бы стул...

Да легче самому взять и все сделать, чем полчаса работать языком и махать руками!

И к тому же выглядеть недоверчивым идиотом в глазах далеко не глупого подчиненного...

Говорят, **самое легкое – это управлять другими**.

Вы просто говорите: «Костя, повесь картину посередине стены! И пожалуйста, справься до обеда!»

Лучше скажи мало, но хорошо.

Козьма Прутков

А сами спокойно идете изучать прессу за чашечкой ароматного кофе – уж его-то вышколенная вами секретарша догадалась сварить вам без дополнительных указаний. Вернувшись же к «фронту работ», улыбаетесь шедевру и хвалите исполнителя... обоих исполнителей: в первую очередь, конечно – своего исполнительного подчиненного. Ну а затем уж, разумеется, и замечательного автора картины.

Именно в такой последовательности! Неизвестному лично вам творцу «Незнакомой обнаженки» как-то все равно, а вот «свой» обиду или недостойную оценку своего труда, скорее всего, не забудет. Зачем же вам плодить злопыхателей?

«Гвоздь» этого сюжета скрывается не в физически существующем скобяном изделии, а в вашем личном отношении к роли управленца.

Сравнив оба варианта, вы увидите: **нет ничего проще**, чем решать любой вопрос. Важны только личный подход и конкретность. Так что верно вы поступили именно во втором случае: и самого себя от лишних мелких забот избавили, и время с пользой провели, и подчиненного поощрили на новые трудовые подвиги.

Тук-тук!.. Брюзгу заказывали? Это, как всегда, я. Скучно одному, вот и влезаю в ваши душевные беседы...

Значит, вы говорите, что управлять людьми легко и трудно одновременно. Я с вами абсолютно согласен!

Но вот вопрос: а зачем вообще управлять?! Управляют стадом!

Неужели вы намерены собирать коллектив из стадных существ? Ай-ай-ай! Еще не успели ничего создать, а организация уже подыхает от старости, реаниматор вы наш по гороскопу!

Извините, не надо меня посылать – я сам ухожу!..

Ухожу, ухожу, ухожу...

Лучшие решения кажутся простыми... когда они приняты, – это замечал еще Шерлок Холмс, объясняя Ватсону свои методы решения хитроумных загадок. Но рождаются они не на пустом месте, а на основании природного таланта или из приобретенного навыка.

Возьмем в качестве примера отрывок из книги воспоминаний очень талантливого организатора, проработавшего 40 лет в правительстве СССР, Н.К. Байдакова «От Сталина до Ельцина».

Как же принимались решения руководителями страны в сороковые годы двадцатого века?

«...В один из тех жарких дней меня вызвал в Кремль Сталин. Неторопливо пожал мне руку, взглянул на меня спокойно и просто негромким, вполне будничным голосом проговорил:

– Товарищ Байдаков, Гитлер рвется на Кавказ. Он объявил, что если не захватит нефть Кавказа, то проиграет войну. Нужно сделать все, чтобы ни одна капля нефти не досталась немцам.

И чуть-чуть ужесточив голос, Сталин добавил:

– Имейте в виду, если вы оставите немцам хоть одну тонну нефти, мы вас расстреляем.

Я до сих пор помню этот голос, хоть и спокойный, но требовательный, спрашивающий, его глуховатый тембр, твердый кавказский акцент.

Сталин не спеша прошелся туда-сюда вдоль стола и после некоторой паузы снова добавил:

– Но если вы уничтожите промыслы преждевременно, а немец их так и не захватит и мы останемся без горючего, мы вас тоже расстреляем.

Тогда, когда почти снова повторилось лето 1941 года, очевидно, иначе и нельзя было говорить. Я молчал, думал и, набравшись духу, тихо сказал:

– Но вы мне не оставляете выбора, товарищ Сталин.

Сталин остановился возле меня, медленно поднял руку и слегка постучал по виску:

– **Здесь выбор**, товарищ Байдаков. Летите. И с Буденным думайте, решайте вопрос на месте.

Вот так, с таким высоким отеческим напутствием я был назначен уполномоченным по уничтожению нефтяных скважин и нефтеперерабатывающих предприятий в Кавказском регионе».

Иногда решения подсказывает личный опыт, не всегда приятный и безопасный. Например, если, обжегшись на молоке, станешь после этого дуть даже и на воду, то хоть и потеряешь какое-то время, зато никогда уже ни на чем (жидком) не обожжешься!

Настоящее есть следствие прошедшего, а потому непрестанно обращай взор свой на зады, чем сбережешь себя от знатных ошибок.

Опять же Козьма Прутков

Поэтому, основываясь на таланте, навыке или опыте, в каждодневных (то есть не глобальных) задачах потренируйтесь для себя, а затем, исполнителях поставить (сформулировать) вопрос максимально четко, однако без излишнего разжевывания.

И никогда **не откладывайте принятие решения!**

Иначе придется заново вникать в уже рассмотренную проблему. А за это время еще и выгоду запросто упустите – и от этого дела, и от других, которые из-за него затормозятся.

Кажется, где-то на неспешном Востоке мудрецы утверждали, что делать что-нибудь быстро означает всего лишь делать все не торопясь, но без перерывов.

Поэтому не бросайте одно дело ради другого! Будь вы даже семидесяти пядей во лбу, все последствия проигнорированных или отложенных «мелочей» вам не предусмотреть.

А оперативно принятое решение лучше сразу же **поручить исполнителю.** И непременно оставьте ему место для инициативы — вместе с надеждой, что его активность будет замечена и оценена по достоинству.

Ведь доброе слово и кошке приятно — за него она хоть мышку дохлую принесет... А тысяча мышек — уже шубка!

Практически все принципы принятия удачных управленческих решений подчиняются одной магистральной идее: как сделать так, чтобы предприятие **не просто ВЫживало, а реально ПРОцветало?**

Для простоты выделим всего лишь три основных (с нашей точки зрения) способа принятия решений.

Первый. Решение принимается на основе **знаний,** анализа ситуации и изучения факторов, влияющих на процесс, а также расчетов возможных потерь и прибылей.

Второй. Решение делается на основе **интуиции** и личных представлений о вероятных результатах.

Третий. Решение сформировано на основе **личного опыта**, знания конъюнктуры, соответствующего профильного образования и ряда знакомств в вышестоящих инстанциях.

А теперь возьмем паровоз — и поставим его вверх колесами!

То есть начнем с самого конца.

Третий способ ясен, но требует существенной предварительной экономической подготовки и практически никак не годится для новообразованных фирм.

Для бизнесмена, начинающего едва ли не с нуля, но при этом желающего «денег сразу и побольше», самым лучшим представляется **второй способ**.

Однако разве вопросы, которые он попытается решить таким «кавалерийским наскоком», возникли только сейчас? А если они до сих пор не были решены, то, по-видимому, прежние способы справиться с ними ему не помогли.

Значит, надо искать иные ходы.

Допустим для примера, что вам нужно срочно... обезвредить шпиона!

В бизнесе такое, кстати, встречается ненамного реже, чем в государственно-безопасной жизни. Мало ли кто в вашей фирме захочет взаимовыгодно «утечь» вашу коммерческую информацию в направлении конкурента?

Тут уж доверять нельзя совсем никому! Как говорят французы, «предают только свои». Поэтому помощь придется искать исключительно на стороне.

Следуя **второму способу** принятия решений, вы обратитесь, скажем, к суперэкстрасенсу. В спокойной и задушевной обстановке попьете с ним фирменного чайку-кофею, а за беседой и узнаете, что шпион укрывается за кличкой Башара, ну а внешностью сильно смахивает на известного академика Нобрекова.

С головой же разоблачают зловредную сущность Башара коварные выпады, сатирические шпильки и саркастические замечания в адрес всего вашего дела в целом и руководящих им лиц в частности. «А я что говорю?!» — тут же встрянет ваша интуиция.

Вы маленько последите за подозреваемым, убедитесь в справедливости «экстранаводок» — и тут же нейтрализуете «врага в своем отечестве»!

Медаль на пиджак и отпуск на лето выпишите себе сами — в конце концов, вы же тут начальник. А заодно добавьте еще и премию за выполнение обязанностей шефа безопасности!..

...А по жизни — «фигвам»!

То есть такая вот индейская национальная изба, в которую коренные обитатели самого коммерческого континента поселяют заезжих представителей тупо-прямолинейного европейского контингента.

Увы, в конкретных случаях привлеченные со стороны советники со способностями дают лишь чрезвычайно общие ответы-советы.

Немногих же уникальных людей, действительно способных сделать справедливые выводы практически на пустом месте, привлекают, как правило, в исключительных случаях и за немалые деньги. Этого вы пока не потянете.

Кстати о шпионах. Спецслужбы всего мира используют в своей работе людей со сверхспособностями.

Порою это дает впечатляющие результаты. Но чаще, увы, никаких. Таких людей привлекают к работе в случаях, когда все обычные методы уже исчерпаны, результатов все нет, а отчитываться перед начальством надо.

А на собственную интуицию полагаться можно лишь тогда, когда нет точных данных или невозможно получить их вовремя.

А я считаю, что интуицию всегда нужно слушаться — до, во время и после того!

«Интуиция — это мгновенно сделанный расчет!» — так, кажется, говорил Наполеон. Только вот в ситуации с Кутузовым ему, наверное, мгновения-другого как раз и не хватило. А может, просто не послушал совета приближенных...

И если нетрадиционных методов выхода из ситуации у вас под рукой не случится или риск их применения покажется слишком большим, попробуйте все же, **согласно первому способу,** полагаться на знания...

...которые созданы людьми с развитым интуитивным мышлением! Когда душа не чувствует, а слабые мозги отказали, остается только работать руками и ногами, несравненный вы мой!

А нас этими выпадами не собьешь, и мы продолжим свою правильную мысль.

Значит, за вычетом явно сомнительных ситуаций в итоге остается один только **первый принцип** принятия решений – на основе **знаний!**

...И вот сидит мужик на суку и пилит то самое, что отделяет его от неизбежного следствия ньютоновых законов – от падения на землю с ускорением, свободным от его (*мужика, а не Ньютона!*) воли и желания...

Если действовать неграмотно в экономике, итогом будет сокрушительное «падение с сука», то есть **разорение компании.**

К сожалению, в отличие от материальных благ знания купить нельзя. И занять, как деньги под проценты, – тоже.

Конечно, многие печатные труды обстоятельно советуют, «как быстро стать супербогатым». Но написаны-то они чаще всего иностранцами – людьми с **другим** менталитетом, своей особой подготовкой к профессиональной деятельности и собственными жизненными ценностями.

Другой дорогой пойдем, товарищи!

Попадаются труды отечественных авторов, где большинство рекомендуемых в их книгах моделей управленческих решений перепечатаны из западных публикаций.

К сожалению, чаще всего это очень старые управленческие технологии, приукрашенные современными словечками и дизайнерскими изысками.

Конечно, можно поизучать и отечественное наследие (справочники советского бухгалтера 1962-го года издания). Это куда дешевле и усваивается куда лучше, поскольку больше соответствует нашему организму, чем всякие «генетически модифицированные продукты». Сомневающимся осмелимся порекомендовать посетить Государственную публичную библиотеку.

Классика – она и в Африке...

Как вариант экономии времени и сил: сошлитесь на свою жуткую занятость и дайте задание референтам сделать подборку только самых любопытных материалов по интересующему вас вопросу.

Или попросите свою очаровательную помощницу читать вам перед сном истории про профицит или налоговые льготы – на манер Шахерезады, которая неутомимо кормила жестокого шаха Шахрияра одними сладкими сказками тысячу и одну ночь напролет...

Не исключено, что вы освоите какой-нибудь более крутой метод усвоения информации – скажем, ускоренное чтение.

В крайнем случае вспомните недобитую истину: учиться никогда не поздно!

Если мы прогуляемся вечером возле известных вузов и академий столицы, то увидим, что возле их стен стоят шикарные иномарки, водители которых ожидают своих шефов-учеников.

Потому что «академические занятия» вновь стали востребованы слушателями всех уровней! Ведь нельзя же построить хоть сколько-нибудь успешное дело, не зная самых его основ.

В начале научной карьеры Эйнштейна некий журналист спросил его жену, что она думает о своем муже.

– Мой муж гений! – сказала госпожа Эйнштейн. – Он умеет делать абсолютно все, кроме денег.

Хотя и положительные примеры все же есть!

Вот, скажем, художник Антонис Ван Дейк. Не изменяя своему дару, активно занимаясь творческой деятельностью, он, находясь в Англии, закупал для английской знати картины голландских мастеров, что приносило ему хороший доход. Он был прекрасным менеджером и заработал кучу денег.

И большую часть дохода он получил при жизни от продажи именно ЧУЖИХ картин!

Сочетали в себе качества создателя и менеджера также Томас Эдисон и, конечно же, Альфред Нобель. Хотя вполне возможно, что процентов тридцать изобретений Нобеля основаны на идеях других изобретателей. Еще почти две трети его ноу-хау были научно несостоятельными, семь процентов окупались, но не сильно, зато оставшиеся три процента приносили весьма солидный доход.

Больше дохода от гениальных идей чаще получали не сами создатели-изобретатели, а менеджеры, их внедряющие.

Абсолютно правильно! На десятки тысяч человек приходится только один изобретатель. И этот уникум приносит доход государству в среднем в 20–50 тысяч раз больше, чем среднестатистический обыватель нашей славной Родины.

Но отношение к ним почему-то начхательско-наплевательское!

Кто во всем виноват? Да нет виноватых! Виновата зависть! И тупость!

Кто поставил перед собой цель заколачивать бабки, тем не до науки! Кто умеет создавать что-то гениальное новое, тем не до денег.

Геннадий абсолютно прав, это два очень трудносовместимых понятия для одного человека!

К тому же все эти потрясающие новшества исключительно опасны для жизни гения, всей его семьи и тех, кто соприкасается с подобными знаниями.

Если вы считаете, что большой бизнес нуждается в революционных изобретениях, которые в корне изменят жизнь и потребности людей, вы глубоко заблуждаетесь, голубчик мой!

Изобретения, увеличивающие продажи продукции, которые выпускают компании, – вот они в цене!

Мир состоит из гениев и паразитов! И если вы не являетесь генератором изобретений, значит, вы – простой потребитель.

Но раз уж вы свою суть поменять не можете, тогда вам следует научиться быть самым лучшим паразитом, у которого великолепный нюх на гениев.

Накормите их, напоите, в баньке попарьте да спать уложите. И будет ваш жалкий труд сторицей вознагражден!

Прошу прощения за вмешательство в вашу беседу...

Для автора изобретения очень важен сам факт внедрения его идеи. Творец нового должен ощутить, что это значимо и полезно для людей. Но сам он, как правило, совершенно не представляет, как донести свое изобретение до масс.

Вот, например, кто сегодня помнит изобретателя швейной машинки всемирно известной марки «Зингер»? А ведь изобрел ее никакой не Зингер – он ее только «раскрутил»!

А изобретатель тем временем тихонько от голода загнулся...

Да и вообще... Что нового даже самый великий изобретатель может создать в науке и технологии управления?

Например, как еще толще и ярче рисовать линии на бизнес-графиках? Или добавить какой-нибудь «сто сорок седьмой пункт», оригинальный и парадоксальный, в принципы руководства современными корпорациями?

Кстати, изобретателям управленческих технологий немаловажно знать: их новшества будут обкатываться на живых людях. И в лучшем случае принесут хоть кому-то бабки, а в худшем, возможно, – и многочисленные трагедии...

Увы! Россия – не исключение. Ибо нет в своем отечестве пророка...

Но, для того чтобы эффективно управлять предприятием, не обязательно заканчивать Гарвардский университет или Оксфорд (да и не все могут себе это позволить).

К вашему сведению, общение со многими оксфордианами и гарвардейцами наталкивает на мысль, что они-то как раз ничем и не умеют управлять.

Конечно, я могу ошибаться тысячу раз. Но это мое мнение, основанное на личном опыте.

Мода есть мода...

Модная одежда не всегда функциональна. А все эти институты и университеты – мода. И многие лучшие бизнесмены и ученые как раз-таки из этих самых институтов были благополучно выгнаны!

Естественно, все понимают: для того, чтобы стать хорошим управленцем, одних только **знаний мало. Нужен еще опыт** – и желательно положительный.

Эрнст Резерфорд пользовался следующим критерием при выборе своих сотрудников. Когда к нему приходили в первый раз, Резерфорд давал задание. Если после этого новый сотрудник спрашивал, что делать дальше, его увольняли.

А вот с опытом у нас туговато.

С одной стороны, часть нашей экономики до сих пор успешно укрывается в тени – и там же скрывает свои опытные кадры.

С другой – немалая часть работоспособного населения никак пока не может отвыкнуть от давно исчезнувших внеэкономических условий «распределительного социализма».

Но и вполне, казалось бы, опытные западные управленцы тоже что-то не спешат на наш такой, казалось бы, благодатный рынок.

С их «тамошним» опытом не понять, отчего это у нас порою финансовый результат запрятан неведомо куда, капитализация занижена, а официальная зарплата ничтожна и с реальным результатом труда никак не связана...

То есть практически все привычные им экономические показатели не работают!

Так что формировать управленцев придется из своих же.

И учить, учить их на практике почти непостижимого отечественного опыта!..

Вопросы на сообразительность

1. Как менеджер может организовать свой день, чтобы он составил 26 часов?

2. От чего главным образом зависит выполнение порученной вам работы?

Варианты ответов

1. а) Завести старый жестяной будильник и подвинуть в нем куда надо регулятор скорости хода. Тогда он за сутки и все тридцать часов насчитает. А уж менеджер пусть сам под него подстраивается!

   б) Вставать на 1 час раньше, ложиться на 1 час позже.

2. а) От старого доброго треугольника условий: назначенные сроки, обещанная цена и требуемое качество. Как правило, что-то одно всегда страдает.

   б) От того, удалось ли ее кому-нибудь перепоручить.

Создание предприятия

Аппендикс иногда бывает между ушами.

Собственное научное открытие!
Академик Норбеков

Так, значит, вы все же решили открыть собственное дело, назло всем своим комплексам неполноценности.

И с чего начнете?

Дадите ли возможность задать вам несколько каверзных вопросов?

Какие существуют законы создания великих предприятий, которые нельзя нарушать ни в коем случае?

Какими товарами или услугами вы хотите осчастливить мир?

Как и где найти грандиозную, сногсшибательную идею?

Как создать такую структуру организации, чтобы фирма не стала геморроем на вашу голову?

Как набрать профессиональную команду, особенно если в кармане гуляет ветерок в обнимку со сквознячком?

Где найти доброго дядюшку-спонсора (особенно если вы – мужчина!)?

Остальные вопросы лично додумайте, хотя вам, наверное, и не хочется.

Что в вашу светлую головушку взбредет, то – ваше. Что готовенькое дается – фиг запомнится!

Учитывая ограниченный объем книги, мы не можем сейчас остановиться на всех пунктах. Поэтому назначаем вам свидание в другой книге, в другой час! Конечно, если вы полагаете, что у нас есть мозги!

А мы считаем, что следы этого вещества все же присутствуют между нашими растопыренными ушами.

К слову сказать, редко кто не страдает галлюцинациями!..

Для начала давайте рассмотрим один из важнейших законов достижения богатства, а уж потом обо всем остальном поговорим.

Дорогие мои! Если хотите добиться в бизнесе большого успеха, то о себе вы должны думать в последнюю очередь, как это ни прискорбно.

ЗАБУДЬТЕ О СЕБЕ!!!

Еще раз прочтите эту строчку вслух как можно громче! Запомните это навсегда!

Вы-то от своего дела будете получать кайф, полет души, реализацию фантазий, но не забывайте, что рядом с вами будут находиться другие люди. А вот они-то могут и не получать от этого вида деятельности такого наслаждения.

Вот им вы должны обеспечить большую зарплату. Пусть даже все они в вашем представлении сволочи и гады!

Вы не имеете права требовать, скажем, от уборщицы или от охранника высокой духовности – такой же, как у вас.

Но! Чтобы людям, исполняющим и реализующим ваши идеи, было хорошо рядом с вами, вы обязаны обеспечить им приличную зарплату.

Вывод: значит, ваша организация должна быть высо-кодоходной!

Уверяю вас, отдавая другим, вы окажетесь перед взо-ром Всевышнего и через вас, через ваши идеи люди будут получать хлеб насущный. А это всегда вознаграждается! Всегда!

Если вы будете думать сначала о себе, потом о других – вы обречены на банкротство, вы не сможете расти.

Это закон.

Идем дальше. Будем считать, что вы нашли дело, кото-рым хотели бы заниматься! А теперь, удалившись в какое-нибудь укромное местечко, начинайте выстраивать принципы своей организации на базе ваших основных ге-ниальных идей.

Между прочим, название тоже имеет огромное значе-ние!

Как вы фирму назовете, так она и... потонет!

Остерегайтесь словоформ, которые понятны всем. Об-щераспространенные названия «Жучка и К°», ООО «Ту-зик» или акционерное общество закрытого типа «Мурзик» не подходят.

Предпочтительны названия, в которых не больше трех или пяти букв.

Например, CNN, BBC, Sony...

Попробуйте их расшифровать, не зная английского языка! Но зато ка-а-к звучит!

Главное правило – название должно звучать так, чтобы даже вы сами ничего не поняли. Даже если вы решили продавать плавленые галоши!

Ну, хорошо. Название, наконец, нашли.

Считайте, что полдела сделано.

А теперь надо озаботиться созданием структуры орга-низации.

ВНИМАНИЕ! Буду шутить, но **ОЧЕНЬ** серьезно!

Жадный платит дважды. Вы можете платить и триж-ды, если будете лениться в момент составления структуры организации и перечня должностных обязанностей своих сотрудников.

Вы можете поступить очень просто – сядьте над ватманом, уважаемый Кульман Абрамович, и начертите вверху листа основополагающее утверждение, которое станет первой (и главной!) структурной единицей вашей фирмы: «Я – мой возлюбленный».

А дальше все пойдет как по маслу – от вас протянутся линии и цепочки связей с необходимыми для дела помощниками, которых пока нет, но ох как придется их искать!

Дальше – отделы.

Отдел мозготрепов – заместители.

Отдел соглядатаев – маркетологи.

Отдел тружеников – советчики и сплетники.

Отдел кровопийц – сродственники.

Отдел поиска интимных услуг – кадровики.

Отдел Мюнхгаузенов – рекламщики.

Отдел благотворительности в фонд поддержки налоговой инспекции – бухгалтерия.

И т. д. и т. п. и мн. др.!

Если надумаете составить свою компанию таким образом, она получит родовую травму с повреждением черепной коробочки, еще не успев появиться на свет из вашей головушки!

Если вы – генетический лентяй, страдающий умственной отсталостью, и не хотите заниматься такими глупос-
тями самостоятельно, обратитесь к юристам.

Юрист умиленно выслушает ваши лепетания на юридическую тему и поймет, что вам надо срочно помочь,
кровь из носу!

Наморщив лоб и изображая величайшее внимание и
жалость к вашей персоне, он скажет: «С вас, как с хорошего человека, я возьму самую мизерную сумму!» – и назовет
цену своей родной матери!

И делая вид, что он очень долго думал и сделал за вас
самую важную работу, вытащит из своего компьютера
болванку структуры организации для болванов.

С этого момента можете считать, что вы сделали оставшуюся половину дела... И приступайте!

Что получится? Да что-нибудь получится!

Вот на это «что-нибудь получится» вы можете истратить всю свою жизнь, а много лет спустя, находясь в доме
престарелых, сказать: «Эксперимент не удался, экспери-
ментатор был дурак!»

Заумное отступление

Между прочим, патологическое отупение – это настоящий божий дар в большом бизнесе! Почему?

Есть одно убедительное научное доказательство, которое я самолично нашел в одной стране. Там лучшие деловые центры, где собираются мощные бизнесмены и кру-
тятся большие деньги, называются Даун-таунами.

Ну что, пошутили – и пока хватит.

ВНИМАНИЕ! О многоуважаемый будущий бизнесмен!

Если вы решили открыть собственное дело, в мире
обязательно найдется какая-нибудь компания, которая занимается примерно тем же, что вы намерены создать.

Раз вы интересуетесь этой отраслью, значит, не можете не знать эти организации и даже их названия.

Пожалуйста, выберите три самых успешных «монст-
ра», которые охватили своими услугами, товарами или
чем-то другим весь мир.

Дайте команду КГБ, ЦРУ и НКВД, чтобы они как следует потрясли этих редисок! Ну должны же они поделиться с вами своим успехом!

Если все разведслужбы отправлены вами в неоплачиваемый декретный отпуск, придется самому изучить искусство медвежатников-ниндзя, чтобы достать-таки структуру и перечень должностных обязанностей этих отвратительных синдикатов, которые заняли рынок раньше вас!

Судья:
– Подсудимый, расскажите, как вы открыли сейф?
– Бесполезно, ваша честь, у вас все равно сразу не получится!

Достали? Отлично!

Учитывая, что вы пока один, на первых порах придется привлечь добровольцев: начальника местного гестапо – тещу. Руководителя колонии строгого режима – жену, главнокомандующего танковыми войсками – двухлетнего сына, и Штирлица – тайного советчика вашей жены!

И вот перед вами огромный плакат, где расписано, какой отдел кому подчиняется, какая структура кого и за что закладывает. А еще должностные обязанности всех этих бездельников – кто в каком ухе ковыряется до обеда, кто какое отверстие носа прочищает ближе к вечеру!

Учитывая, что вы один, а в организациях-кумирах людей сотни и тысячи, вы можете оказаться перед искушением урезать их структуру до собственных возможностей.

Чур! Ни в коем случае не делайте этого!

Сами не помышляйте и трепачей-доброжелателей не слушайте! Они будут приводить вам убедительные доводы, аргументы и факты:

– У нас другие условия, товарищ руководитель! Мы, исходя из МЕСТНЫХ реалий, найдем лучшую дорогу за ваши денежки!

Поверьте мне, это не что иное, как словоблудие!

Ни в коем случае никакую часть структуры, принятую в той фирме, не обрезайте! Просто прикройте салфеткой, до тех пор, пока сотрудников не станет достаточно.

Почему? Да потому, что такие организации за годы своего существования пережили сотни тысяч провалов, скандалов, склок, залечили миллионы фингалов.

Пока их деятельность не стала идти более или менее гладко, сколько умных личностей пережили инфаркт! Сколько бессонных ночей, сколько рукопашных боев, мордобоев без всяких правил было проведено!

А сколько миллионов людей прошли через отдел кадров, пока в одном месте не собрались умнейшие из умных, которые все улучшали и улучшали деятельность этих фирм.

Станьте же сказочным героем! Двигайтесь полным ходом на своей печке в сторону сказочных богатств и оттяпайте, наконец, свою заслуженную долю!

Наверное, всё.

Торжественно передаю эстафету Геннадию. Теперь ваш покорный слуга временно свободен!

Спасибо!..

Создание предприятия может быть невероятно увлекательным процессом.

Три дела, однажды начавши, трудно кончить:
а) вкушать хорошую пищу;
б) беседовать с возвратившимся из похода другом;
в) чесать, где чешется.

Козьма Прутков

Главное — не переборщить и не раствориться в одном только голом процессе, начисто забыв о результате. Ведь конечной целью является создание коллектива, способного своей работой приносить прибыль.

И желательно – ежемесячную.

Для начала хотя бы попытайтесь представить себе, на какой срок создается ваша компания. Так будет легче прогнозировать количество и сроки бракоразводных процессов со своими соучредителями.

Ведь это только под венцом все говорят: мол, идти будем вместе и до конца... (друг друга!)

Большинство ваших потенциальных соратников и сотрудников собирается вместе с вами лишь доходы подсчитывать. И далеко не все желают и готовы искать время заниматься еще и преодолением трудностей.

Или вообще работать...

Если вновь созданное вами дело хилое и почти бесприбыльное, то есть доходов нет и делить, собственно, нечего, тут все хорошо и споров среди собственников не будет – из-за отсутствия предмета дележа.

Но если вдруг дивиденды польются золотым дождем, вот тогда каждый захочет оказаться поближе к кормушке.

И чтобы урвать кусок побольше и послаще, станет всеми способами доказывать наивеличайшую значимость для дела именно своей незаменимой персоны.

Только вот оценивать свой вклад в успех предприятия каждый будет по собственной шкале интересов.

И исходить будет прежде всего из личных представлений о своем величайшем вкладе.

Вообще любой организм (в том числе и хозяйственный) имеет свой жизненный цикл.

Фирмы, как и люди, рождаются, развиваются, взрослеют, действуют обдуманно или самонадеянно, но затем неизбежно стареют и прекращают свою деятельность.

Одни умирают в младенчестве, другие же живут веками.

Закусывая другими компаниями!

Среди учреждений-однодневок смертность очень высока. К самым же древним организациям можно отнести, например, христианскую церковь, которой уже более двух тысяч лет...

Зороастризм, иудаизм и индуизм скромненько помалкивают!.. А прадедушка буддизм от старости уже и говорить разучился!

Конечно, на начальном этапе любого дела прибыль оно приносит ничтожную. И доходы в эту пору просто не в состоянии удовлетворить все материальные нужды предпринимателя.

Кроме случаев резкого первоначального накопления капитала уголовным путем!

В банке:
— Послушайте, рабочий день заканчивается! Решайте скорее, что вы хотите: взять деньги или положить?
— Ну конечно, взять! Черт возьми, куда это я засунул пистолет?!

Но ведь дела идут, и люди работают, и финансы движутся, и... и куда же деньги деваются?!

«Было бы зерно — а дырявый мешок найдется...»

«Дырки» есть в любом деле — особенно в период становления организации.

Есть среди них, конечно, и традиционные «грабли, на которые многажды наступить может только бледнолицый».

Аренда помещений – полностью и навсегда потерянные деньги. Вам кажется, что выплата в рассрочку выгоднее разовой оплаты крупной покупки?

Значит, вы просто не просчитали суммарные затраты за тот срок, на который собираетесь создать фирму (заметим: этот самый срок мы призывали вас определить уже давно – по крайней мере, с начала этой статьи).

Некомпетентные кадры. Для больших окладов еще нет средств, а на малые деньги не наймешь профессионалов высокого класса. Вот и приходится пользоваться услугами бестолковых неумех с их смехотворной производительностью труда...

А стоит ли?

Дилетант-любитель провозится с пустяковой сменой колеса больше времени, чем на автозаводе затратили на производство всего его автомобиля!

Хорошему же механику понадобится всего час-другой, чтобы ликвидировать любую серьезную неисправность в машине.

А у хорошего шофера автомобиль вообще не сломается!

А еще лучше, если это ОЧЕНЬ ХОРОШИЙ автомобиль, который просто не рассчитан на то, чтобы ломаться. Допустим, это какой-нибудь «Роллс-Ройс» или «девятисотый» «Мерседес». Что, нет еще таких? Ну так послезавтра будут!

Отсюда непосредственно вытекает не вполне утешительный для молодой и малоизвестной фирмы вывод: при «наличии отсутствия» авторитетного **имени и** солидной **истории** успехов доверие деловых партнеров на рынке завоевать непросто.

Соответственно и получение прибыли (желательно большой и немедленно-сразу) отодвигается во времени куда-то в недостижимые сознанию дали...

И к тому же, помимо своих отдельно-индивидуальных зловредных качеств, неприятности и трудности имеют еще гадостное обыкновение ходить косяком и наваливаться сразу всей бандой на юный и пока еще не окрепший экономический организм (имеется в виду ваша сумасбродная затея).

Стоит ли при таких условиях вообще лезть в бизнес, который, похоже, не приносит ничего, кроме головной боли и нескончаемых забот?..

Ну разумеется, не стоит – если вы сначала принялись создавать свое дело, а только потом задумались: а на какие «шиши» все это можно осуществить? Если, конечно, вы не внук Ротшильда...

Вывод простой, тупой... и практически – детский: на старте так или иначе нужны хоть какие-то деньги.

И тем не менее: деньги можно если не заработать, то... купить! Деньги – это тоже товар, и они имеют свою цену, то есть процентную ставку по кредиту.

В нашей стране тысячи банков, и многие из них озабочены поисками хороших клиентов. Причем не только крупных, но и молодых – только непременно перспективных.

А если не хватает опыта деловой риторики, чтобы уговорить банкиров в явных преимуществах и скрытых выгодах вашего грядущего дела, то просто приглашайте этот банк в компаньоны или в долю доходов своего предприятия.

Поняв потенциальные слабости, приступаем к решительному их искоренению.

1. Выкупаем, а **не арендуем** все, что нужно (формы выкупа могут быть любыми, включая лизинг, рассрочку и т.п.).

Исправляя слабые стороны, сразу научитесь заниматься облизингом.

Как исключение: можно арендовать только рабочие места, чтобы в случае чего иметь безболезненную возможность все попросту бросить и развязать себе руки для новых попыток в бизнесе.

2. Нанимаем пусть немного, но по-настоящему **хороших специалистов...**

...(на какие шиши?), чтобы создать профессиональную команду с высокой производительностью труда.

3. Используем на рынке **имена** своих учредителей и **истории** их компаний.

Разумеется, при этом придется делиться прибылью.

Но это значительно лучше, чем, ни с кем ничем не делясь, ничего и самому не иметь.

И теперь, когда мы стали сильными (или, во всяком случае, заранее избавились от возможных слабостей), попробуем с позиций нашей теоретической силы представить оптимальный **масштаб будущего предприятия,** с которым эта сила позволит нам справиться.

Что общего между предприятиями большими и малыми – скажем, между огромной промышленной корпорацией и миниатюрной индивидуальной мастерской?

Реклама почти справедливо утверждает, что «размер не имеет значения». Дело действительно не в размерах.

А чаще всего в фактической выработке товаров или услуг в пересчете на одного сотрудника. (И опять – производительность труда! Ну куда ж тут денешься от беспорточных классиков экономики?!)

Полученную предприятием прибыль (желательно чистую) делим на число всех сотрудников... И возможно, получаем цифры почти одинаковые как для малой фирмы, так и для средней и даже для крупной.

Общий «валовый» доход у большой компании сам по себе огромен. Но затраты на административный аппарат, собственно производственные территории...

Конечно, «кустарю-одиночке без мотора» все приходится делать самому: бегать по заказчикам, добывать сырье, доставлять продукцию...

Но он-то расходует исключительно собственные силы и время (ну, еще и подметки) и ничего не тратит на организацию работы подчиненных!

А крупная компания вынуждена еще учитывать издержки на лоббирование своих интересов в промышленных и финансовых кругах и борьбу с конкурентами...

Да плюс к тому же постоянные затраты на PR (Public Relations – связи с общественностью): поддержание своего имиджа, рейтинга и т.п.

Урок зоологии в школе.
Учительница:
– Дети, кто знает, как выглядит ондатра?
Петров:
– Это такой милый, полезный для человека зверек с мягкой шкуркой и пушистым хвостом.
Учительница:
– А кто знает, как выглядит крыса?
Иванов:
– Это гадкое животное с жесткой редкой шерстью, жуткими клыками и противным лысым хвостом.

Руководитель, сумевший создать хорошую команду в малом бизнесе, может укрупнить свое предприятие практически до любых мыслимых размеров.

Разве что помешает собственная лень...

Хотя... Кто помнит «комполка» Г. К. Жукова и кто способен себе представить «комбрига» В. И. Чапаева в качестве хотя бы командарма?

Существует уровень притязаний — но есть же и границы возможностей!

Все относительно. Хотите вы заправлять огромной структурой или вам достаточно малой — это дело только ваших амбиций.

Уровень личного дохода больше зависит от качества организации дела, а не от его объемов.

Скажем, так: маленькая сапожная мастерская в Киеве на Крещатике может быть куда более прибыльной, чем фешенебельный магазин по торговле эксклюзивными мехами где-нибудь в Южно-Африканской Республике.

Ну и дали мы вам по носу, чтобы сразу не метили на четную сторону Уолл-стрита, а реально оценивали свои возможности!

Что, прочихались?

Ну вот теперь и слушайте (читайте!) элементарную экономическую классику: **чтобы дело было успешным**, при создании предприятия необходимы **четыре основных составляющих**, и именно в **такой последовательности**:

1. Менеджеры

2. Товары или услуги

3. Рынок сбыта

4. Финансы

Тут уж я пару ласковых вам скажу, а уж потом Геннадий свои объяснения продолжит!

Будем думать, со знанием Великого и Ужасного бизнеса у вас все в порядке. Как-никак, очень часто встречаются люди, которые с этим генетическим дефектом появились на свет.

Позволите ли своему покорному слуге пристроиться к вам сбоку со своим скромным, жалким и хиленьким знанием?

1. Вашей головной болью, именуемой собственным делом, можно худо-бедно управлять.

2. Желательно, чтобы начальный вклад финансов был в размере шести нулей.

Без начальных цифр.

3. Если вы считаете, что для запуска собственного бизнеса нужно энное количество денег добросердечных дядек и тетек – это признак вашей умственной усталости.

Вам следует немедленно назначить себе оплачиваемый отпуск. До конца своей жизни, чтобы другим неповадно было!..

Как всегда, продолжение следует!

Будем помнить, что у этой книги по меньшей мере хотя бы два автора, у которых может быть как минимум три мнения (свое у каждого и хотя бы одно общее), и поэтому предлагаем фрагменты текста порою читать не подряд, а примерно через раз.

Так вот, возвращаясь к превранн... пардон, к прерванной идее предыдущего автора, попробуем сформулировать голые в простоте своей принципы организации предприятия.

1. В любом деле *главное – хороший управляющий* (или менеджер, как его сейчас по-иностранному называют).

Чудесно, дальше просто некуда! Только подумайте: менеджер – хороший да в придачу, возможно, еще и умный! Кем вы будете выглядеть рядом с ним?! Ни в коем случае не пускайте таких на работу!!!

Вопросу о роли менеджера и его основных достоинствах посвящены целые серии отечественных и зарубежных изданий. А ведь еще есть и ваши собственные представления на этот счет...

Это даже и не совет: попробуйте человека в малом деле, а потом потихонечку «задирайте планку». Может быть, вы поможете человеку найти свое место в жизни (по крайней мере – в деловой!).

2. Что бы вы ни предлагали на рынке – памперсы или космические ракеты, ритуальные услуги или художественную реставрацию мозолей, – необходимо подсчитать точный *баланс ваших товаров и услуг.*

Неизбежные затраты тут – создание, складирование и доставка потребителю.

Умение спрогнозировать изменение этих затрат даст возможность понижать отпускные цены, если возникнет необходимость «опустить» мешающего вашему бизнесу конкурента.

3. *О рынке сбыта* своих товаров или услуг надо узнать все – насколько позволят ваши интеллектуальные способности и организационно-финансовые возможности. Иначе придется постоянно сталкиваться со всякого рода неожиданностями, причем далеко не всегда приятными.

Но одних лишь впечатлений и потрясающих рассказов друзей и партнеров по пивбару в качестве достоверного источника тут, пожалуй, недостаточно.

Информация из разных и многочисленных источников должна быть собрана и систематизирована – на бумаге или в компьютере.

Не стесняйтесь официально обращаться по заботящему вас вопросу в Госкомстат (как известно, есть три вида обмана – непреднамеренный, умышленный и статистика. Так что обращайтесь, обращайтесь!..), Торгово-промышленную палату и вообще в любое компетентное учреждение.

Официальные, обширные и к тому же грамотно составленные ответы можно получить за весьма **малые деньги**.

А если не пожадничаете и еще чуть-чуть добавите, то вы в придачу к этому получите еще сто-о-лько неофициальной информации!..

Сидит обезьяна на берегу и полощет в реке шкурку от банана.
Мимо проплывает крокодил:
– Обезьяна, чего ты делаешь-то?
– Дай пять баксов – скажу.
Дал ей крокодил пятерку, а та отвечает:
– Да вот – шкурку банановую в реке полощу.
– Ну ты и дура, обезьяна! – обиделся крокодил:
– Дура не дура, а десятку-другую в день имею...

К этому можно добавить и результаты опросов частных фирм, консалтинговых и юридических контор.

А в процессе ожидания авторитетных ответов возьмите да и обозрите прессу!

Даже спецслужбы всего мира около восьмидесяти процентов необходимой информации получают из совершенно официальных источников и только двадцать процентов — из добытых агентурой и спецсредствами (подглядыванием, нежными пытками и грубым шантажом).

Для начала дела точно хватит общедоступных сведений.

Главное — полнота обзора, когда станет понятно развитие интересующего вас сектора рынка.

Когда складывается представление о большинстве потенциальных конкурентов (в экономическом простонародье это называют маркетинг-план).

4. И вот у вас наличествует обширная и весьма достоверная информация.

Как же теперь из нее «по волшебству» возникнут деньги?

Так вот сами по себе и получатся!

Если уж вы наняли хорошего управляющего, создали работоспособный коллектив, подсчитали себестоимость товаров или услуг и владеете полной информацией о рынке сбыта, то деньги ***ваш управленец найдет сам***!

Или он найдет того, кто имеет положительный опыт получения инвестиций.

Кто же откажет фирме с хорошо разработанным проектом, убедительным маркетинг-планом и продуманным сбытом?

А вам лично что ж дальше-то делать?

Вариант пассивный: вспомнить о любимом хобби и, например, заняться выжиганием по дереву или резьбой по серванту. А попутно просто дожидаться прибыли.

Или почешите живот вокруг пупка сначала по часовой стрелке, а потом – против.

Техника безопасности: не увлекайтесь! А то ведь усердие иной раз превозмогает и разум, и инстинкт самосохранения...

Вариант псевдоактивный: займитесь дублированием и усилением системы контроля за процессом. Это обеспечит дополнительную занятость многим членам коллектива, но вряд ли серьезно увеличит доход.

Скорее – наоборот: средние потери от хищений, брака, ошибок и т.п. при налаженных и **управляемых отношениях в коллективе** составляют около десяти процентов прибыли.

Эффективный же контроль, за исключением этих потерь, обойдется явно дороже.

Одна спецаппаратура контроля и слежения и ее обслуживание уже немало потянут.

К сожалению, контроль не может гарантировать всего. Все наше соцпространство было построено на контроле – производственном, партийном, народном... И все равно воровали, да еще как! А к ответственности привлекали «стрелочников».

Контроль – это оценка прошлого, а доверие есть созидание будущего. (Кто это так наговорил? Или летописец, или новоназначенный министр финансов...)

Создавая предприятие с расчетом на годы вперед, очень важно принять во внимание, что мало кому из новичков в бизнесе удалось быстро реализовать свои «наполеоновские» планы.

И совсем уж немногие сумели стать действительно великими.

Так что же привело этих «столпов бизнеса» к успехам и подвигам?

Ужасно, но НИЧЕГО из сказанного ранее в этой статье вам не поможет стать не то чтобы великими, а хоть бы и заметными!

Ибо мы сообщали вам исключительно азбучные истины.

А ведь главное-то на этом пути – **фантазия, творчество и нестандартные решения.**

А день текущий потребует от вас того, другого и третьего в необозримых количествах.

Скажем, по мере роста компании отношения внутри нее усложнятся. Дело начнет просто задыхаться под грузом проблем собственного роста – слишком много новых людей, новых клиентов...

Недостатки планирования и бухучета, неразбериха с кадрами, накопившееся напряжение в личных отношениях сотрудников – все это создает внутренние трения и тормозит работу.

С увеличением объектов договоров у компании могут возникнуть проблемы с клиентами и денежными потоками.

Используя ваши трудности и неразбериху, клиенты будут «тянуть резину», срывать сроки, а деньги станут задерживаться неведомо где и непонятно на какие сроки.

Тогда кто-то из руководства принимает радикальное и нестандартное (**как ему кажется**) решение:

– Хватит бардака! Здесь необходим профессиональный менеджмент. Компания начинает нанимать руководителей с опытом (**развала предыдущих учреждений!**).

Описание бизнес-процессов, процедур, различные бланки и так далее начинают расти, как грибы после дождичка в четверг. Впервые появляются управленческие уровни: директор, замдиректора, заместитель замдиректора и т.д.

Начинается внедрение многослойной отчетности, сотрудники все более дробно разделяются на уровни и классы руководителей и исполнителей – прямо как в большой настоящей (**и одуревшей!**) компании-переростке.

И вот волевым решением руководства устанавливается непререкаемое господство менеджеров. Конечно, из неразберихи, царящей в компании, они создают некий порядок, но...

Попутно это может убить и сам предпринимательский дух.

И не только дух!

Старожилы компании начинают «творчески» ворчать:

– ***Эта работа становится обязаловкой и уже не так интересна.*** Теперь надо следовать глупым предписаниям, тратить уйму времени на эти бесполезные заседания и т.п.

Творчество начинает иссякать, когда самые способные люди уходят, реагируя на рост власти бюрократов. Многообещающая молодая фирма сохнет и коченеет, готовясь вслед за другими стать такой же серой или отойти в мир иной.

Что же и для чего в этих условиях могут сделать приглашенные варяги-менеджеры?

Задача бюрократии – пытаться компенсировать недостатки компетентности и дисциплины за счет внесения хотя бы формального порядка.

Большинство компаний создают свои бюрократические порядки, чтобы управлять небольшим процентом людей, не вписывающихся в общие правила.

Но это заставляет увольняться не только разгильдяев, а еще и творческих людей, не всегда поддающихся дисциплинарной «порке».

Но как же талантливых людей выстроить (или встроить) в одну общую шеренгу с дисциплинированными служащими? Только **увеличивая процент посредственных,** вплоть до подавляющего большинства.

– Вот вы тут все такие умные, – высказался как-то старшина роты в академии наук, – так отчего ж вы строем не ходите?!..

Выбор, как известно, есть всегда, например создание культуры труда.

Ни бензин, ни кислород сами по себе не горят. Зато прекрасно воспламеняется их смесь – бензиновые пары.

Объединив в трудовом коллективе две взаимодополняющие силы – культуру дисциплины и дух предпринимательства, – вы получите что-то вроде «рабочей смеси» в цилиндре двигателя.

И уж она-то раскрутит маховик вашего дела для движения к положительным результатам и стабильному, долгосрочному успеху.

Значит, главным залогом долгой и успешной работы созданного вами предприятия в первую очередь может стать правильно подобранный, по-человечески славный и профессионально компетентный коллектив.

С именем создателя!..

Аминь.

Вопросы
на сообразительность

1. Чем больше вы стоите в очереди, тем больше вероятность того... Чего?

2. Почему не стоит выходить во время совещаний?

3. Какое решение задачи самое ценное?

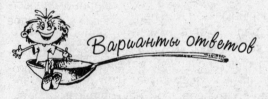

Варианты ответов

1. а) Что товар закончится перед самым вашим носом.
   б) Что вы стоите не в той очереди.
2. а) Кто-нибудь вас подсидит и займет ваше место.
   б) Могут избрать в комиссию.
3. а) За которое больше заплатят.
   б) То, что есть только у вас.

Управление эффективностью

Давайте-ка вспомним: что такое прививка?

Это впрыск в родной организм чего-то постороннего (в чисто медицинских случаях – какой-нибудь зараз... то есть инфекционной культуры), но в очень маленьких дозах.

Слегка переболев и в худшем случае пару дней помаявшись чуть повышенной температурой, наш организм обретает чудесную способность когда-нибудь потом, если вдруг придется вновь встретиться с чем-то подобным, перенести это куда легче.

А на этих страницах мы предлагаем вам и вовсе безболезненную «прививку» культуры экономической. Если здесь вы одолеете немногие и не очень сложные экономические темы в «прививочных» дозах, то вам куда проще будет потом воспринимать и настоящие умные-преумные и толстенные книги.

Польза этой главы в том, что если ваш бизнес-иммунитет спустя годик после одоления этой книги ослабеет, достаточно повторить одну эту «дозу»-главу для стимуляции вашей деловой потенции.

Вот **«прививка номер раз»**.

Поскольку освоить экономические знания, о чем мы с вами уже раньше говорили, вроде не так уж и сложно, то, наверное, и достичь на их основе богатства можно и без упорно-изнурительного труда.

Это и так... и не совсем так.

Конечно, знания помогут обойтись без лишних трудозатрат. Только нужно еще и горячее, и настойчивое(!) желание это богатство заполучить.

И если жгучей жажды богатства у вас пока еще нет, внезапные сокровища могут пойти не на пользу.

Когда человек еще не сформировался и не окреп в экономическом смысле, он просто не сумеет с толком воспользоваться пока непосильными для него возможностями.

Может просто не хватить здоровья или ума, чтоб удержать нажитое.

Поэтому до того, как безудержно богатеть, надо преобразиться в устойчивого и грамотного хозяйственника.

Ведь если строитель будет строить мост, то постарается создать его с хорошим запасом прочности.

Так и в бизнесе: профессионал должен строить свое дело устойчивым, чтобы им можно было гордиться, а не бояться за его судьбу.

«Прививка номер два».

В основе прочности вашего предприятия (как в смысле некоего дела в целом, так и конкретной фирмы в частности) стоят две главные опоры – **план развития предприятия** и **повышение вашего образования**.

И обе они тесно связаны друг с другом. Ведь при самом гениальном и предусмотрительном изначальном плане ни одна фирма не остается неизменной. **Организация развивается как живой организм**.

Меняются производимые ею товары и услуги. Соответственно меняются и люди: одни не успевают за прогрессом и отстают от жизни, а другие перегорают от невостребованности их творческого потенциала...

Чтобы успевать вовремя отслеживать эти изменения, надо реально представлять себе, как в фирме идут дела. А для этого лучше завести постоянную систему оценки внутреннего состояния своей компании.

Здесь для кого-то главными критериями послужат лояльность и преданность сотрудников — и тогда следует сделать упор на службу контроля.

А для тех, кому нужно лишь побольше прибыли от каждого, главным звеном станет служба финансов.

Кто-то стоит за свободу внутренней конкуренции сотрудников, идей и проектов, другие же формируют только единые команды, где главное — менеджмент.

«Прививка номер три».

Помочь разобраться в эффективности работы вашей организации помогут по меньшей мере семь критериев оценки деятельности предприятия (для начала, так и быть, слегка расшифруем их):

1. Действенность — да просто способность развиваться!

2. Экономичность — не тратить лишнего (времени, сил, материалов) понапрасну.

3. Качество — чтобы все выпускаемое было красивым и надежным.

4. Прибыльность — меньше тратить и больше получать.

5. Производительность — вложить не очень много, а выработать ух сколько...

6. Качество трудовой жизни — чтобы все было хорошо: и лицо, и одежда, и мысли... и валовой доход!

7. Внедрение новшеств — только вот как бы увидеть, что из этого нового пригодится в будущем?..

Эти понятия надо не просто зазубрить, чтобы при случае блеснуть эрудицией на банкете или перед друзьями в сауне. Их надо освоить в применении к вашему конкретному делу — просто буквально по этому краткому списку рассмотреть: а по всем ли пунктам у вас полный порядок?

«Прививка номер четыре».

Надо изначально знать и затем постоянно, по мере изменения, учитывать свои возможности (ресурсы). Иначе ваше предприятие вряд ли сможет набрать нужную скорость развития.

Основных категорий этих возможностей не так уж и много. А для простоты в каждой категории приведем по одному примеру более-менее удачной деятельности весьма известных лиц (можете в пределах этих страниц считать этих людей своими виртуальными сотрудниками).

Пропуски в остальных строках вам придется заполнить самостоятельно – на основании приятных вашему сердцу примеров из истории или деятельности ваших коллег, а также и конкурентов по бизнесу.

Ресурсы,
или
Что уже есть и что еще надо найти?

Организационные возможности:
– Эффективность менеджмента – Ленин создал такую партию, которая вон сколько лет заправляла всеми делами в целой стране.

– Структуры подразделений и их взаимовлияние –

_____

– Планирование и организация производства –

_____

– Системы влияния, контроля и безопасности –

_____

Информационные возможности:
– Структура информации – по инициативе Сталина была создана «Литературная газета» как «предохранительный клапан» для выпуска в народ не вполне официальной информации.

– Своевременное ее использование и пополнение –

_____

– Контроль достоверности –

_____

– Техника и кадры обеспечения –

_____

Кадровые возможности:
– Методы управления персоналом – Орджоникидзе и Хрущев неплохо умели расставлять нужных людей по нужным местам (правда, одного убили, а другого сместили).
– Система подбора обучения и продвижения –

_____

– Социально-психологические отношения –

_____

Финансовые возможности:
– Обеспеченность финансирования (займы, инвестиции) – министр Столыпин очень неплохо умел денежки считать.
– Структура доходов и расходов –

_____

– Фонды развития, резервы, социальные программы –

_____

– Формирование дополнительных источников –

_____

– Система контроля –

_____

Технологические возможности:
– Технологичность продукции или услуг – Эдисон Т. А. основал чуть ли не первое в мире и едва ли не самое успешное бюро патентов.
– Себестоимость сырья –

_____

– Модернизация техники, связей –

_____

– Разработка/шпионаж новых технологий –

_____

«Прививка номер пять» (самая полезная).

Определившись со своими возможностями, вам также потребуется учесть, что экономические показатели складываются во **взаимосвязи и взаимовлиянии**.

Например, расширение рынка сбыта может потребовать привлечения дополнительных кадров, новых затрат на их переподготовку, капитальных вложений, новшеств и т. п.

Разобраться в линиях возможных связей вам поможет следующая нехитрая табличка.

Основные подсистемы

Маркетинг	Персонал	Финансы	Технологии
1. Спрос на продукцию	1. Менеджмент	1. Товарная продукция	1. Разработка нового ассортимента
2. Конкуренты	2. Квалификация	2. Валовая прибыль	2. Внедрение новых технологий
3. Рынки сбыта	3. Организация труда	3. Рентабельность	3. Использование новых материалов и оборудования
4. Цены на продукцию	4. Численность персонала	4. Капитальные вложения	
5. Поставщики сырья	5. Организационная мораль	5. Источники и условия финансирования	
6. Транспортные плечи			
7. Уровень налогов			

Для чего вся эта схематизация и формализация?

А для полноты понимания настоящего положения вашего предприятия и ясности путей достижения ваших целей.

Беда в том, что глобальные цели своей организации даже вполне грамотные менеджеры зачастую формулируют слишком размыто.

Например, директор говорит: «Хочу, чтобы мои сотрудники работали в два раза эффективнее». И при этом не поясняет, что это значит: должны ли вырасти в два раза прибыли или у компании должно стать вдвое больше клиентов? Или вообще оставить лишь половину сотрудников, не уменьшая общего объема работы?..

А далее...

Без цели – никуда!

Значит, так: груз на палубе, команда на веслах (и навеселе), лоцман впереди, боцман с дудкой, капитан с трубкой... А куда плыть-то?!..

Цель нужна. И непременно полезная – ну если не судовой страховой компании, то хотя бы богу морей Нептуну, собирающему обильные жертвы среди бестолковых мореплавателей, бесцельно пускающихся в плавание...

Так что прежде чем устремиться даже к самой возвышенной и великой цели, продумайте кратчайший и наиболее эффективный путь к ней – и тогда «избежите вы знатных ошибок».

Вспомним, как умели сокращать трудности и упрощать решения наши великие предки.

Санкт-Петербург, XVIII век. После завершения постройки Зимнего дворца вся Дворцовая площадь была захламлена. Петру доложили, что для ее расчистки нужно нанять подводы на огромную сумму.

И тогда Петр повелел обнародовать указ: «В течение недели всякий может взять все, что угодно, с Дворцовой площади **бесплатно**»!

...За несколько дней крестьяне из окрестных сел расчистили площадь от строительного мусора.

А когда Московскую царскую библиотеку вдруг захотели перевезти в новое здание, то столкнулись с проблемой перевозки на новое место несметного количества книг!

Тогда читателям сказали: «Книги – в любом количестве! – берете здесь, а возвращаете по новому адресу».

И вся библиотека (ну, почти вся...) была перевезена совершенно безвозмездно. То есть даром.

Поэтому, планируя дела, не ставьте телегу впереди лошади. Сначала четко определите желаемый результат, а уж потом подбирайте наилучшие (самые быстрые, самые экономные, самые безопасные... и т.п.) способы для его достижения.

А для этого хорошо бы не только знать сильные и слабые стороны своей организации (назовем их внутренними факторами), но и почаще сравнивать их с факторами внешними – возможностями рынка и его динамикой.

Определившись со своими **внутренними** возможностями, оцените текущие параметры и динамику **внешней среды.**

Внешнее окружение разбиваем на:

– микросреду (производители, поставщики, посредники, конкуренты, потребители...)

– и макросреду (политика, демография, научно-технический прогресс, культурное и природное окружение...).

Постарайтесь понять, как именно составляющие внешней среды влияют на общее состояние вашей организации.

Ну и, конечно, постоянно **сравнивайте список запланированных задач с перечнем задач выполненных.**

Так сказать, «почувствуйте разницу» – и на этом основании либо продолжайте следовать по намеченному пути, либо оперативно корректируйте свои планы.

Все эти в общем-то не слишком сложные, хотя, возможно, и трудоемкие анализы, сравнения и построения со всей очевидностью покажут, что почти на всех этапах выполнения плана развития вы будете непременно сталкиваться с различными **противоречиями**.

И происходить это будет из-за того, что отдельные люди или целые коллективы, решая задачи сегодняшние, будут по-разному понимать долгосрочные цели развития вашего предприятия.

Или не будут понимать их вовсе.

Примите три простых совета, как избежать обострения таких противоречий на пути продвижения к светлому будущему.

1. **Фирма.** Чтобы «завтра» было хоть сколько-нибудь эффективным, еще сегодня потребуется жуткая гибкость и невероятно быстрое приспособление к изменяющимся условиям, способность освоения принципиально новых направлений.

Поэтому, не забывая о когда-то составленных планах, придется постоянно подучиваться.

2. **Кадры.** Людей надо беречь, холить и лелеять.

Поэтому, с одной стороны, сосредоточьте свои усилия на выпуске конкретной продукции или оказании услуг, а с другой – перестаньте отвлекать лучших специалистов на поиск чего-то нового, связанного с возможным риском.

Для этого создайте отдельную группу.

3. Деньги. С целью развития предприятия часть получен-
ной прибыли приходится вкладывать в поиск нового, которое может принести хороший результат, а может и не дать
ничего.

Чтобы не сильно страдать в случае неудачи таких поисков, не стоит закладывать излишние деньги на эти цели.

Понятно, что все противоречия разрешаются или хотя бы
облегчаются только при умелом и гибком руководстве – разумеется, вашем.

И касается это не только внутренних дел организации, но
и ее внешних отношений с партнерами и клиентами – от со-
седней по этажу мелкой фирмочки и вплоть до концернов
международного уровня.

Вопросы на сообразительность

1. В чем главный миф менеджмента?
2. Один из законов Мерфи гласит: «Все, что хорошо начинается, кончается плохо». Интересно, чем может по этой логике кончаться то, что и начинается плохо?
3. Из юмора «новых русских»: чем отличается бедный
идиот от богатого идиота?

Варианты ответов

1. а) «Менедж-мент» – это милиционер-управитель. Ну
разве не миф?!
   б) В том, что он есть.
2. а) По этой логике – оно не кончается!
   б) Оно кончается еще хуже.
3. а) Богатый идиот – это «новый русский», а бедный –
старый...
   б) Богатый идиот – это богатый, а бедный идиот – это
идиот.

Главнокомандующие, или — Конституция бараньего стада

*Существуют неизменные вечные антагонисты –
это руководитель и исполнитель.
Каждый считает другого дураком!*

Норбеков!

Уважаемые собеседники!

Как мы с вами знаем, страх неизвестности заставляет человека подчиняться «интересным» рефлексам, которые называются «Законы бараньего стада».

Из курса биологии мы помним, что бараны очень похожи на людей (а свиньи – и того больше!). Они тоже относятся к биосоциальным существам. И те, и другие предпочитают жить в местах большого скопления своего народа.

Каждый баран в отдельности – самое трусливое, самое беспомощное животное. Все печали и страхи он пропускает через мочевой пузырь!

Значит, чтобы компенсировать свою обделенность или, вернее, обделанность, бараны вынуждены собираться в стадо.

Казалось бы, этим они добиваются более спокойной жизни, более спокойного существования, но это впечатление обманчивое.

На самом деле стадо становится еще более пугливым и еще более легкоуправляемым.

Кроме того, возникает другая опасность: если хоть один член их общества прыгает в пропасть, все остальные, даже прекрасно видя, что перед ними бездна, все равно бегут за ним, и стадо погибает целиком.

Если какой-то баран чувствует опасность, все стадо бего-о-м собирается в кучку и вырабатывает общую позицию.

Так появляется общественное мнение.

Когда большинство граждан бежит в одном направлении, то остальные, даже почетные члены отары, мчатся вместе со всеми, задрав хвост и шлепая курдюком по своим ногам.

Вот живёт отдельно взятый барашек. Его задача идти туда, куда идёт всё стадо, то есть равняться на рядового своего соплеменника.

Эта форма стадного проживания возникла оттого, что ума у баранов маловато, а страх слишком велик!

Из-за малой физической силы и неразвитого мозга, лишь с зачатками извилин, жирный баран способен думать так: «Кого-то из нас волк, конечно, сожрёт, но только не меня!»

И каждый баран стремится в это стадо с единственной надеждой – волк сожрёт не его самого, а соседа.

Большинство рядовых человеков живёт так же, кому-то подражая, кого-то копируя. И от этого чувствует себя спокойно, комфортно и даже на высоте.

Когда мозги не работают, каждый думает: ***«Стадо знает, что делает, знает, куда идёт. Стадо знает, как себя вести».***

Именно стадо создаёт свои институты по передаче базовых знаний нахождения в стаде: как быть рядовым бараном среди безликих бекающих сосуществователей.

Запомните навсегда: как не бывает пророков в своём отечестве, точно так же не бывает своих лидеров в бараньем стаде.

273

Лидером бараньего стада всегда является козел.

Стадо-общество без козла нежизнеспособно. Когда в стаде нет козла, его роль играет чабан. Но если у чабана нет козла, он, как вы уже поняли, сам козел.

Значит, каждый нормальный чабан во главу бараньего стада ставит более умное, более хитрое, более приспособленное животное, чем любое из стада, то есть козла.

Чем же отличается козел от барана?

Баран не может ходить на двух ногах. Он все время идет, низко опустив голову, и при этом старается спрятать ее меж ног впереди идущего. На худой конец, его голова находится под туловищем, в районе пупка.

Это так и это закономерность.

Обратите внимание, где находится голова! Намек поняли?

Каждый среднестатистический человек «засовывает» свою голову в выводы, мнения, цитаты, законы какого-то высоконаучного впереди идущего почетного гражданина и заполняет свою башку его выделениями в виде умных мыслей.

Теперь посмотрим на лидера. На что он способен?

Козел умеет ходить на двух ногах. То есть в сравнении с баранами он ненормальный.

Козел освобождает две передние конечности, чтобы добраться до ветки дерева.

Он может неприспособленными для лазанья по деревьям передними ногами опираться на ствол и мордой тянуться к тем листикам, о которых баран даже не мечтает. То есть козел не только под ногами кустики щиплет, но еще успевает и в сторону облаков тянуться.

А его подопечные этого даже не видят. Вот в чем главное отличие козла от барана.

Второе.

Во время опасности баран молчит. Даже когда волк раздирает его своими законами и налогами, баран молча переносит страдания. Козел же начинает истошно орать, объявляя всем, что рядом опасность и т. д.

В стаде баранов даже самый хилый, с кривыми ногами козел мгновенно выходит вперед. Он всегда ведет стадо.

Что это означает?

Если вы – владелец организации, вам следует найти козла для своего стада. А самому стать чабаном.

И остерегайтесь баранов, которые никогда не были козлами. Ни в коем случае не ставьте их на руководящие посты! Способность руководить у этих существ отсутствует на генетическом уровне.

Теперь о другом.

Есть еще горные бараны. По внешности, характеру и интеллекту они стоят намного выше домашних козлов.

Да, они привыкли к жизни в горах, но, попадая в домашнюю отару, горные бараны автоматически становятся лидерами. Что я этим хочу сказать?

У них срабатывает *синдром эмиграции*.

Для руководящего поста больше сгодится сельский баран, нежели городской козел. Первый более свободен! У сельского барана, попавшего в город, запускается рефлекс выживания, инстинкт эмиграции.

Внимание!

Америку Америкой сделали эмигранты. Ваше учреждение сделает тот человек, который живет по законам эмиграции.

У него есть стремление работать и созидать. У него на рефлекторном уровне есть стремление выжить в этом незнакомом, большом, враждебном городе. Этот стимул поможет вашей компании.

Вывод: в подборе руководителя для своей фирмы делайте ставку на приезжих из других городов, причем на тех, что приехали недавно!

Возможно, со временем вы заметите, что этот «барашек» покрывается жиром и перестает отличаться от городских сородичей. Если не удастся его перевоспитать, придется выгнать.

Но сначала будет полезно на время отправить его обратно, к родной природе, и предупредить: «Будешь продолжать так себя вести – вернешься туда навсегда». Не поможет – поступайте так, как сказали.

Закон природы везде одинаков, он действует в любом обществе: хоть в стаде обезьян, хоть в стае страусов, хоть в среде одомашненных или диких кур.

Ваш покорный слуга здесь намеренно сделал оговорку про домашних и диких кур. На самом деле вы же знаете: курица всегда есть курица.

Остерегайтесь обладателей куриных мозгов! Ищите помощников в дикой природе, а не в том свинарнике, где все лежат, хрюкают и зарплату получают комбикормом совковой лопатой два раза в день.

Для своей организации возьмите принцип подбора кадров, который формировался в дикой природе тысячелетиями, миллионами лет. Выбирайте свободных!

Людей свободно мыслящих, свободно действующих, чувствующих, ориентирующихся в любых условиях.

Остерегайтесь тех, кто родился и вырос в мегаполисе, особенно в столице. Они только внешне приспособлены к окружающему миру.

Они умеют красиво одеваться, хорошо говорить и т.п., но у них непонятным способом атрофируется нужный для великого бизнеса внутренний стержень. Они живут по тем законам, о которых выше было немало сказано.

Посмотрите вокруг: богатые люди (в том числе олигархи) и большие ученые мегаполисов – в основном выходцы из провинции. Вот за ними и начните охоту. Попытайтесь их заинтересовать.

А теперь разрешите перейти на человеческий язык!

Контрольный вопрос на сообразительность.

Посмотрите, пожалуйста, на кружочки и представьте, что каждый из них – это отдельный коллектив.

Где меньше всего дрязг?

В первом, где одни ведомые, послушные и исполнительные? Тут меньше всего головной боли, и такой же результат.

Во втором, где один генерирует идеи, стоит на трибуне, указывает всем светлый путь? То есть работаете вы один, остальные зарплату получают.

Или же в третьем, где все лидеры на отдельных броневиках стоят?

Здесь вы работаете, и другие тоже работают!

Где лучше?

С вашим мнением мы ознакомимся ниже.

Без СВОЕГО мнения дальше – ни-ни!..

У вас появилось свое мнение?

Итак...

Те люди, которые не имеют собственной фирмы, как правило, уверены, что самые лучшие коллективы – первый и второй.

Когда же их спрашивают, где больше всего скандалов, они указывают на третий вариант.

Сразу хочу сказать, что **первая группа** в частном бизнесе не встречается. Они все – в государственном секторе.

Вторая группа – один лидер, все ведомые – существует в частном бизнесе, но это всегда что-то небольшое – лавочка, ресторанчик или что-то типа этого, где работает максимум 20–30 человек.

Такая компания не может стать суперпроизводительной, потому что природа столько сил в организм ее владельца не вложила.

Если у начальника произойдет что-нибудь со здоровьем и он не сможет какое-то время появляться в своей организации, то все ее сотрудники мигом с треском благополучно сожрут друг друга.

Третья группа – это то место, где скандалов бывает меньше всего.

Только лидеры в состоянии бесконфликтно друг с другом общаться.

Лидерство – это умение обходить острые углы. Это инициатива, сила, которая притягивает других к своей идее. Это уверенность в своих возможностях. Это оптимизм.

Так что я еще раз повторяю: если хотите, чтобы ваша компания жила долго и счастливо, ищите лидеров! Лидерство – это лидерство.

Идем дальше.

Допустим, вы с горем пополам отыскали кандидатов в главнокомандующие. А как воспитывать их будете?

Во-первых, ни в коем случае не разжевывайте им до конца все их служебные обязанности. Если будете им все в готовом виде давать, своих будущих руководителей убьете в зародыше.

Что можно сделать?

Проведите их обучение в течение трех месяцев. Суть вот в чем: всю информацию преподносите этим руководителям так, чтобы им до всего приходилось додумываться самостоятельно.

Они сами должны до всего дойти, а вы их – ВНИМАНИЕ! – незаметно направляете.

Если вы поступаете обратным образом, то делаете из них ведомых. Ну а ваша задача – превратить своих подчиненных в лидеров.

Натренировать можно даже осла, самое главное – направлять незаметно.

Только прошу вас, где работаете, там не экспериментируйте. Для этой цели откройте отдельную организацию. В вашей фирме все должно быть жестко, четко, строго, абсолютно консервативно.

Если есть желание поэкспериментировать, создайте на стороне, в другой части города, для этих целей небольшую фирму и ее сделайте зоной вечных поисков. Такую маленькую, чтобы не было жалко, если она разорится.

Вот на этой территории можете опробовать все свои великие задумки, все умные советы помощников.

Будем называть эту вторую компанию «учебным центром».

Сразу вас предупреждаю: в этом «учебном центре» будут царить хаос и безалаберность, пустословие и предательство – в общем, все прелести слабых и полуслабых существ.

Здесь создайте максимальную текучку, чтобы самые никчемные типы выдулись отсюда ветром времени.

И для чего вам надо будет терпеть всю эту муру?

А вот для чего!

Вдруг появятся в этом учебном центре сильные личности – вот ради них. Проверьте, исследуйте и незаметно для других уведите их подальше от этого балагана – в свою основную компанию. Это называется «закон золотоискателя».

Вот так постепенно вы будете создавать мощнейший, сильный и спокойный синдикат, где каждый служащий – Личность.

Родные мои!

Если вы не будете учитывать опыт других людей и станете опираться только на свое мнение в тех областях, где у вас нет личного опыта, можете натворить немало ошибок.

Подарю вам маленький презентик в виде небольшой истории из своей жизни. Может быть, он чем-нибудь будет вам полезен.

...Много лет тому назад мои Наставники сказали, что мне пора становиться учителем. Дали задание найти и подготовить собственных учеников.

– Как считаешь нужным, так их и воспитывай, – заключили они. – А вот после окончания эксперимента будем готовить твоих преемников уже классическим способом.

В моем распоряжении был ровно год. И я с учетом былых обид на своих Учителей подошел к решению этого вопроса со своими взглядами, уставами, мировоззрением. Все, что мне не нравилось, решил исправить.

И после соответствующих приготовлений решил – пора!

На одном из оздоровительных занятий невзначай спросил: «Кто хочет освоить мою профессию?» Вырос лес рук!

Я попросил своих помощников записывать всех желающих, и когда их число достигнет двухсот, сообщить мне. Через некоторое время, когда записался последний желающий, настала пора эксперимента.

Собрал всех кандидатов в ученики вместе и устроил им проверку на вшивость и плешивость характера. Спрашиваю:

– Кто и зачем пришел?

Один отвечает:

– Хочу помогать людям!

– Прекрасно!

Другой заявляет:

– Я работаю в поликлинике, но принимаю очень мало людей – всего двадцать. Хочу больше!

– Отлично!

Третий всю жизнь мечтал быть психологом. Ну, просто слов нет!

Одновременно я расспрашивал:

– А сколько вы зарабатываете на своей нынешней работе?

Потом целый час нес высокопарную чушь о том, что они выбрали верный путь, что из них выйдут расчудесные специалисты... Что, приходя сюда, они получат все, к чему стремились... Но есть один момент, который временно придется пережить.

– Вы здесь получите все, что хотите, но зарплата будет такой же, как и на вашей нынешней работе!

Как вы думаете, сколько из этих павлинов назавтра пришло? Тридцать пять! Сто шестьдесят пять, очевидно, околело по дороге – как-никак зима была на дворе!

Осталось тридцать пять...

Тем, кто остался, я приготовил еще несколько испытаний – разгонял их нещадно. Оставил только двенадцать человек.

Шесть из них совершенно не проходили по нашим параметрам, были антинормой.

Почему же я все-таки взял их? Отвечу.

Эти придурки хотели обучать других, как быть здоровыми, хотя сами страдали разными хроническими заболеваниями.

Все они принадлежали к той редкой категории слушателей оздоровительных курсов, которые не восстановили свое здоровье по разным особенностям своего характера.

Я таких, если честно, терпеть не могу. Потому что они – мое поражение. И вдруг – на тебе! Именно они приходят с желанием обучать других.

Ну что ж, решил их у себя оставить, чтобы за ними наблюдать и изучать специфику характера.

Надо было создать лакмусовую бумажку, с помощью которой будущие педагоги смогут распознавать среди желающих пойти к ним в ученики именно тех, кого близко нельзя подпускать к работе с людьми.

Итак, шестеро из моих учеников были... сами понимаете кем, четверо – будущими педагогами, а вот оставшиеся двое по внешности никак не соответствовали нашим меркам.

Одна из них – дама в солидном возрасте, ей было за шестьдесят. Седая, горбатая, беззубая, с хриплым голосом, но все это у нее компенсировалось любовью к людям.

Второй был абсолютно лысым – голова как бильярдный шар. Настоящий Фантомас, которым людей можно пугать! Но и у него тоже было интересное качество характера, которое очень нужно для нашего дела, – стремление учиться.

На подъеме я поработал с ними девять месяцев. Потом позвонили мои Наставники и сказали: «Каждого своего ученика ты должен публично похвалить не менее трех раз».

Я похвалил больше. Ох, как они радовались, как у них от счастья «распускались хвосты» и другие части тела! Ту-у-т же началась острая «звездная болезнь»!

– Теперь каждого из них публично поругай – тоже не менее трех раз, – дали следующий приказ мои Наставники.

Но мне было их жалко, поэтому пожурил только один-два раза, и все. После всего этого Наставники вызвали меня к себе.

Не успел я еще даже до места добраться, узнаю, что в моей организации бунт. Ученики по телефону сообщили мне, что в моих услугах больше не нуждаются!

Но я же их еще не научил, как открывать собственное дело! Зато они решили ничего нового не создавать и остаться в том месте, где получали знания. Решили убрать только один малюсенький мешающий фактор – меня.

Здесь, дорогие мои, пытаюсь быть максимально объективным. Ничего не убавил, ничего не прибавил. Судите сами.

Когда со смехом рассказал своим Учителям, что эксперимент закончился преждевременно, они посадили меня напротив и до-о-лго, основательно объясняли, в чем была моя ошибка, рассказывали, где я нарушил правила и законы Вселенной.

Давайте вместе рассмотрим мои ошибки, которые и вы невзначай можете совершить.

Первое. Мои ученики получали знания, а взамен ничего не давали. Так в природе не бывает.

Второе. Я назначил своим студентам стипендию – такую, что была больше средней зарплаты. Мне-то хотелось, чтобы их голова была занята только учебой, а не мыслями о том, как достать хлеб насущный...

Получается, что за то, что их обучал, я им еще и солидные деньги платил. Это двойное нарушение.

Третье. Они очень легко, не прилагая к этому малейших усилий, оказались на самой верхушке педагогического мастерства, то есть получили место в театре одного актера.

Четвертое. После окончания учебы они, по их мнению, должны были еще что-то получить. Так что их поступок был абсолютно закономерным.

За нарушение этих законов я должен был быть наказан.

Показав все мои ошибки, Наставники в течение нескольких лет подковывали меня, как надо готовить учеников по уму.

Между прочим, кажется, забыл сказать: мне пришлось уйти, оставив свое учреждение бывшим слушателям-ученикам.

Было печально...

Но оставил их с благодарностью к своим Учителям, которые ускорили скрытый процесс. Этот вирус мог бы просочиться в ту сеть организаций, которую ваш покорный слуга создал по всему миру.

На мой взгляд, опыт удался на славу! В этом эксперименте участвовало двенадцать «учеников», а сейчас, благодаря им, в нашем коллективе работает более полутора тысяч человек в разных странах мира!

А что стало с теми моими учениками?

Шесть рядовых выходцев мегаполиса появились в моей жизни, основательно поучили и исчезли.

Где теперь они? Да бог их знает! Через год-два все вернулись к своим прежним профессиям, то есть туда, откуда пришли.

Теперь о судьбе тех шестерых, которых я забрал с собой.

Четверо из них стали прекрасными специалистами, которые на сегодняшний день уже имеют своих учеников.

Одна из тех двух учеников сегодня стала Наставницей, матерью многих ведущих педагогов нашей организации.

К вашему сведению, она усилием воли смогла превратиться из сморщенного седого изюмчика в цветущую женщину. Сегодня ей 72 года, но больше 55 ей никак не дашь!

Другой ученик возглавляет свой собственный центр. Он – моя большая гордость!

К чему я рассказал эту историю?

Когда-нибудь, благодаря общему труду, ваши помощники-заместители разбогатеют. И тогда у них могут проявиться скрытые ранее черты характера. Об этом даже они сами могут до поры до времени не подозревать, не говоря уже о вас.

И тогда могут случиться самые неожиданные вещи.

Возьмем такую часто встречающуюся в жизни ситуацию.

Сотрудник прекрасно себя чувствует, работает за зарплату 20 тысяч у.ё. в год. Но вот когда он получит сто тысяч, это будет уже другой сотрудник. Если дадите ему миллион в год, готовьтесь увидеть уже совсем незнакомого вам человека!

Это означает, что у большинства людей есть порог финансового и материального достатка, после которого в них раскрывается другая личность.

Но устроит ли эта новая личность вас? Это риторический вопрос.

Может наступить тот день, когда из былых прекрасных людей, с которыми вы на маевке бок о бок сидели, кусок хлеба делили и поднимали пластиковые стаканчики за будущий успех, возникнет Совет директоров – обожравшихся, растолстевших боровов, разъезжающих на заморских тачках, каждый из которых будет считать себя пупом земли, причем обязательно мудрее и умнее вас.

Может статься, что их дальнейшему развитию станет помехой именно ваша персона и они по зову «совести» будут использовать все накопленные знания о ваших недостатках и слабостях против вас.

Вот к возникновению этих «незнакомых» богатых Буратин надо заранее готовиться. С самого начала вашего сотрудничества возьмите на вооружение несколько способов, часто используемых в кожвендиспансере.

Это специальное лекарство, которое выявляет в организме скрытые инфекции. Оно позволяет распознать все венерические вирусы и микробы и вовремя заняться их лечением.

Ну что ж, уважаемый наш актер одного театра! Приступаем к игре перед будущими главнокомандующими, отобранными из огромной толпы кандидатов.

Приготовьте все свои знания, умения и артистические навыки, чтобы разыгрывать перед ними разные пьесы, трагедии, комедии, петь арии или оперы целиком… Учтите – в них вам всегда будет доставаться роль Плохого Человека!

Если хотите воспитать истинно преданных руководителей, то кого вам следует изображать перед ними?

Неудачника, слабого человека. Гипертрофируете все слабости, которые у вас есть, и смотрите, что из этого получится.

Провоцируйте, провоцируйте и еще раз провоцируйте! Но не переборщите.

Следующее правило – перед будущими руководителями вы начинаете моделировать разные ситуации, которые могут случиться в будущем.

Если для обычного работника хватит и трех месяцев испытаний, то своих потенциальных управленцев мучайте около года.

Инсценируйте перед ними все возможные и невозможные плохие ситуации, только в мелком масштабе, а сами внимательно наблюдайте за их поведением.

Сегодня вам тяжело, и ваш работник может уйти. Скатертью дорога!

Лучше сейчас от него избавиться, когда с этим типом вас почти ничего не связывает.

А вот когда между вами будут находиться сотни миллионов, вы станете локти кусать: «Как я не распознал этого гада раньше?!» – но уже поздно...

Тогда вам будет очень сложно сказать: «Иди на...» – придется терпеть и запасаться лекарствами – сердечными, душевными, слабительными!

А если ваш будущий заместитель незаметно пройдет все мыслимые и немыслимые тесты на **человечность**, не говоря уже о деловых качествах, то вы можете про него забыть, в хорошем смысле этого слова. Доверяете ему свою спину и забываете на несколько лет.

Потом – все заново.

Идем дальше. На каждую управленческую должность всегда надо готовить как минимум трех человек!

Даже если сотрудник хорошо работает, вы незаметно готовите других людей на этот пост. И их всех продолжаете обучать.

Кадры решают все, но они должны быть минимум в количестве трех человек на одно место, это учтите. Ваш труд не должен пойти прахом, лучше трижды продублировать.

А теперь еще одна немаловажная деталь: возьмите на работу трех психологов-подпольщиков. Они будут скромненько выполнять какие-то обязанности и параллельно незаметно вести наблюдение за теми людьми, на которых вы укажете.

Между прочим, эти три психолога ни в коем случае не должны знать друг о друге!

И еще.

Каких людей нельзя ставить на руководящие посты?

Тех, которые сложились, но ни разу не были главой отдела или организации. До тридцати лет мозгов нет, дальше уже не будет, согласны?

Хотите, берите эти методы на вооружение, хотите – нет, каждый человек по-своему с ума сходит!

Но знайте: *спасение задницы – дело рук самой задницы!*

*Манипуляторы*_____

О Искатели Истины, большие и маленькие!

Имейте в виду: большинство недоразумений в окружающем нас мире случаются как раз из-за нашего различного понимания одних и тех же вещей.

Вот та же бюрократия (буквально – «столоуправление», хотя чаще смахивает на какое-то «столоверчение») существует везде и всюду.

Только в одних странах бюрократов называют госслужащими, полагая, что они служат своему государству. А вот в других государствах эти бюрократы считаются служащими гражданскими, то есть служащими своим согражданам.

Почувствуйте разницу – служить **всему** государству в целом или **каждому** гражданину в отдельности?!

Это пример **манипуляции** конкретными словами.

Вообще-то понятие это довольно широкое, и многие знакомы с ним отнюдь не в политико-экономическом смысле.

Происходит оно от латинского словечка manipulus – «горсть». А означать может, например, и движение рук («руковождение»?!), и ловкость рук фокусника, и мошенническую проделку.

Даже в домашней жизни присутствуют варианты производства манипуляций. Жена крутит мужем, муж делает жалкую попытку справиться с женой, а теща командует ими обоими...

Может быть, из-за кажущейся прозрачности этого понятия многие практически не разделяют понятия **«манипулирование»** и **«управление»**.

Разницу в этих понятиях легче заметить, если рассмотреть некоторые основы управления.

Директор-управитель, вне всякой зависимости от личного желания, просто вынужден «купаться» в организационных трудностях.

Он должен уметь управлять производством (товаров или услуг) – и при этом не бояться что-то терять или кого-то увольнять. Ну и, само собой, приобретать все возможное и нужное – будь это «что» или «кто».

А еще ему приходится потеть над воплощениями своих решений и созидать то, что далеко не все могут. И это уже зависит от умения сочетать свои стремления к прибыли с воспитанием коллектива... и самого себя.

Основная организационно-кадровая задача «главнокомандующего» – почаще хвалить своих ближайших помощников (чтобы у них развилась «звездная болезнь»!).

А свои мысли можно выдавать им так, чтобы они были искренне уверены, что являются вашими соавторами.

Сотрудник, принявший вашу идею как свою, воплотит ее стократ лучше, чем чисто начальственную, навязанную ему «из-под палки». Ведь она уже стала частичкой его мыслей, его профессиональной инициативой.

И вам останется только поддерживать и хвалить подчиненного за инициативу...

...А он призадумается: стоит ли работать с таким тупым руководителем, у которого и идей-то своих нет? И живо вас подсидит и вышвырнет из бизнеса!

Хвалить такого помощника придется громко и прилюдно (себя можно тихо и внутренне): «Ах, каких я вырастил молодцов – инициативных да вдумчивых!»

Впрочем, и ругать подчиненных руководство тоже должно, но по очень конкретным поводам и как можно реже.

Ибо чем больше у подчиненных поводов для огорчений и критического анализа, тем больше и сомнений в мудрости вашего руководства.

Именно поэтому вызывайте подчиненного «на ковер» – не более восьми раз за день.

Вот вам и готовый список способов...

Вначале достаете своего сотрудника по телефону в три часа утра.

Потом обязательно подождите, когда он зайдет в туалет, и снова позвоните.

Следующая взбучка – когда он едет за рулем. Дорога на работу не должна быть скучной!

На входе в офис поставьте своего секретаря, чтобы он встретил вашего работника хлебом-солью, да по красной дорожке препроводил к вам на ковер.

Далее – обязательный отдых. Да не ему, а вам!

После обеда вспомните своему подчиненному все его упущения за все время работы, пройдитесь дорожным катком по его настроению!

И только после этого дайте ему немножко поработать!

А перед концом рабочего дня не забудьте устроить взбучку за сегодняшние промахи.

В полночь устройте контрольную проверку настроения и работоспособности. После этого пожелайте ему спокойной ночи. Хвалить-то тоже надо когда-нибудь!

По идее, если рассматривать организацию пусть как временную, но все же семью, начальник должен быть форменным «отцом родным» – **строгим и требовательным, но не свирепым.**

Говорят, такими на деле были для солдат Суворов и Кутузов...

Но не будем забывать, что они-то были не только полководцами, а еще и графьями-князьями, уже в силу своих титулов стоявшими над «серой скотинкой» – крестьянами в солдатских шинелях. Тут можно было и «поотцовствовать» маленько.

Современный же руководитель, как правило, находится в иных условиях, а происхождением благородным, как правило, не озабочен.

Поэтому ему надо свою внешнюю, показную строгость хотя бы временами подкреплять и натуральной жестокостью в сочетании со вполне реальными карательными мерами.

Разумеется, кары должны быть хоть и строгими, но справедливыми – и тогда никто не сочтет, что грозный вид – это только маска, а страшные угрозы – пустой звон.

Это уже управление на грани манипуляции. Оно требует собранности и точности: чуть перегнешь – вот ты уже и волк в овечьей шкуре, недодавишь – и станешь манной кашей в тигриных полосках.

Впрочем, в крупных организациях подчиненные низших рангов с руководством и не сталкиваются: для передачи информации сверху вниз и, если понадобится, обратно существует штат замов, помощников и прочих промежуточных звеньев.

Сам же руководитель обязан «руками водить» (не успели еще забыть, что может значить «манипуляция»?) — то есть указывать всем прочим стратегические направления действия. А на тактические разработки и все остальное у него помощники есть.

Вот с них пусть народ и спрашивает за все промахи в руководстве.

А о самом руководителе коллектив должен знать и помнить только положительное.

Правда, это все касается Руководителя с большой буквы.

А вот у горе-менеджера с нешироким горизонтом и недостатком управленческих талантов возможная сфера применения доступных ему методов управления мала, тесна и неудобна.

И там, где его умения не хватает, в ход идет манипуляция.

Грань между обычным управленческим воздействием и манипулированием провести сложно — она порою зависит лишь от поставленных целей и применяемых для их достижения методов.

Обворовал одного человека — посадили! Обворовал целый народ — медальку дали!

Манипулирование — это способ незаметно склонить человека к словам и поступкам, выгодным кому-то одному, но не обязательно также и ему самому.

Как правило, манипулятор (это же значит «фокусник»!) неплохо разбирается в людях и умело использует слабости своих жертв.

Иногда попадаются такие «мастера жанра», что, может быть, лучше и не восставать против их инициативы, а просто любоваться такой мастерской работой.

Пышнотелая торговка жалуется, что в автобусе ее обокрали.
— А куда вы прячете деньги? — спрашивает комиссар полиции.
— В кармане под платьем.

– Под платьем? И вы ничего не почувство-
вали?!
– Я подумала, что мне хотят сделать при-
ятное...

Манипулятор может воздействовать на вас как активно, так и пассивно.

В первом случае этот «фокусник» избирает агрессивную и наступательную тактику, во втором – прикидывается «про-стачком», «божьей овечкой» или «козлом отпущения».

Не тратьте время на попытки точно определить, каким именно способом на вас пытаются оказать влияние. ***Гораздо главнее понять, что такие попытки предпринимаются!***

Поэтому в ходе общения следите не только за собеседни-ком, но и за собой.

Если вдруг ваши мысли почему-то отклонятся не в нуж-ном вам направлении – это, скорее всего, признак манипу-ляции.

Имейте в виду: произойти это может совсем-совсем не «вдруг»! Манипуляторы по-своему ценят своих жертв – как пауки мух: ведь именно «жертвенной» кровью (способнос-тями, инициативой) они и питаются.

Поэтому внимательно следите: не пьет ли кто-нибудь ва-шу трудовую кровушку и не жиреет ли он на вашем горбу?

Манипуляторам же весьма часто свойственно переклады-вать ответственность на плечи других, а заслуги присваивать себе.

Говорят, такими способностями в совершенстве владел Вальтер Шелленберг – один из немногих «спецслужбистов» Третьего рейха, так и не попавшийся в руки совсем никому – ни «совкам», «ни янки», ни целому Нюрнбергскому трибуналу.

Часто встречается ситуации, когда работнику поручают что-либо быстро выполнить сверх ранних договоренностей.

Подготовить совместный доклад на тему «Катание ша-рика навозным жуком в политике межгосударственных отношений»!

При этом ему говорят, что он один-единственный, кто способен с этим справиться. И сделать-то все обычно требу-ется с европейским качеством и за три рубля!

Возможно и противоположное. Воздействуя на совестливого человека, манипулятор имитирует свою полную беспомощность. «Жертва» вынуждена сама взяться за дело, понимая, что иначе все действительно рухнет.

Конкретных способов манипуляции можно насчитать сотни.

Часто манипуляторы используют силовое давление или, напротив, оказывают неожиданные любезности (**от которых мы так отвыкли, ТАК отвыкли!**).

Поэтому **неоправданное ситуацией агрессивное или чересчур любезное поведение должно настораживать предпринимателя**!

Манипуляторы часто резко усиливают проявление собственных эмоций. Скажем, в сугубо деловом разговоре вдруг пытаются вызвать сочувствие (говоря, что буквально час назад сорвались с психиатрички!), напугать или рассмешить до колик.

Завуалированные угрозы и неуместные похвалы, попытки включения в деловые отношения элементов панибратства — явный признак такого воздействия.

Весьма распространен и другой прием: искусственное создание дефицита времени, отпущенного на принятие решения.

Чтобы обнаружить, прием ли это, нужно выяснить, из-за чего же именно так не хватает времени. Если серьезных причин не обнаружится, значит, скорее всего, это попытка управлять вами.

Иногда эффективным приемом оказывается затягивание переговоров. Например, чтобы получить необходимую только одной стороне паузу, кто-то может как бы нечаянно опрокинуть воду на стол. А пока будут вытирать воду, подоспеет долгожданный курьер, или E-mail, или начальник охраны...

Нередко манипуляторы пытаются также сузить круг обсуждаемых вопросов, постоянно возвращаясь к одному и тому же. При этом они то и дело пользуются схожими формулировками — а это сигнал тревоги для вас!

Еще один способ — «метод сэндвича», когда манипулятор в начале и в конце беседы говорит вещи незначительные или весьма позитивные, а все нежелательные аспекты укладывает в середину разговора.

В результате умелой манипуляции собеседник автоматически соглашается с совершенно невыгодными ему предложениями.

Американец, англичанин и русский поспорили, кто сможет по-честному заставить кошку есть горчицу.

Американец просто схватил животное и затолкал все содержимое банки в пасть.

– Это насилие, – возразил русский.

Англичанин натолкал горчицы между двумя кусками колбасы и отдал кошке.

– Это обман, – заметил русский.

А сам взял и густо намазал горчицей у кошки под хвостом.

Та жутко заорала и принялась вылизываться.

– Вот видите! – обрадовался русский. – Добровольно и с песней!

Например, в вашем доме появляется человек, предлагающий бытовую технику.

Радостно и бодро он разъясняет преимущества эксклюзивного чудо-товара. И вдалбливает в вашу голову, что в магазинах такие фантастические вещи не продаются, они есть только у него!

Вы, чтобы избавиться от прилипалы, спрашиваете: «Сколько это стоит?» Вам-то все равно, какую сумму он назовет, нужен лишь повод поскорее выставить его за дверь!

Продавец, глядя на вас с глубочайшим уважением, молвит: «Для вас это дороговато!»

Что произошло? Задеты ваши амбиции!

А молодой человек, не обращая ни на что внимания, продолжает расхваливать и демонстрировать свое фирменный чудо-товар.

Вы аккуратно делаете еще одну попытку: «Ну скажите, сколько стоит?!» А сами думаете: «Ну говори быстрее, гад, а я отвечу, что нет у меня таких денег!»

А он: «До-о-рого!»

Теперь вас уже унизили! Вас недооценили!

Исходя из своего финансового положения, вы начинаете думать, что для вас означает понятие «дорого», и определяете сумму. Определив сумму, приходите в ужас. Чтобы подтвердить свои выводы, переспрашиваете еще раз: «СКОЛЬКО?!»

А в ответ слышите: «Мы к этому вопросу еще вернемся, но сначала я продемонстрирую вам остальные достоинства...»

И продолжается бу-бу-бу, ме-ме-ме...

Вы уже потеряли всяческое терпение и страстно желаете его выгнать. И приходите к мысли, что ради своего спокойствия готовы оплатить даже то, что для вас является дорогим.

Последний раз спрашиваете: «Ну скажи, в конце-то концов, СКОЛЬКО?!»

И он, расстелив перед вами скатерть из больших буклетов, достает малюю-ю-юсенькую бумажечку, на которой пишет цифру микроскопических размеров.

БА-А! И этот нищий придурок столько часов перед вами расстилался из-за какой-то *мизерной суммы по сравнению с той, что вы считаете «дорого»*?!

Радостно сообщаете: «Покупаю!» Цель покупки – сделать так, чтобы он исчез!

Через несколько дней узнаете, что ваше «эксклюзивное чудо» в магазинах действительно отсутствует, но только потому, что там его никто не берет. *И между прочим, приобрели вы его втридорога.*

Приблизительно такие принципики, принципы, принципища действуют во всем и везде. И в бизнесе – в том числе.

Мораль сей басни: знание – сила!

Манипулятор, как правило, знает об интересующем его предмете больше или лучше вас. Но вас-то он старается убедить, что на деле все наоборот и по текущему делу главный эксперт из вас двоих – это, разумеется, вы!

И самоуверенный человек оказывается в плену у собственных амбиций!

Так что лучше заранее уважать возможную квалификацию собеседника. Если этого не делать, легко пропустить момент, когда вами начнут манипулировать всерьез и примутся раскручивать на большие деньги – и тогда ваше участие в этой чужой инициативе обойдется действительно «дорого»!

Ну и как же защититься от подобных манипуляций?

Первый метод – пассивный. Принимайте условия игры, но в ее рамках увеличивайте дистанцию между собой и манипулятором – избегайте общения с ним, ставьте под сомнение его идеи.

Можно, к примеру, подружиться с манипулятором (сделайте ему тайский массаж!) или демонстративно проигнорировать его предложения, выставив взамен свои — куда более глупые и неприемлемые.

Второй метод — активное противостояние, неприятие правил игры и даже разоблачение приемов манипулирования.

Тут уж вместо тайского массажа скорее подойдут китайские пинки по его самолюбию и позвоночнику!

Ах, наконец-то попался, агент 002!

Можно, к примеру, попробовать с интонацией недоверия уточнить какой-нибудь вопрос или задать вопрос в лоб: «А зачем вы все это мне говорите?»

Самый простой и надежный ход — заранее изучить собеседника, чтобы точно понять его намерения.

Которые могут вам показаться очень неприятными!

Например, если человек жаден, он стремится сэкономить деньги. А тщеславный человек может постараться присвоить себе чужие заслуги.

Два банкира поспорили, кто из них пожертвует меньше денег в церкви. Когда мимо них проходил церковный служитель, первый из этих двоих положил на поднос одну копейку и победоносно посмотрел на другого.

— За двоих, — смиренно произнес второй.

И ведь не забыл перекреститься!

Сложнее всего спрогнозировать поведение самодостаточных и уверенных в себе людей. В общении с ними важно постоянно следить за достижением совместных интересов не в ущерб собственным.

В детективной литературе описан случай, когда в конце допроса крупного мошенника следователь, спросив: «И это все?», заглянул в ящик стола. Авантюрист занервничал и припомнил еще пару эпизодов.

Так повторилось неоднократно, и всякий раз мошенник, полагая, что в столе хранится подробная справка по всем его подвигам, сознавался во все новых преступлениях.

А в ящике-то лежала... «Война и мир»! И первый раз следователь заглянул туда случайно...

Ну, чем не манипуляция? Хотя в чисто юридическом смысле закон такие методы не приветствует.

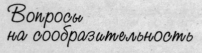

Вопросы на сообразительность

1. Что случится, если часто выполнять чужую работу?
2. Как объяснить опоздание на деловую встречу, не прибегая к извинениям?
3. Во время деловых переговоров рекомендуется не только самому посматривать на свои часы, но и наблюдать за тем, как это делает собеседник. Для чего?

Варианты ответов

1. а) Привыкнешь к чужой зарплате!
   б)Вам будут часто предоставлять такую возможность.
2. а) Поздравить партнеров с праздником, который начался у них при вашем появлении!
   б) Сказать ожидавшему, что тот пришел раньше времени.
3. а) Чтобы знать, чьи часы дороже!
   б) Чтобы не пропустить момент, когда надо будет закругляться.

Человечий капитал

исполнители вашего бреда

**Не сама компашка бродит,
Это шеф всех за нос водит!**

Народное творчество Норбекова

**Не сама машина ходит,
машинист машину водит.**

Народная частушка

Ресурсы бывают естественные – это нефть, газ и всякие прочие богатства недр, а также искусственные – построенные здания, созданные машины, и... человеческие.

В отличие от первой категории, все остальные восполнимы: машин понаделаем, урожаи повыращиваем, а люди... А люди у нас, конечно, на первом месте – после кукурузы, как утверждал знаменитый любитель «царицы полей». В общем, незаменимых у нас нет – людей тоже понарожаем.

Но именно люди и составляют тот главный и уникальный «человечий капитал», без которого вообще ничего было бы не нужно – ни шахт, ни дворцов, ни счетов в банках.

Ведь создают «экономические блага» именно люди, да и управляют экономикой тоже вполне человеческие существа – жизнерадостные, обаятельные и умные.

Мое мнение на этот счет противоположное, но я с ним не согласен!

Из «Заповедей подчиненного»

Поэтому и для нас главная сила, на которую можно опираться на пути к сияющим вершинам своих экономических побед, – это все те же самые люди (других людей – или нелюдей – природа создавать еще не научилась).

В организационно-экономическом смысле люди определяются как «кадры» (которые когда-то «решали все», да и сейчас еще способны на многое).

А кадров-человеков существует только ДВА основных вида: те, которые способны делать поручаемое им дело, и те, которые делать этого не умеют.

Все остальное – это нетипичные явления (гении, которые могут все) или переходные состояния (умеет, но не хочет; не умеет, но строит из себя спеца).

Если вы не хотите сами выполнять за своих подчиненных их работу, то, конечно, нужно приглашать специалиста-профессионала, который **«знает сам»**, как все лучше устроить.

Со «спецом» все просто... если только суметь правильно сформулировать для него все желательные для вас особенности его задач.

Впрочем, совсем серьезный профессионал быстро и по-деловому сам вытянет из вас то, что вы на самом деле хотите.

Он задаст четкие и однозначные вопросы, покажет образцы, приведет примеры... и, конечно, определит цену.

А уж цену-то он себе знает (он бесценен! Иногда до такой степени, что даже и копейки не стоит!) и на этом основании может сильно завозражать, если задача будет ставиться по типу «царской воли»: «иди туда, не знаю куда, принеси то, не знаю что».

Извините, но если я сам знаю, чего хочу, за что я тогда платить-то должен?!

Притча на злобу дня – только что вспомнил!

Жил да был умелец-кузнец. Тихо и спокойно жил с семьей, работал себе потихоньку в кузнеце. На жизнь, и хлеб с маслом хватало.

И вот однажды в его мастерской появился незнакомец.

– Здравствуй, добрый человек! – пробасил он. – Я давно любуюсь твоей работой и хочу сказать, что производительность твоего труда можно значительно повысить.

– А кто ты? – спросил кузнец.

– Я инженер. Вот скажи, как ты готовишь свои косы?

– Да на глазок!

– А, неправильно, старомодно! У твоего подхода нет научной основы! Сначала надо сделать проект, все просчитать, а уж потом за дело браться. Давай скооперируемся! Ты будешь работать, я – улучшать.

Вот так и появился в кузнице инженер. За ним подтянулись бухгалтера, управленцы, юристы.

И все они стали улучшать труд кузнеца. Советовали, на собрания ходили. Профсоюз время от времени свое веское слово вставлял, но однажды, когда коллектив собрался у кассы, чтобы получить зарплату, увидели, что окошечко закрыто.

Оказалось, кузнец месяц тому назад околел с голодухи.

Так что, прежде чем привлекать для своего дела специалистов, хорошенько подумайте, нужны ли они вам?!

Специалист хоть и «подобен флюсу» в смысле своей односторонности, однако в пределах своей компетенции он реально оценивает собственные силы.

Конечно, почти каждому человеку в принципе по силам справиться практически с любыми задачами – если только речь не идет об установлении мирового рекорда или межпланетном путешествии нагишом.

Но при решении конкретных вопросов квалифицированный сотрудник легко просчитывает реальные исходные условия и возможные последствия своего участия в деле.

И если начальник поставит глупую задачу, разумный и профессионально подготовленный работник найдет весомые аргументы в пользу ее неэффективности или нецелесообразности.

Кто хочет что-либо сделать – находит средства, а кто не хочет – находит причины.

Месопотамская экономическая поговорка

Зато энергичного и слабоподготовленного новичка можно сразу посылать... «через тернии к звездам». Спец же, в упор не видящий этих «звезд», скорее всего, не захочет сам себя дисквалифицировать на этом бесполезном и буквально бесконечном пути.

Скажем, токарь первого разряда не возьмется за работу, соответствующую пятому разряду. Он наверняка знает, что выйдет один только брак, потому что умения ему пока не хватает.

Но вы-то все равно настаиваете, чтобы он выполнил эту задачу, ведь ее же поставили вы, мудрый и умелый руководитель... какого там разряда-то, а?!

Не исключено, что при такой практике вы вскоре останетесь с одними лишь **неспецами**. Их ведь очень много, и стоят они дешево.

К тому же они как павлики морозовы, всегда готовы на разные подвиги, только вот самооценка у них часто завышена.

Если у вас есть свободное от дел время, можно лично заняться профессиональной переподготовкой этих кадров или их педагогическим воспитанием.

Но все же лучше (если только ваша фамилия не Макаренко или Песталоцци) поставить между собою и новичком кого-то из наставников-подмастерьев (вы-то сами, конечно уж, Мастер!).

Привлекает в этой категории сотрудников то, что из лучшей их части за пару лет можно вырастить неплохих профессионалов. И уже своих собственных, таких понятливых и предсказуемых.

Такие сотрудники, хотя бы в благодарность за свое обучение и становление как деловых людей, будут верны вашим идеям куда более, чем всякие «летуны».

Лирическое отступление! Бойтесь тех, кто много раз «разводился»! Это касается и работы, и семейной жизни. У этих людей что-то такое с головой, что ремонту не подлежит.

Какие бы им хорошие условия ни создавали, у них срабатывает рефлекс «ню-ню».

Возьмете такого на работу и в списке организаций, из которых он собирается уходить, скоро появится и ваша.

Наш родной руководитель может не без основания опасаться – как бы этот очень хороший специалист, такой грамотный и шибко умный, не перевел на себя и весь бизнес.

И на российских просторах случались примеры, когда, вернувшись из отпуска или командировки, руководитель вдруг обнаруживал, что командует парадом уж не он, а тот из его команды, кто быстро научился справляться с делами **самостоятельно**.

Работая в Москве и в других городах мира, я много раз убеждался и до сих пор убеждаюсь в одной вещи. У меня, можно сказать, возник превосходный нюх на определенное поведение таких людей.

Они, получая свои первые большие деньги, в большинстве случаев говорят: «Боже! Я не могу взять такую сумму! Мой труд столько не стоит! Я столько денег никогда в руках не держал!» – и далее по тексту что-то в этом роде.

Проходят месяцы, год-два. Их зарплаты безгранично увеличиваются, особенно по сравнению с той, с которой ко мне пришли. И дальше по схеме начинает проявляться их жадность. А жадности, как мы с вами знаем, у всех хоть отбавляй, причем в разной культурной упаковке!

Потребность в деньгах у них развивается в геометрической прогрессии, которую уже ничем не возможно остановить.

Им мало, мало, мало всегда и еще малее!..

И они начинают чувствовать, потом думать, а потом твердо знать, что вся организация держится благодаря именно его или ее труду.

Ну, одним словом, они себя чувствуют если не пупом земли, но тем, что чуть-чуть ниже – точно.

Наступит момент, когда для удовлетворения их морально-материальных желаний не хватит ничего, даже чужой жизни.

Резюме: всегда отслеживайте, всегда анализируйте мнение вашего сотрудника о себе.

Если он считает, что он умнее вас, поставьте ему диагноз и «лечите» по схеме: моментальный улет данного специалиста из вашей организации.

Что-либо другое здесь бесполезно.

Источником этой заразной болезни являетесь вы сами, ваша сердобольность, ваше желание, чтобы сотрудник жил так же, как вы, или даже лучше, чем вы.

Эта прекрасная идея! Но, поощряя жадность начинающих и тех людей, у кого нет иммунитета к богатству, вы в первую очередь губите самого себя.

Как в стоячей воде черти водятся, так и ваша организация, если не будет освобождаться от людей с непомерными и неуемными желаниями, превратится в болото.

Следите за тем, чтобы ваша фирма была рекой и с обязательной нормальной текучкой кадров.

А вот когда самородки будут возникать в жизни вашей организации, держитесь за них руками и ногами и назначьте им зарплаты сколько душе вашей угодно, хоть в 10 раз больше, чем самому себе.

И это вернётся вам сторицей!

Но если «вампиры», кровососы, блошки и особенно лобковые вошки с кандидатскими диссертациями в вашей организации появятся и вы их вовремя не ликвидируете, останетесь в чем мать родила.

Так что думайте.

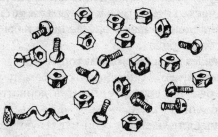

От правильности выбора помощников и исполнителей зависят и перспективы вашего дела.

Либо потери времени на взаимные претензии, либо надежность и стабильность предприятия.

На формирование, обучение, социальные программы и подготовку резерва своего трудового коллектива начальнику придется тратить **не менее половины своего рабочего времени!**

Только в жизни почему-то на это уходит ВСЕ ВРЕМЯ...

Если исполнитель чувствует заботу руководства о себе, свою защищенность в квартирных, пенсионных и финансовых вопросах, то ему не останется ничего, кроме как заниматься только работой.

Причем даже не на вас, а **для** вас.

И работать, естественно, эффективно – так, как вы его научили.

Умейте оценивать это по достоинству!

КАДРЫ, как говорилось когда-то, РЕШАЮТ ВСЕ!

А отсутствие кадров лишает всего...

А теперь поговорим о том, где и как эти самые кадры искать.

Вы скажете: «Среди друзей?»

Молодчина, вы просто умница оконченная!

Прежде чем приступать к созданию компании со знакомыми и друзьями, вам следует на каждого из них повесить ценник – за сколько каждого из них вы могли бы продать! Узнайте, сколько стоит ваша дружба.

Не забудьте поинтересоваться, сколько у.е. вы стоите в их глазах. У дружбы и бизнеса свои законы и цены. Работая с друзьями, нельзя продавать их слишком дешево.

А вот сейчас закройте глаза. Мысленно устроим аукцион друзей. С какой суммы у вас начались бы размышления «продать–не продать»?

На лоте – ваш друг. Начинаем торги!

Удар молотка – БУМС!!!

Доллар – раз!

Сто – раз!

Пятьсот тысяч – раз!

Пятьсот две тысячи – два!

А-а-х, дама в красном предлагает миллион!

Миллион – раз!

Миллион – два!

...миллионов!

Раз! – молоточком!

Два! – кувалдочкой!

Три! – бетонодробилочкой!

ПРОДАНО!!!

НУ НАКОНЕЦ-ТО!!! Продали!!!

Со спокойной совестью заглядываем на следующую страницу!

Запомните навсегда: работников вы можете найти сколько угодно, а вот друзья встречаются в природе в очень небольших количествах! И за всю свою жизнь вы их можете найти всего несколько «штук». И то если крупно повезет!

А раз это редкий вид, занесенный в Красную книгу как исключительный алмаз, – не продешевите!

Мой совет: дружбу лучше всего передавать по наследству своим детям и внукам, потому что с каждым годом на лондонской бирже цена на этот «товар» повышается.

Дружба – это товар, стоимость которого постоянно повышается! Даже по сегодняшним расценкам его уже невозможно купить и продать ни за какие деньги!

Значит, мы с вами решили: с друзьями не работать. Хотя исключения всегда бывают. Решайте и рискуйте сами.

**Та-а-к... Кто у нас еще остался?
О-о-о! Родственники!**

Сказав «О», сразу же вспомнил старый-престарый анекдот.

Раввин ученику:

– Ты даже близко не подходи к тем людям, которые пьют вино, – этим носителям греха! Ни в коем случае не думай курить эту мерзость – трубку! Обходи блудниц далеко-далеко стороной! О! О! О!

Ученик:

– Раввин, огромное спасибо за знания! Я понял, буду следовать всему, что вы сказали! Но можно вопрос? Ваш скромный слуга не понял, что означает это восклицание «О! О! О!»

– А-а-а, я просто вспомнил, где оставил свою трубку!

Значит, О! Вы хотите принять на работу родственников. Они все поймут, они никогда вас не предадут, они всегда за вас, только за вас и только за счет вас!

Это прекрасная идея!

Но...

Есть ли у вас столько денег, чтобы платить им? **Родственник – это должность, и, между прочим, очень высокооплачиваемая!**

Дело, созданное с помощью родственников, если, конечно, они не евреи, часто разрушается.

Раз уж мы здесь коснулись национальности, хотел бы **без шуток, шутя** высказать уважение ко всем народам. У каждого из них есть чему поучиться!

Бизнесу, науки и хитрости – у евреев. Гордости и чести – у грузинов. Честности, пунктуальности и скупости – у немцев. Жизнерадостности и безалаберности – у латиноамериканцев. Дотошности и трудолюбию – у японцев. Умению много вкалывать за маленькую зарплату – у китайцев. Широте души и доброй зависти – у русских!

Написав про всех, не мог не остановиться на той национальности, которая значится у меня в свидетельстве о рождении!

Когда узбека спрашивают, как у него дела, он всегда отвечает: «Слава богу, хорошо!»

Со стороны это может показаться абсурдным, но, даже встречаясь у изголовья усопшего, на вопрос: «Как самочувствие и настроение?» – узбек говорит: «Худога шукур яхши!» – то есть «Слава богу, прекрасно!»

Узбеки при любой трудности рефлекторно довольны жизнью!

Мы, кажется, отошли в сторону. Возвращаемся назад к нашим баранам, то есть родственникам!

Родственные отношения использовать можно и даже нужно, если вы хотите открыть малю-ю-юсенькую артель или лавочку. Там родственные отношения незаменимы.

Но если вы решили создать компанию всемирную, то здесь родственные связи могут стать помехой. Потому что родственники – это «диагноз дурдома»!

Во время распределения обязанностей и предъявления требований они всегда заслуженно просят дать скидку на умственную отсталость и низкую работоспособность.

А представьте, что будет, если часть вашего еще непрославленного трудового сообщества будет опираться на умственно отсталых инвалидов?

Вы скажете: «Ну ты даешь!!! И с кем теперь работать-то? С супругой, что ли? Или с благоверным?!!»

На что отвечу: **муж и жена** в одном месте еще ка-а-к могут работать!

Из них получается удивительный коллектив – сплоченный, помогающий друг другу во всем, поддерживающий! Но на этом все и заканчивается!

В коллективе, где вместе работают муж и жена, редко бывает больше двух человек! Но бывает...

Здесь есть опасность...

Если вы решили работать вместе, значит, начали исподволь претворять в жизнь свои мечты и грезы о разводе!

Синдром закрытого пространства еще никто не отменял!

Как вы себя чувствуете, если 24 часа в сутки находитесь в кухне? УЖАС!

Каков у вас аппетит? Какова ваша реакция на запахи?

Даже самые сильные люди, которых отправляют в специальную камеру, имитирующую космические полеты, после определенного срока начинают ломаться, ненавидеть находящихся рядом коллег, впадают в глубокие депрессии.

Так и в супружеских отношениях. Здесь о любви речь вообще не идет.

Через какое-то время супруги начинают ненавидеть друг друга. За что – находят. А иногда доходят даже до рукоприкладства. И каждый с поэтической мечтой – растерзать другого в клочья. Какая уж тут любовь?!

Вы этого хотите, желая вместе работать?!

Семья превыше всего, родные мои! Пусть ваша супруга или супруг чем угодно занимается, но только не в вашей организации.

Дети должны расти и взрослеть рядом с родителями! А вы хотите их этого лишить?

Все богатства и слава мира, поставленные на одну чашу весов, не могут перевесить другую чашу с одной слезинкой сирот при живых родителях!

Любимые жены и кандидаты в них!

Коротенький экскурс в мир слабостей мужчин.

У них есть одна очень интересная особенность. Многие из вас ее, наверное, знают, а те, кто еще с ней не познакомился, просто возьмите на вооружение. Ох, как может понадобиться!

Мужчин воспитывают так, чтобы они были крепки, сильны, могущественны и непоколебимы, как скала. Но в скалах тоже появляются родники, то есть слезы, родимые вы мои!

Оставаться невозмутимым всегда, держать себя в руках при любых обстоятельствах невозможно, и иногда у мужчины появляется желание просто отдохнуть, побыть маленьким мальчиком, поиграть в свои дорогие игрушки.

Всегда быть сильным нельзя. Это может сломать мужчину. Это опасно для его здоровья.

И в его жизни есть один-единственный человек, при котором он может позволить эту роскошь – ненадолго стать слабым: его вторая половина.

Ему так хочется, чтобы вы вокруг него немножко попорхали! Вот это ему сейчас так необходимо – это есть высший знак доверия и признание в вас своей половины.

Незнание этих особенностей мужчин может привести вас к заблуждению, что ваш муж – самое слабое создание из всех существующих.

Учтите это! Цените это! Будьте благодарны ему за его любовь!

Ну, вот теперь мы более или менее разобрались со всеми дружественно-родственными связями. Их место – в нашей душе, а не на работе!

Итак, следующий вопрос. Так как же все-таки привлекать сотрудников?

1. По объявлению.
2. Через кадровые агентства.
3. Выращивать самому с горшка.

Начнем с рекламных газет, где все предлагается и продается.

Те люди, которые ищут работу через газеты, принадлежат к категории «из рук в руки».

И если вы даете объявление: «Хочу бухгалтера, менеджера, инженера! Очень хочу!» – мгновенно появляется тьма народу, желающего отдаться вам за ваши деньги.

Открываем раздел «Ищу работу».

Читаем: кого тут только нет!!!

«Не бухгалтер, а золотце!»

«Трижды экономист!»

«Офигенный менеджер за охренительные деньги!»

Ассортимент этих объявлений бесконечен!

Встречное объявление: «Требуется опытнейший бухгалтер. Режим работы – год через три».

А почему? Да потому!.. У всего есть подоплека, дорогие мои!

Первое. Если этот человек такой расчудесный специалист, почему у него до сих пор нет собственного дела? Значит, перед вами человек с рабским мышлением!

Второе. Почему он безработный? Нужен ли вам слабый человек, который не может устроить свою жизнь?

Третье. Если он где-то работал, почему ушел оттуда? Нужен ли вам предатель?

Четвертое. Если у него на прежней работе была маленькая зарплата, почему он не улучшал деятельность той организации для увеличения собственных доходов? И за ту же работу, которую он на прежнем месте делал, он требует от вас в три раза больше?

Стоит ли вообще переплачивать тому, кто ломаного яйца не стоит?!

Пятое. Не исключено, что и в вашей фирме его может что-то не устроить. И тогда, не успев прийти к вам, он тут же побежит по проторенной дорожке – он я-явно помнит ту газетку бесплатных объявлений, благодаря которой даром получил большую зарплату.

К хорошему быстро привыкают! Такому человеку постоянно будет казаться, что он достоин большего.

Так что в самый неподходящий момент вы можете увидеть пустой гардероб и надпись на столе: «Хватит мне жить на одну зарплату! Мой сутенер нашел лучшего клиента! Адью, не скучай без меня!»

Шестое. Сами додумайтесь!

Седьмое. Не скажу-у!

Восьмое. Секрет фирмы.

Девятое. Одним словом, да забудьте же о них!!! Если не поняли, продолжу объяснения. До тех пор, пока сам не пойму, о чем болтаю.

Ни в коем случае нельзя принимать на работу и тех, кто пришел с улицы и говорит: «Я хочу работать в вашей организации руководителем».

Гоните их в шею, гоните! Это, увидев молодой растущий организм, пришли люди-заразы, люди-блохи, люди-вши. У них есть нюх на то, из какой организации можно сосать кровь.

Ну и к чему мы пришли? Путь привлечения кадров через газеты и журналы закрыт. Среди родственников искать тоже нельзя. Откуда взять кадры? Где искать-то?

Да в том-то и дело! *За ними надо охотиться.*

Ваши охотничьи угодья:

Бывшие о-очень высокопоставленные чиновники, которые в свое время крутили жернова, но на сегодняшний день вышли на пенсию. Их знания, опыт и мудрость – это мощная подпорка для вашей болтающейся между умом и мудростью головушки!

Восстановите то признание и уважение, которого они заслуживают. Знайте – их опыт никакими средствами получить невозможно. Большинство из них нуждается в нескольких горе-учениках, таких, как вы.

Разбудите в них желание быть вашим Наставником!

Опасность: вы можете показаться им настоящим лопухом. Вот из-за этого поменьше высовывайте свое мнение, а больше слушайте и наматывайте на ус все глупости, которые они будут говорить.

Следующее. Ищите тех Личностей, которые достигли в бизнесе больших высот. Вот к ним постарайтесь присосаться. Станьте нахальной бессовестной пиявкой-шпионом во имя приобретения знаний!

Здесь нет ничего плохого. Да, я понимаю, на начальных порах вы для этих людей не представляете абсолютно никакого интереса. Но со временем они поймут, что их мнения и взгляды не тонут в вакууме, который находится между вашими ушами.

Прежде чем подходить к ним, особенно, уважаемые европейцы, вспомните, каким священным понятием было ученичество и наставничество.

Если вы считаете и уверены, что за каждое знание, которое вы берете от этих личностей, вы до конца своей жизни можете быть благодарны им, только тогда подойдете к ним.

Ищите среди студентов. Знания есть, ума не достаточно, энтузиазма – хоть отбавляй, а опыта – никакого.

Самое главное – им все время хочется есть! А есть не на что!

Найдите их, согрейте, накормите и пообещайте денег, если они будут хорошо работать. Они еще неизбалованные, но являются будущими Новыми Чукчами вашей организации.

Вопрос: в институтах кого будете искать?

Если я говорю – надо найти руководителя, очень часто слышу одну глупость: «Пятерочников?!»

Молодец, умница, слов нет!..

Пятерочники в школе, пятерочники в институте... Все им завидуют, педагоги гордятся, что воспитали таких «головастиков». Но почему же после института эти Пятачки пропадают?!

Да потому, что в школах и вузах оценки ставят за хорошую память, калькулятор вы мой! Но компьютер, который остался один в офисе после рабочего дня, самостоятельно ничего делать не может!

Кто-то обязательно должен нажимать его кнопки средним пальцем правой руки сбоку, спереди и сзади, только после этого он начинает что-то делать, но своих-то соображений как не было, так и не появляется!

Как-никак, вместо мозгов – жесткий диск и прекрасная оперативная память.

Так что, пятерочников, которых вы ловите в институте, запомните, возьмите на вооружение, но...

Вам нужны неофициальные лидеры! В них есть что-то такое, что притягивает других студентов. Это Божий дар! Это будущие незаменимые руководители.

А отличники – это второй эшелон вашей организации. Это исполнители – незаменимые, несравненные исполнители чужой воли.

Так что не перепутайте их и местами не меняйте!

Следующие охотничьи территории – увы, пока вам туда нельзя. Здесь мы видим табличку и рядом с ней – умных бультерьеров о двух ногах:

«Стой, зараза! Заповедник! Национальное достояние для олигархов и больших чиновников! Охраняется законом!!!»

Извините, это наша территория, где «охотятся» члены нашего клуба! Пока вы здесь – чужой!..

А теперь – контрольный вопрос на сообразительность. Вот вы дичь нашли, собрали в одной клетке.

Думаете, дело сделано? Вах-вах, размечтались! Все только начинается!

Каждый член вашего трудового сообщества – это вселенная.

Есть вселенные, где живут ангелы, но есть и такие, где находятся филиалы ада.

И как бы сильно вы ни старались, знайте – составить свою команду из одних только белокрылых созданий вряд ли удастся. Идеальных коллективов не бывает!

Существует знаменитое правило двух процентов. Вот на нем немножко остановимся.

Представьте себе, что количество ваших сотрудников достигло ста человек. Не глядя могу сказать – двое из них страдают шизофренией.

Двое создают все блага для вашей организации. Остальные паразитируют. Правда, и без них тоже нельзя.

Еще двое из этой сотни – воришки. Регулярно избавляйтесь от них! Но знайте, о благочестивый мой: свято место рядом с вашим кошельком пусто не бывает!

Двое обязательно окажутся сплетниками. Их распознать несложно. Они становятся очень милыми и порядочными... Но только после того, как вы их удушите!

Если законы вашего государства не поощряют таких поступков, бесплатно ничего не делайте, пожалуйста! Просто увольте этих людей. Под звуки фанфар, с подарками, толстыми конвертиками в руках и со слезами на глазах.

Другие два человека из ста точно знают, что вы – дурак и неуч. По сравнению с ними, естественно.

Как с ними поступите? Повторите, пожалуйста, я не расслышал!

Пра-а-авильно! Отправляем их на... в вечный отпуск к теще на блины!

Два процента сотрудников всегда сомневается в вас. Что бы вы ни делали, что бы ни говорили, что бы ни планировали, вы – врун!

Непременно найдутся и двое таких, которые днем и ночью думают о вас как о сексуальном объекте. Как поступить? Вот здесь я вам не советчик!

И еще два – Спящие Красавицы и Красавцы, превратившие вашу контору в сказочный замок. Их надо расцеловать, пробудить и возбудить, а затем сразу разъяснить: «Ребята, вы ошиблись номером! Ваш замок в другом месте!»

...Продолжать список? Тоже мне, нашли дурака! Сами продолжайте!

Ваша компания делится на пятьдесят частей! Я здесь только некоторые перечислил.

А вообще все, что происходит в любой организации, в точности соответствует деятельности человеческого организма.

Есть сердце, есть душа, есть мозг, есть прожорливая и вечно голодная глотка. Сотрудники «кишечного» отдела тоже на своем месте – бегают по коридору.

Вот почему текучесть кадров, очень схожая с некоторыми физиологическими потребностями, так нужна организации... Вывод какой?

Надо почаще принимать слабительное и освобождаться от кое-каких сотрудников!

Все понятно? Если да, переходим к следующей теме. Поговорим о возрастном цензе вашей организации.

Обязательно должно быть равновесие!

Еще раз: мудрость, в первую очередь мудрость. Но мудрость консервативна. Поэтому рядом обязательно ставьте юношеский задор, глупый полудетский запал.

Коллектив ни в коем случае не должен быть составлен только из молодых или только из старых!

Обязательно найдите тех людей, которые в свое время были на государственной службе и достигли высоких, очень высоких должностей, а сегодня находятся на привилегированной пенсии.

Почаще с ними советуйтесь в выпуске резиновых изделий в государственном масштабе, пропустите их идеи через сознание ваших юных азартных попрыгунчиков, и вы добьетесь успеха.

Если же организация будет составлена в основном из вновь принятых на работу высоковозрастных старперов, любовь к вашей персоне у них может и не появиться.

После шестидесяти лет возможность возникновения первой любви с каждым годом будет катастрофически уменьшаться.

Еще один момент: что вы должны сделать в первую очередь? Отвечаю: вам надо найти денег на одного-единственного человека – своего генерального директора. Вот за ним надо по-настоящему охотиться!

Ваша задача – найти свою противоположность.

Если вы – генератор идей, то кого вам надо заполучить? Консерватора.

Если вы – «хаос», кого берете в помощники? Человека обстоятельного, который будет следить за всеми опасностями и все перепроверять.

Но главное требование – ищите человека порядочного!

А в заключение давайте поднимем два самых болезненных вопроса. Поговорим о влиянии среды обитания на человека.

Вот говорят – москвич, парижанин, лондонец... Одним словом, мегаполисовец!

Друзья мои, среди жителей больших городов, безусловно, попадаются творчески одаренные люди. И если москвич поедет в Америку – он там вообще будет на вес золота! Потому что у него сработает синдром эмигранта: он будет выживать – вот что главное.

Если ваш сотрудник – житель мегаполиса в третьем поколении, создайте ему такие условия, чтобы он раскрылся как творческая личность.

Теперь национальность.

Ваш коллектив не должен быть привязан к какой-то определенной нации, вероисповеданию и тому подобному. Это самые слабые стороны человека.

Желательно, чтобы ваш коллектив был интернациональным – такой работает лучше всего. Потому что в нем у людей меньше всего поводов для разных ссор, у них почти не проявляются слабости типа «черные понаехали», «русские понаехали» или «рыжие понаехали».

Все свои национальные убеждения члены такого коллектива оставляют дома, а на работе посвящают себя делу.

А теперь – традиционные

Вопросы на (отсутствие) сообразительности

1. Профессия менеджера научила меня просыпаться за миг до... Чего?

2. В какой момент ситуация становится необратимой?

3. Что ожидает менеджера, если он назначил двух ответственных за одно и то же дело?

Варианты ответов

1. а) Получения зарплаты.
   б) Прихода начальника.
2. а) Когда забываешь обернуться.
   б) Когда уже невозможно сказать: «Давай все забудем».
3. а) Да никто из них ничего сам делать не будет— просто свалит на другого!
   б)В случае провала он не найдет виновного.

В эпоху перемен и перекуров

Суть неандертальцев от того,
что они надели костюм и белый воротничок,
не изменилась!

Есть одна «хитрая особенность» в отношениях между руководителями и подчиненными, которая зависит прежде всего от особенностей человеческих характеров.

Она исходит из самой уродологической природы человека!

Имя этой особенности – **сопротивление развитию** своей организации.

Это бич всех времен и народов для владельцев собственных дел!

В любой фирме трудовой коллектив со временем изменяется, пополняется, сокращается...

Периодически наступают эпохи довольно радикальных перемен. Появляются новые направления деятельности, требующие новых навыков и изменений в привычном трудовом ритме.

Руководство начинает суетиться, строит планы всяких реконструкций и нововведений, подтягивая ресурсы (из дома и от друзей) для осуществления задуманного...

А что же трудовой коллектив?

Выслушивает замечательные планы, кивает головами (с рассудительной высокообразованной мордой лица!) на совещаниях по принятию всяческих программ развития и реорганизации... А дело-то ни с места!

Хотя все вроде бы и «за»!

А дальше появляются грозные приказы, указы и наказы. Босс теряет всякое терпение, топает ногами и орет, требуя внедрения, включения и всеобщего трудового подвига...

А они, гады, только шепчутся и хихикают!

Потому что в земной природе любое движение неизбежно встречает сопротивление. Это первым толково сформулировал старик Ньютон.

Правда, еще и до него практичные люди замечали: груженую телегу трудно сдвинуть с места, а вот катить потом ее гораздо легче.

Но... Только равномерно и прямолинейно – согласно тому же сэру физику. А вот если попытаться ускорить движение или, паче чаяния, изменить направление, потребуются новые усилия, чтобы справиться с инерцией.

Неудивительно, что те же самые «физические явления» мы встречаем и в отношениях людей, в том числе и в сфере экономической.

Начиная новое дело, мы неизбежно сталкиваемся с сопротивлением. А сопротивление это может быть как внешним, так и внутренним.

Внешнее — это «сила трения»: конкуренция, законы, политика...

Внутреннее же — та самая «инерция»: коллектив с его сложившимися традициями и тягой к стабильности — то есть к равномерному и прямолинейному движению «все выше, и выше, и выше»...

Только даже и в скромных земных условиях «все выше» имеет свои ограничения. Например, на определенной высоте человеку перестает хватать кислорода — и тогда он либо прекращает подъем, либо вынужден пользоваться кислородным аппаратом.

А это уже нарушит комфортность его существования.

Большинство людей готовы согласиться с необходимостью нововведений — **теоретически и в мировом масштабе**.

Но если на **практике** это станет угрожать их **личному** благополучию, то ждите враждебных происков инерции.

К современным молниеносно меняющимся условиям многие исполнители адаптируются гораздо медленнее, чем происходят сами эти изменения.

А ведь надо воспринимать новации, быстро принимать решения в новых и на данный момент еще нетрадиционных ситуациях...

Семидесятилетняя дама в туалетной комнате:
— Ах, как же быстро все меняется! Раньше, глядясь в зеркало, я видела очаровательную девушку — а теперь оно показывает мне только какую-то дряхлую старуху... Видимо, в последнее время что-то случилось с зеркалами!..

Причин, по которым сотрудники противятся новшествам, довольно много. Все они свидетельствуют об одном: сопротивление людей связано главным образом не с переменами как таковыми (с их организационными, техническими или экономическими проявлениями), а с происходящими вследствие этого **изменениями межличностных отношений**.

С точки зрения руководства, как бы «сверху вниз», перемена может быть относительно незначительной. Но работник-то, на котором она непосредственно сказывается, воспринимает ее в другом масштабе – «снизу вверх».

Всякая мелочь, даже случайно оброненное начальственное слово, для подчиненных может послужить поводом для серьезных размышлений и не всегда неоправданных сомнений. А тут уж и до «глобальных» выводов (в курилке) рукой подать!

Основных причин сопротивления реформам несколько.

1. Люди боятся потерять работу и из-за этого ухудшить экономическое положение семьи.

2. Как вариант пункта 1: подчиненные опасаются, что заработок станет меньше, а для того, чтобы научиться меньше тратить, понадобится время – сложный, нервный и неустойчивый «переходный период».

3. Персонал опасается замедления или прекращения карьерного роста.

4. Кто-то рассматривает нововведения как источник дополнительной головной боли – ведь из-за этого меняется характер и объем работ, появляются дополнительные обязанности.

5. Некоторых пугает необходимость обучения и переобучения, которое может затянуться надолго, а вот доходов в ближайшее время не принесет.

Конечно, эти умники искренне верят в то, что им не надо учиться после вуза, который они окончили по знакомству в 1901 году, хотя на улице уже февраль 3008!

6. Иногда беспокойство возникает оттого, что коллектив не понимает цели грядущих преобразований.

7. В прошлом сотрудники уже имели печальный опыт раз-

личных реформ. Счастья эти инновации не принесли ни сотрудникам, ни хозяевам, ни фирме.

И все же основная причина, вызывающая сопротивление переменам, – **недостаток информации.**

Очень часто люди противятся новому инстинктивно – просто потому, что опасаются всего непонятного.

Руководители же уверены: достаточно и того, что сами-то они знают, чего хотят. Зачем же понапрасну делиться подробными сведениями о грядущих переменах?

Того и гляди, утечет что-нибудь на сторону – и тогда можно прощаться с планами!

В результате те из подчиненных, кто боится реформ, начинают уверять начальство, что менять-то, в сущности, ничего не нужно – все и так уже налажено наилучшим образом.

Другие же (их, как правило, меньше, они моложе, нетерпеливее и оттого выглядят инициативнее) заявляют (опять же не владея полной информацией), что для достижения намеченной цели надо изменить решительно все.

Вообще-то обе позиции – так или иначе подхалимские: одна убеждает начальство в уже существующей его непогрешимости, а другая с восторгом, превозмогающим разум, на ура принимает начальственные наметки и планы.

Ну и каких же подчиненных следует выбирать для продвижения по тернистому пути прогресса?

Строго говоря – третьих!

То есть таких, в чьих деловых качествах разумно (с вашей точки зрения) сочетаются обе тенденции.

Впрочем, из сопротивляющихся вполне можно сделать своих союзников.

Пути преодоления сопротивления довольно просты и далеко не новы:

1. Убедить...

Это пустая трата времени!

2. Принудить...

Нет у вас такого права!

3. Принять меры по обучению и консультированию.

Размечтались! А денег-то на это сколько надо?!

Стоит помнить, что преодоление сопротивления **силой – не лучший метод.** Подавленное сейчас, позднее оно породит еще большие проблемы.

Но выход есть!

Если работников **привлекать к участию в планировании**, работа пойдет быстрее. И зачастую даже более осмысленно и целенаправленно, нежели вследствие прямых приказов.

На этой стадии приготовьтесь выслушивать потоки отборного бреда. Ради святого дела это стоит вытерпеть!

На всякий случай можете запастись успокоительным.

Убеждение требует куда больших усилий, однако позволяет справиться с болезнями «переходного периода». Но для этого как минимум работники должны доверять своим руководителям.

Ненаглядный вы наш руководитель!

Хотите, чтобы сотрудники вам доверяли? Тогда знайте – вам придется постоянно следить за каждым своим словом. А еще более тщательно – за его исполнением!

Сотрудники не успехи ваши помнят, а неудачи!

Допустим, в месяц вы обнародовали сто своих приказов.

Девяносто восемь из них заставили претворить в жизнь, а на два оставшихся закрыли глаза по своей доброте душевной.

Будьте уверены, про успешно завершенные дела работники мгновенно забудут. А вот два невыполненных тут же лягут в основу вашего внутрифирменного имиджа!

И с каждым годом груз ваших «неудач» будет накапливаться. В конце концов, наступит день, когда вы полностью потеряете свой авторитет.

Так что... Если дали приказ, он должен быть исполнен!

И еще. Если вы кого-то уволили, никогда ни при каких обстоятельствах не возвращайте назад!

Вы можете быть тысячу раз неправым, выгоняя этого человека! Но если принимаете его вновь, значит, превращаете бывшего хорошего сотрудника в умного, опытного врага.

Что бы вы ни делали, как бы прощения ни просили, он никогда не забудет вашу несправедливость! И когда-нибудь, в самый неподходящий момент это может вылиться в очень нежелательный результат!

Хотя... Исключения всегда есть!

В первую очередь убедите персонал в самой необходимости задуманных вами перемен.

Затем определите тех сотрудников, которых можно наиболее заинтересовать грядущими преобразованиями – с материальной, карьерной или престижной точки зрения.

Именно на них почаще проверяйте новые сведения. Реакция таких сотрудников покажет, насколько последовательно вы двигаетесь по намеченному вами же пути.

А если вас и обвинят в непоследовательности... Что ж, убеждайте снова!

Одновременно не забывайте этих работников заинтересовывать, обвораживать-привораживать и авансировать, привлекая таким образом к разработке путей развития компании.

Главное достоинство таких акций состоит в том, что **люди более охотно принимают перемены, если сами участвуют в их подготовке и реализации.**

К тому же это избавит их от излишнего беспокойства по поводу перспектив их собственного положения.

Существенное значение имеет и умелый **выбор темпа реорганизаций**.

Быстрые реформы, застающие людей врасплох, вносят хаос в работу и могут вызывать даже летальные исходы (подчиненные «вылетят» в направлении конкурентов или просто в окна вашего офиса).

Но не менее опасно и затягивать этот процесс, поскольку это увеличит беспокойство в рядах сотрудников – и, как следствие, снизит эффективность работы многих из них.

Помните: сопротивление развитию существует всегда.

Как и инерция – не только в состоянии покоя, но и при **любом** движении!

Резюме ко всему вышесказанному, уважаемый руководитель и владелец компании!

Что бы вы ни делали, как бы вы ни поступили, в глазах своих сотрудников вы – бяка!

Так что поступайте как заблагорассудится!

Результат всегда один! То есть – успех (если вам все удастся)!

Или не совсем успех (если удастся далеко не все...)!..

Как минимум половина людей, которые будут работать в вашей компании в ближайшие 10–20 лет, сейчас, возможно, еще только заканчивают среднюю школу.

Но процесс-то формирования будущих трудовых ресурсов для вас уже запущен!

И очень запущен...

Пара молодоженов пришла со своим новорожденным первенцем к мудрецу:
– Учитель, посоветуйте, как нам воспитывать дитя?
– Вы опоздали на девять месяцев, – был им ответ.

Как правило, годам к семнадцати человек уже вполне складывается. Дальше его можно лишь совершенствовать — но как, куда, ради чего?

Образование школьное, как и всякое другое, дать нам может многое. Но...

Непрактично оно! То есть малопригодно для реализации себя в настоящей, а не книжно-теоретической жизни.

Ведь подавляющее большинство школьных педагогов не испробовали на себе тех глубоких и мудрых истин, которые они вбивают своим слушателям. Они дают теорию, которую не всегда реально применить на практике.

Кто может — тот делает, кто не может — тот учит.

Древнехалдейское учильное соображение

Возьмем для примера учителей иностранных языков. Как часто они общаются с носителями тех наречий, на владение которыми натаскивают наших чад? Не общаются, не часто — да и вообще никак!

Они же преподают не сам язык, а только его теорию. И всех школьных лет такого изучения не хватит даже для прочтения хотя бы какой-нибудь «Файнэйшнл таймс».

Так же обстоит дело и с другими предметами — за исключением, пожалуй, только уроков трудового воспитания, физкультуры и пения.

В вузах картина почти та же. Здесь развивают разносторонние умные взгляды, которые позволяют стать хорошим или средним исполнителем. И только!

И не всегда поможет наличие даже двух образований или аж трех, включая зарубежные, — это почти то же самое, что сидеть по два-три года в каждом школьном классе. Итог тот же!

Пятерочки в дипломе выпускника престижного институтика, может, и поспособствуют какому-нибудь его трудоустройству, но никак уж не личному доходу.

Потому что в образованную молодую голову годами вбивалось одно: карьера и рост зарплаты – это процессы, растянутые ой как надолго!

Из этого выводится мрачная формула жизненного итога:

(+ зарабатываем – тратим) х 40 трудовых лет = пенсия.

Итог печален: в кармане прожиточный минимум, а позади вся жизнь.

Можно ли это изменить заранее? Так сказать, загодя «соломку подстелить»?

Лучшее, что здесь можно сделать, – это выбраться из покорных исполнителей в самостоятельную жизнь.

Откуда растут ноги этой самостоятельности? Опять же из детства, с самой начальной школы!

Если ученик не только отсиживает за партой учебное время, а еще и обучается родителями (или улицей) самостоятельно выбирать варианты, наиболее полезные для своего будущего, у него формируется иное отношение к ценностям.

Такой подход многих пугает: «Ну как же так вдруг взять да и поломать всю систему сложившихся взглядов?!»

Согласитесь: истоки таких страхов кроются в нашем детстве.

Ну так и оставьте их там в темной комнате со старыми игрушками!

Попробуйте дать своим детям возможность побыть чуточку как бы вдали от вас.

Иногда им тоже полезно учиться делать собственные маленькие успехи и ошибки, но сначала под вашим всевидящим оком.

Гангстер купил своему сыну пистолет. Но сын тут же сменял его на золотые часы. Отец сразу заметил обмен и завопил:
– Дурак! Ну, а если кто-нибудь на улице назовет тебя дерьмом, ты что, скажешь ему, который час?

Возможно, вы и сумеете разорвать инерцию «копирования поколений»: «серые» родители – «серое» будущее у детей.

И тогда при выборе профессии раздумий у них не будет.

И дело из скудного источника выживания превратится в бурный родник – источник наслаждения.

А уж из него последует новая формула:

(+ зарабатываем + удовольствия ± издержки) х 60 лет = наследство

Почувствуйте разницу!

Вопросы на сообразительность

(в пределах очень средней школы)

1. Зарплату выдали 11 тысячными купюрами, 11 сотенными и 11 рублями. Чему равна зарплата? (Решите устно.)

2. Прибор снабжен абсолютно безотказной системой обеспечения надежности. Какая все же в этом случае может случиться неприятность?

3. Что надо сменить, если карта не идет?

Варианты ответов

1. а) А чего решать-то? В графе «Получил» и так уже все указано!

б) 11 000 + 1100 + 11 = 12 111 руб.

2. а) А электрического питания нет! Пробки перегорели, батарейки сели или вас просто по-чубайсовски «веерно отключили» – вместе со всей встроенной безопасностью...

б) Система обеспечения надежности не единственная в приборе. Она может вывести из строя любую другую систему.

3. а) Белье, дом, работу, родителей жены! Ну, хоть казино, наконец!

б) Партнеров.

Аптека предприятия

Человек смертен с момента изгнания его из рая.

И всякая болезнь есть верстовой знак на пути его продвижения от рождения к упокоению.

А потому любой из нас (кроме несокрушимо здоровых болванов) обычно знает, где находится ближайшая к его бренному существу аптека.

Многим вид полок с милыми клизмами и пилюлями даже составляет единственное наслаждение в этой жалко влачимой жизни.

Вот примешь таблетку-пилюльку-порошочек — и точно наступит облегчение! Если, конечно, успеешь поправиться...

Повторимся лишний раз: предприятие – тоже организм и с момента своего рождения не перестает то и дело чем-нибудь заболевать – до самой своей смерти или ухода в бессмертие.

В голове же руководителя (или хотя бы в его записной книжке-органайзере) далеко не всегда найдется тот заветный адрес, по которому можно срочно добыть надежные лекарства для поправки пошатнувшегося здоровья его компании.

Конечно, многочисленные адвокаты, юристы, консультанты, суды и спецслужбы готовы подлечить вашу фирму. Небезвозмездно, естественно, – в размерах, прямо зависимых от степени запущенности болезни.

Но верно говорят, что дешевле предупредить ситуацию, чем потом «разводить» и выправлять ее.

Так что делаем вывод: чтобы «перцу» в работе было в меру, а серьезные неприятности случались пореже и коллектив работал ровнее, лучше заранее побеспокоиться о профилактике болезней собственного бизнеса.

Ведь даже любой владелец личного автомобиля хотя бы ежегодно осуществляет профилактические процедуры – от балансировки колес до установки более совершенной звукотехники.

Автокентавры не задумываясь тратят время и деньги, заглядывая под капот и в выхлопную трубу, меняя масло, резину и другие расходные материалы (а иной раз полезно сменить и водителя – он ведь тоже помаленьку «расходуется»).

Но ведь и в структуре любой компании (которая похожа не только на организм, но и на механизм) не обойтись без быстро изнашиваемых звеньев, требующих смазки и топлива (денег), а также профилактики (обучения персонала, подстегивания юристов и науськивания служб безопасности).

Ясно, что необходимо периодически **тратить время и деньги на профилактику**, чтоб исключить нарушения нормального ритма бизнеса.

«На выходе» же желательно получить здоровую, стабильно работающую организацию, способную быстро реагировать на любые негативные ситуации вне или внутри нее.

А широко известные «акулы бизнеса» утверждают: основной источник опасности делу чаще всего таится внутри самого трудового коллектива.

Сидит он где-то до времени, подобно вирусу (в том числе и компьютерному), а потом «срабатыват» по совершенно незначительному или незаметному поводу.

Происходит это по разным причинам. Например, руководитель не умеет ценить труд подчиненных или позволяет себе по-хамски обращаться с ними.

В ответ он в лучшем случае получает скрытый протест-саботаж или утечку информации к конкурентам и налоговикам, а в худшем...

Тут уж никакая аптека не поможет! Как правило, руководитель всегда достоин своих подчиненных – которые и являются главными составляющими любых побед. И наоборот.

Когда в труде налажен здоровый ритм, то даже при сильнейшем негативном внешнем воздействии на компанию люди лишь сильнее сплачиваются, становятся дружнее, четче работают.

*И в военное время народ просто забывает
о мигренях и простудах...*

Ленинско-сталинская истина

...Поэтому воевать нужно всегда!

Если не Конфуций, то Тутанхамон

Отсюда следует, что основное количество лекарств в фирменной аптеке нужно для внутреннего пользования, т.е. для штатных и других сотрудников предприятия и для самого «Головы».

Вот прямо с него и начнем.

Начальство должно обо всех заботиться и все помнить.

А для хорошего самочувствия шефу нужны витамины (хотя и гормоны на что-то годятся...).

«Чтобы не жаловаться на плохое зрение и слабую память, надо есть морковь», – говорили нам родители. Верно, она же способствует улучшению крови и т.п.

Причем есть ее желательно тертую, с подсолнечным маслом – витамин А, содержащийся в ней, лучше усваивается, если поступает в организм вместе с жирами.

Объявление в женской колонии:
– Сегодня на обед будет морковь.
– Ур-а-а-а!!!
– Тертая.
– А-а-а...

Ну, а в дни интенсивных мозговых нагрузок надо еще выпивать хотя бы по стаканчику... ананасового сока (всего 56 калорий на 100 граммов, а витаминов – навалом: в одном только названии фрукта сразу три «А»!).

А вот Николай II для лучшего пищеварения и успехов государственного управления ежедневно перед обедом выкушивал рюмку водки. Той самой, кстати, которую ввел в российский обиход высокоученый господин Менделеев...

...Потом же, с похмелья, хорошо применить стакан томатного сока с ложкой сметаны и выжатым соком половинки лимона!..

Сидят алкоголики, похмеляются на троих.
Один из них говорит:
– Ребята, я больше не буду пить. По статистике каждый четвертый алкоголик умирает.
– Да что ты волнуешься, нас же только трое!

Впрочем, на настроение можно повлиять и безалкогольным способом, просто при помощи некоторых продуктов.

Например, острая паприка способствует выделению гормонов счастья – эндорфинов.

Клубника нейтрализует отрицательные эмоции.

Бананы содержат серотонин — вещество, необходимое мозгу, чтобы тот сообщил вам: «На борту все просто замечательно!»

Если и это не помогает, «Виагру» пожуйте, пожалуйста.

Да и просто чайку попейте! Его теин — тот же кофеин! А еще дубящие вещества группы танинов — так какая же инфекция вашу шкуру дубленую прокусит?!.

Давайте немножко поговорим о кулинарных пристрастиях ваших сотрудников. Между прочим, правильное питание способствует росту объемов производства!..

Постарайтесь, пожалуйста, проконтролировать, *что едят ваши сотрудники.*

Для того чтобы после исключения кое-каких продуктов из их рациона ваш бизнес в очередной раз пошел в гору.

Человек есть то, что он ест.

То, что он ест, переходит в его суть, формирует его характер!

Сразу уберите из рациона своих сотрудников верблюжье мясо.

Почему верблюжье мясо или молоко категорически НЕ рекомендуется беременным женщинам? Женщина ребенка будет долго вынашивать...

Ваши планы по поводу каких-либо гениальных идей тоже могут невообразимо долго вынашиваться подчиненными, но так и не будут претворены ими в жизнь.

Обязательно исключите и баранину. Есть народы, которые баранье мясо просто обожают. И что бы вы таким ни говорили — они на все единогласно кивают овечьими своими папахами, но по собственной инициативе пальцем о палец не ударят.

Бараний характер чудесно сочетается с чем угодно (особенно с шашлычком под винцо), но только не с деньгами и успехом.

Конину тоже запретите есть! Табуном лошадей управлять очень сложно. Кони вечно кочуют.

Конечно, это не такая уж большая проблема...

Но если мужская часть вашего коллектива перестанет работать, а вместо этого начнет демонстрировать повадки молодых жеребцов, бизнес может захромать на все четыре копыта.

Теперь понимаете, почему во всех священных книгах свинина запрещена?! Даже в Библии, в Ветхом Завете, Господь запрещал христианам есть мясо пресмыкающихся и свинину.

Что ты ешь – то и сотворяешь!..

Вообще-то начальник хорош любой! И полный витаминов добряк, и измученный язвой (в значении «жена»), и в любом другом состоянии – сколь угодно разболезненный или же, напротив, отягощенный излишним здоровьем.

Начальник хорош и изначально богоподобен просто потому, что **обещает** регулярно платить зарплату. А уж если у него начались сбои в его божественной работе, то **лучшее лекарство – его замы.**

Каких именно помощников стоит принимать к себе на работу – опять же учитывая профилактические цели?

Именно тех, кто знает свою тему работы лучше, чем знаете ее вы, – а иначе зачем вам этот помощник нужен?

Чтобы тратить время на его обучение и за это еще и платить ему зарплату?!

Словом, необходимо **окружить себя людьми, делающими то, чего не умеете делать вы сами.**

Ну, может, и умеете, но не хотите или не успеваете.

В любой приличной аптеке предприятия должны иметься средства «контроля за речами».

Большая беда может случиться от утечки информации – и не важно, что чаще всего конфиденциальные сведения «уплывают» не по злому умыслу, а исключительно по бестолковости и болтливости ваших помощников.

На этот случай задолго до нас деловые люди придумали такие золотые лекарственные средства или, вернее, лечебные процедуры, как «трудовая дисциплина» и «штатное расписание».

Первое, помимо всего прочего, сокращает возможности бестолкового обмена мнениями на производстве. При соблюдении трудовой дисциплины люди меньше болтают и больше работают.

Если каждому «доктор прописал» (и притом правильно!) его точную **цель и сроки** ее достижения, то на остальное времени оставаться просто не должно.

Второе средство ограничивает доступ к информации тех сотрудников, кто непосредственно не отвечает за состояние дел, а вот растрепать сведения на сторону вполне способен.

Но ведь кто-то же должен постоянно обеспечивать исполнение хотя бы этих двух принципов!

И на определенном этапе люди приходят к пониманию, что служба «санитарного» контроля внутри фирмы необходима. А содержать ее все же дешевле, нежели то и дело выкладывать круглые суммы на лечение последствий утечки информации или загадочного исчезновения документов.

В делах трудовых есть простое правило: сначала сделать дело и лишь по успешном его завершении делиться опытом. И возможно, не стоит рассказывать широкой публике (и **всему** собственному персоналу в том числе) все подробности ваших деловых планов.

Мало того, что собственной глупой болтливостью можно дать конкуренту шанс на опережение. Но вдобавок можно еще и **спугнуть удачу!**

Теперь вспомним про себя, родненького.

Что и как у нас в организме происходит, как внутренности себя чувствуют – эту сторону мы искренне и подробно только врачам рассказываем.

А если то и дело жаловаться на здоровье, то недолго и впрямь по-настоящему заболеть – истории такие случаи известны!

Значит, и в организме бизнеса есть такое, про что не стоит рассказывать вообще никому, и даже контролирующим органам – в пределах закона о коммерческой тайне.

В любой аптеке всегда есть средства скоропортящиеся – для быстрого использования – и обязательно есть препараты длительного хранения.

К **первым** отнесем оперативный финансовый страховой запас (его размеры вы определяете сами, по наличию собственных активов). Он постоянно расходуется на текущую профилактику и должен периодически пополняться.

Часть этого «средства» уйдет на премии сотрудникам за соблюдение трудовой дисциплины, что-то потратится на стимулирование лучших новичков, передовых по профессии, отличников служб контроля (конечно, при отсутствии ЧП за расчетный период).

Это возбудит здоровую деловую зависть у других – и сработает! То есть, наверное, сработает: деловые организмы, как и человеческие, хоть и строятся по общим принципам, однако все-таки остаются индивидуально-различными.

Поэтому кроме прямых деловых «инъекций» весьма желательно и выделение средств на различные юбилеи, праздники и культурно-массовые мероприятия – одним словом, на формирование добродушного настроя в коллективе (в смысле биологического организма это соответствует поднятию тонуса).

Такие мероприятия выполняют еще и психотерапевтические функции.

Пусть лучше сотрудники отболтают все производственные «радости и тупости» во внутренней неформальной обстановке – среди своих.

А потом им будет просто лень о том же самом трепаться с совершенно посторонними людьми!

Если, конечно, они не настоящие женщины...

К **средствам «долговременного хранения»** отнесем всяческие внутрифирменные инструкции и приказы по охране интересов компании. А также картотеку очень специальных помощников – от кадровых агентств, заранее формирующих замену для проштрафившихся и болтунов (это уже хирургия), до «тревожной кнопки» вызова «санитаров» из МВД и списка классных адвокатов.

Все это позволяет сохранить руководству время и нервы, а делу придает стабильность.

Остается пожелать, чтобы перечень лекарств в вашей внутрифирменной аптеке был недлинным и недорогим, а персонал загодя обучился бы правильному их использованию.

Вопросы на сообразительность

1. Как известно, лучшее враг хорошего. А худшее?
2. Что нужно делать, когда все вокруг теряют голову?
3. Охрана завода получила сигнал о том, что рабочий, убирающий территорию предприятия, систематически ворует имущество в то время, когда перевозит через проходную тачки с мусором. Однако как охранники ни проверяли содержимое тачек, так ничего и не нашли.

В чем заключается секрет вора?

Варианты ответов

1. а) Друг совсем уж хренового.
   б) Враг плохого.
2. а) Устроиться на работу в бюро находок!
   б) Стараться сохранить свою.
3. а) В глупости охранников!
   б) Он воровал тачки.

Фантазии о будущем

Будущее запускает свои когти в сердце настоящего.

Братья А и Б

Как бы вы шли по жизни десять лет тому назад, если бы вернулись в те времена со своими сегодняшними знаниями?

Ну конечно вы скажете: «У-у-у! Сделал бы так, поступил бы эдак, тому бы по морде надавал, а этому...»

Да вы бы стали самым-самым крутым на свете супермега-пуперменом!

Будущее можно узнать несколькими способами.

1. Самый легкий путь – возьмите на должность заместителя-консультанта человека из народа-трудоголика – цыганку.

Недостаток: легко, удобно, но бесполезно и дорого!

2. Обратитесь к научно-исследовательским институтам околовсяческих наук.

Недостаток: вам придется долго-долго изучать научный жаргон, для того чтобы хотя бы приблизительно понять, о чем идет речь.

К тому же этот способ не всем по карману. Вам придется платить не только научным сотрудникам и всему техническому персоналу, но и взять на себя оплату всех коммунальных услуг этого института, НДС плюс строительство дачи директору.

3. Вспомнив все свои знания, которые вы нахватали из окружающего мира, делаете анализ и прогнозируете будущее. Это научно.

Недостатки: безусловно, вы можете просчитать все возможные пути развития. Вы ведь такой умный! Сидите, воображаете себе, что будет дальше.

Подсознание уже сладкие картины рисует: вот вы стоите на пьедестале в облике жирного индюка, грудь колесом...

Но, наконец, добираетесь до этого самого будущего. В чем дело?! Почему вы оказались в совершенно другом месте, а на пьедестале вместо вас – другая «птица»?

Оказывается, в своих прогнозах вы не учли погодные и природные условия, психологию людей, отсутствие мозгов у госчиновников, землетрясение или еще что-то.

И в придачу ко всему – незапланированное воровство высокостоящих, совершенное в состоянии временной невменяемости, или несанкционированное падение дензнаков в канализационный колодец!

Факторов бесконечное множество!

Но главное, что вы не смогли предвидеть, – это укус малюсенькой блохи в одно из ваших «полушарий»!

4. Следующий путь – купите на барахолке подержанную машину времени. В свободное от работы время смотайтесь в будущее, посмотрите, что, где, когда и, самое главное – с кем!

5. Уйдите на 25 лет в отшельники, голышом, высоко в горы. Будет просто замечательно, если при этом вам удастся ничего не есть и не пить. Вот тогда вы сможете воткнуть в розетку штепсель своих извилин.

Недостаток: в горах трудновато найти розетку!

6. Можете лежать на диване 33 года, потом встать, стряхнуть с себя пыль и паутину, и гордо воскликнуть: «Я так и знал!» – а затем объявить себя Отстрадамусом!

Недостаток: к этому моменту вы действительно можете уже отстрадаться.

7. Просто тренируйте свое интуитивное мышление. Если этого вам будет мало, тогда придется учиться мыслить через озарение.

Недостаток: придется самому шевелить мозгами! А это не всем под силу!

Уважаемые читатели, вы же знаете, что я страдаю повышенной скромностью, поэтому разрешите процитировать ранние высказывания одного Великого человека, то есть себя!

Но сначала – малюю-ю-сенький анекдот.

– Доктор, а доктор, умоляю, помогите, я страдаю манией величия!

– Это ТЫ Ы страдаешь манией величия, мелкая козявка?!

Так вот...

Обратите внимание на один момент в истории науки. Все великие открытия, все поворотные моменты истории совершаются не с помощью логики, а с помощью мистики.

Менделеев свою периодическую систему элементов увидел во сне, а не в институте.

Задремавшего под деревом Ньютона яблоком стукнуло по макушке, и он «озарился» законом всемирного тяготения.

И Эйнштейн тоже неоднократно говорил, что все открытия ему приходят в виде озарений.

А остальные...

Анализируют, прогнозируют, на конференциях и собраниях дискутируют, щеки раздувают... Такого понасоздают! И что? Их кто-нибудь знает?

Те ученые, которые делают выдающиеся открытия, постигают истину не путем анализа, а путем озарения!

То же происходит и с истинными художниками. Они, глядя на белое полотно, видят уже законченную картину.

И остается самая сложная для них задача – это подобрать соответствующие краски!

Поэты, если, конечно, они Поэты с большой буквы, на бумагу переносят только те стихи, которые «услышали» внутри себя.

Научное резюме: для того, чтобы узнать, что произойдет в будущем, и спланировать свой бизнес и жизнь, надо побольше спать!..

Техническая сторона тренировки шестого и седьмого чувств – это обширная наука. Но наш труд не об этом.

А теперь ария из оперы «Будущий успех»! На сцене во фраке появляется Геннадий! А я буду, иногда не к месту, попискивать фальцетом.

На наш завтрашний день влияет любое наше решение (даже решение ни черта не делать!).

Для большинства из нас существует только настоящее, а будущее – это по большей части радужные прогнозы, несбыточные надежды и глупые фантазии.

Людям свойственно принимать желаемое за действительное, и предсказатели издавна эксплуатируют эту человеческую слабость.

Едет ковбой по горам. Вдруг видит пропасть, а на краю пропасти сидит какой-то человек в лохмотьях:

– Ты кто? – спрашивает ковбой.

– Я пророк.

– Может, и мне что-нибудь напророчишь?

– А вот сейчас ты перескочишь эту пропасть и поедешь дальше.

Ковбой направил коня к пропасти, но не долетел до другого края и ухнул вниз.

Пророк почесал в затылке и пробормотал:

– Эх, плохой я еще пророк!

Из множества сделанных предсказаний люди обычно запоминают лишь те, что сбылись. Несбывшиеся пророчества из памяти людской, как правило, благополучно испаряются.

Геннади**й**, ты гений! Как это ты вспомнил то, что люди не помнят?!

Но стоит сбыться нескольким предсказаниям, как это, в общем-то, случайное событие обрастает фантастическими подробностями и обретает достоверность «факта».

Однако кроме разнообразных предсказаний и домашних карточных и иных гаданий существует и серьезное **научное предвидение**...

Теща решила проверить, любят ли ее зятья. Идет старший зять по берегу реки – а теща бросается в реку с криком: «Помогите! Тону!»

Старший зять ее спасает. Приходит он домой, а там стоит «Волга» с запиской «Любимому зятю от тещи».

Идет средний зять по берегу реки. Теща, понятно, снова с криком бросается в реку. Средний зять ее спасает – и находит дома мотоцикл с запиской «Любимому зятю от тещи».

Идет младший зять по берегу реки и, конечно, видит – теща тонет.

«Старшему подарила машину, среднему – мотоцикл... – думает он. – А мне что? Самокат, что ли?» И не стал ее спасать.

А дома его уже ждал «Мерседес» с запиской: «Любимому зятю от тестя».

Несмотря на неожиданно приятный результат, зять рассуждал, в общем-то, по науке – исходя из общей закономер-

ности, спрогнозировал возможный результат и поступил соответственно прогнозу.

Такой ход от общих рассуждений к частному в науке называется «**дедукцией**» (по-латыни – «выведение»).

Им в совершенстве владел знаменитый Шерлок Холмс.
А вот теща – вряд ли...

Обратный ход мысли – от частного утверждения к общему правилу – называется «**индукцией**» (по той же латыни –
«наведение, побуждение»).

Например:

пятью пять – двадцать пять;

шестью шесть – тридцать шесть.

Не следует ли из этого, что семью семь – сорок семь?..

В экономике вполне применимы оба этих метода научно-
го прогноза, поскольку в ней есть и общие законы, и частные
события.

Но это так – в общем и целом.

Для более же точного прогноза и копать придется по-
глубже.

А тут уж и ученые, и вообще очень многие вроде бы не
научные работники издавна применяют методы анализа и
синтеза. Хотя, может быть, даже не осознают этого...

А мы вот сейчас осознаем!

Анализ («расчленение») – это разбор, рассмотрение –
как правило, чего-то целого, разделенного на части. Например, общий анализ крови по составляющим – сколько
там всяких эритроцитов, лейкоцитов, плазмы... Или анализ
мочи.

– Соломоныч, ты куда с тазиком идешь?

– В поликлинику, несу мочу на анализ.

– А чего так много несешь?

– А мне что, жалко!

Через час встречаются снова.

– А чего же ты мочу назад несешь?

– Таки ведь там нашли столько сахара!..

Синтез – это, наоборот, воссоздание общей картины по отдельным элементам – например, восстановление прижизненного облика человека по сохранившимся останкам, как это делал профессор Герасимов.

Благодаря этим методам сделано множество открытий.

Однажды один ученый заметил (еще раз повторяю: во **сне!!!**), что если расположить различные элементы в порядке возрастания их атомных весов, то в химических свойствах этих элементов станет заметной некая периодическая повторяемость. Таков был результат анализа.

Дальше – круче! Начался синтез. Была составлена цельная картина зависимости свойств элементов от атомного веса. Так появилась знаменитая периодическая система Менделеева.

Но затем уже неспящий Дмитрий Менделеев сделал и вовсе удивительное предсказание: в четырех пустых клетках таблицы должны обязательно появиться отсутствующие тогда элементы.

Он указал даже свойства трех из четверки неизвестных и заранее дал им имена: экасилиций, экаалюминий, экабор...

После этого предсказания прошло всего шесть лет, и французский химик Лекок де Буабодран открыл элемент, названный им галлием – с теми самыми свойствами, что «прописал» Менделеев своему экаалюминию.

Четыре года спустя был открыт скандий (по-менделеевски – экабор), а еще через семь лет – германий (экасилиций).

Это было одно из самых блестящих предвидений в науке.

Напоминание для желающих сделать себе карьеру путем толкования снов и озарений: вряд ли Менделеев смог бы разгадать свой «вещий сон», если бы до этого не потратил годы на напряженное изучение химии и других наук.

Школу вспомнили? Вернемся к бизнесу.

Деловые люди постоянно пользуются анализом деятельности предприятий (технико-экономическим и др.). На его основе они формируют (синтезируют) новую структуру организации и возможности ее развития.

Другой важный метод прогнозирования – разработка так называемых **базовых сценариев будущего,** т. е. как события будут развиваться и влиять на хозяйственные связи организации, ее жизнеспособность.

Подобный анализ-синтез дает возможность своевременно «стелить соломку» и прогнозировать закономерные ситуации, а не глупые случайности на рынках.

Закономерности в случайных явлениях были подмечены людьми издавна и активно используются. Самое простое – предсказания погоды по так называемым народным приметам.

Шерлок Холмс и доктор Ватсон пошли в поход. Раскинули палатку, поужинали и легли спать. Вдруг Холмс проснулся.

– Ватсон, о чем вам говорят эти ясные звезды на небе?

– Ну, о том, что завтра будет хорошая погода...

– Ватсон, вы ошибаетесь. Эти звезды нам говорят о том, что у нас спёрли палатку!

Даже в изменчивой и прихотливой моде есть свои закономерности. Здесь каждое направление соответствует своему времени.

Один английский искусствовед составил по этому поводу весьма забавную таблицу.

Одна и та же принадлежность одежды:

безнравственна, если она появилась за десять лет до своего времени;

вызывающа — за три года до своего времени;

смела — за один год до своего времени;

красива — когда она в моде;

безвкусна — через год после своего времени;

уродлива — через десять лет после своего времени;

смешна — через 20 лет;

забавна — через 30 лет;

своеобразна — через 50 лет;

приятна — через 70 лет;

романтична — через 100 лет;

прекрасна — через 150 лет после своего времени.

Зная подобные правила, можно определить наиболее вероятное направление в стиле одежды следующего сезона. Что называется, угадать «последний (**предсмертный!**) крик моды».

А ведь интерес к моде проявляют не только отдельные любители красивой одежды, но и целая армия профессионалов: текстильщиков и художников, портных и сапожников, химиков и экономистов.

Правильно предсказанное направление в моде — это сотни километров сэкономленной материи и, конечно, миллионные прибыли.

А в развитии автомобильной промышленности — миллиардные.

А в компьютерной технике!!!..

В последние десятилетия ученые разных стран используют методы коллективного предвидения. Чтобы не подавлять молодых ученых «маститыми авторитетами» (это **такие авторитеты, у которых есть мастит!**), экспертные оценки проводятся заочно и анонимно (**то есть через сплетни!**).

Один из методов такого опроса назван «методом Делфи» — в память о дельфийском оракуле.

Хотите, вместе рассмотрим эту технологию прогнозирования открытий в жизни человечества?

Специалистам рассылаются анкеты всего из двух граф. В первой нужно назвать открытия, которые ожидаются в ближайшее время. Во второй – оценить вероятную дату их внедрения.

Затем результаты обрабатываются, цифры усредняются.

Я тут не стерплю и опять вмешаюсь: обратите внимание, как оракульствуют ученые! Через анализ, логику и известные науке факты! Результат налицо... Да простят меня мои коллеги!

Ну зачем же так сердиться? Вон князь Олег тоже как-то раз не поверил одному пророчеству ученых волхвов...

Вот результат одного из опросов, сделанных еще в начале 70-х годов. Приведены лишь те предсказания, которые пока не сбылись, хотя их сроки уже миновали.

Большая же часть прогнозов стала реальностью.

ОЖИДАЕМЫЕ ИЗОБРЕТЕНИЯ И РАЗРАБОТКИ	ГОДЫ ВНЕДРЕНИЯ
Искусственное создание жизни	1989

Наконец-то ученые тоже приступили к выполнению своих супружеских обязанностей!

Производство синтетической жизни	1990

Родители перестали убеждать своих детей, что нашли их в капусте.

Создание лекарств, вызывающих восстановление органов и конечностей человеческого тела	2007

Съел таблетку – и еще одно ухо выросло. Съел вторую... И все остальное отвалилось!

Создание лекарств, повышающих уровень умственного развития	2020

Закрылись наши славные школы, и все педагоги ударились в сетевой маркетинг – продавать таблетки от глупости!

Управление тяготением	2023

К противоположному полу!

Воздействие на процесс старения с помощью химических препаратов, позволяющих **увеличить продолжительность жизни на 50 лет** — 2023

Если вы собираетесь пожить еще лет двадцать пять, у вас будет время это оценить!

Двухсторонняя связь с внеземными цивилизациями — 2024

Секс-извращенцы!!!

Искусственное создание химических элементов — 2024

Создать-то создадут, но кончиться все может оч-чень плохо!

Обучение путем прямой регистрации информации в мозге — 2028

Сбудется мечта ленивого тупого идиота!

Что ж, доживем – увидим!

Представим хотя бы в самых общих чертах будущее экономического развития.

В 1800 году сколько миллионеров было? Только несколько выходцев из королевских династий.

А в 1900 году? Уже больше: появился заметный слой фабрикантов и банкиров.

А вот в 2000 году количество миллионеров в мире перевалило за семь миллионов!

Количество богатых постоянно увеличивается, появляются и будут появляться новые Биллы Гейтсы и Абрамовичи.

Значит, и у вас тоже есть шанс «появиться» в богатых людях.

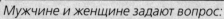

Мужчине и женщине задают вопрос:
— Какова вероятность того, что, выйдя на Невский, вы встретите динозавра?
— Одна миллиардная, — отвечает мужчина.
— Одна вторая, — говорит женщина.
— Как так?!
— Ну, — говорит она, — или встречу, или не встречу.

Очень простой, но полезный совет:
Если все же не получится сколотить реальное состояние, хотя бы просто смените фамилию на «Абрамович». Или считайте себя хозяином «Челси»!..

Вопросы на сообразительность

Вообще-то мы полагали, что вы и так уже стали достаточно сообразительными... с нашей помощью, разумеется.

Но если вас все еще терзают сомнения в собственных силах — пожалуйста, воспользуйтесь тестами в конце книги.

Только имейте в виду: оценки результатов тестов выводятся по обширной статистике.

А вы, с вашей уникальной индивидуальностью, можете оказаться и за гранью этих усредненных данных...

...Ну конечно же за верхней!

Г. Волков

Эпилог

Родимые вы мои!

Однажды утром я прочел всю рукопись книги и понял, что слишком глубоко вжился в не свойственную мне роль – юмориста и клоуна.

Сколько дней и ночей с вами мысленно общался, разыгрывая шута горохового, дурачка, умника, ученого...

В конце концов, появилось желание хоть один раз дать себе отдушину и пообщаться от всего сердца.

Ведь на любой работе есть отгулы, отпуска, на худой конец, прогулы! Так что можете считать эту главу моим сачкованием!

Уважаемый гений!

Мне кажется, самый успешный и счастливый человек – это вы. Но только не я!

Шучу! Шучу, как всегда! Рефлекс...

С чего я это взял?

Недавно у меня выдался бурный день: множество встреч, переговоров, выступлений. Во мне, видимо, основательно перегрелся какой-то внутренний моторчик, и, чтобы дать ему остыть, я отправился гулять в лес.

Бродил по нехоженым тропам всю ночь, как призрак, и там до меня вдруг дошло, что уже давненько я не заглядывал в свое прошлое. Тогда начал анализировать свою жизнь, свои успехи и неудачи и пришел к странному заключению.

Оказывается, все мои достижения берут начало в поражениях – маленьких, средних, больших. И как бы я ни напрягал свои извилины, ни одного исключения не нашел!

Во всем: в здоровье, в бизнесе, в личной жизни, везде! За что бы ни брался, вначале все заканчивалось для меня плачевно. Прямо напасть какая-то!

Хоть и приятно было вначале заблуждаться, но в итоге-то оказалось, что я ну никак не попадаю в категорию мудрых людей. Умный-то учится на чужих ошибках, а вот дурак – на своих.

И сегодня я решил просто поболтать с вами по душам! Как вы на это смотрите?

Утро, на улице идет долгожданный весенний снег, симпатичное темно-серое небо перед окном «повесилось»!

Солнце, которое с утра на секундочку показалось, тут же завернулось в толстые свежие облака, продезинфицированные городским смогом, и снова захрапело.

Да сколько можно спать?! Уже полгода! Целлюлит на морде появится! Да-а...

С чего мы начнем? Поражений-то сто-о-лько! Да, на одно их перечисление целой книги не хватит! Но раз уж здесь мы говорим о деньгах и финансовом успехе, возьмем из огромного хранилища лишь несколько неудач из этой серии!

Начну, как всегда, по-восточному, издалека. Итак.

После нескольких лет обучения в нашей Школе Наставники нам объявили:

– Сыновья! Вам надо жениться, создать семью, обзавестись детьми – привести в порядок эту сторону своей жизни. Раз Господь нам показал это как одну из дорог счастья, значит, мы обязаны ее пройти.

А для того чтобы семья не была обузой на пути к самопознанию, несла только радость и счастье, мы вам даем пять лет.

За эти годы вы должны обеспечить себя, своих детей и будущих внуков, чтобы потом никто не притязал на ваше время и вы могли заниматься тем, что для вас имеет значение, – поиском Высшей Истины.

В случае провала вашей работы вы не будете исключены из Школы, НО...

Вот это самое «НО...» лично меня больше всего и испугало!

Да нет здесь ничего криминального, не волнуйтесь! К этому моменту я и все мои сокурсники уже знали, что надвигается время сдачи «курсовой работы», и каждый к экзамену готовился по-своему.

Ваш покорный слуга тоже не сидел сложа руки и ноги, складывал под подушку свои заготовочки и шпаргалочки.

И вот взялся за производство очень редкого вещества в Дальнем Зарубежье.

В Советском Союзе выпускать его тогда было невозможно, а продавать – тем более. Законы не позволяли!

Всего за два года я стал обладателем неплохого состояния. Одним из первых вернулся к своим Учителям, чем справедливо горжусь. Но вся ирония судьбы заключалась в том, что я еще и одним из первых был наказан!

Не за то, что задание выполнил, конечно, а за свое поведение, которое проявил благодаря этому богатству.

Разрешите разъяснить?

Разъясняю!

Учителя сказали:

– К новым занятиям группа приступит только через три года. Ты сэкономил два года, поэтому мы тебе даем каникулы. Занимайся, чем хочешь, но знай – ты должен израсходовать часть этих денег.

Однако имей в виду, есть одно жесткое условие: эти средства можно тратить только на себя. Ни семья, ни братья, ни сестры, ни родители, не должны соприкасаться с твоим богатством.

Они к этому не готовы – могут быстро привыкнуть, и тогда ты будешь вынужден все время работать на обслуживание их быстро возрастающих естественных потребностей! Так ты можешь погубить своих близких.

Помни: для тебя каникулы – это отдых не только от нас, но и от семьи тоже.

И вот началась романтическая жизнь втайне от всех родных и знакомых.

Первым делом я сел и составил список – чего хочу.

Оказалось – хочу очень многого. Главное – это путешествия: города, острова, горы... Ну, в общем, тянуло туда, где и без меня всем хорошо!

Что для этого нужно? Конечно, яхта! Самая большая! Купил.

Вышли в плавание, и тут неувязочка получилась – морская болезнь. Я, оказывается, не учел наше родовое «наследие».

С горем пополам немножко поплавали, и все на этом закончилось. Яхта так и осталась в Сиднее. Впоследствии была продана за гроши.

За короткое время я объехал весь мир, не останавливаясь больше двух-трех дней в одном городе.

Если несколько преувеличить, то можно сказать, что осталось только два места, где я не побывал, – это Антарктида, где живут мои родственники-пингвины, и Арктика. Все, кажется...

А дальше началась депрессия. Непонятная тоскливая скукота по сравнению с той жизнью, которой жил раньше.

На что бы материальное мой взгляд ни падал, я знал, что могу это купить, только теперь все это мне стало не нужным.

Работать ради денег я тоже не мог. Ну нет такой зарплаты, которая могла бы меня заинтересовать!

В конце концов, закрылся в одном из своих домов и два месяца почти безвылазно просидел в четырех стенах, все ждал того дня, когда мне можно будет вернуться из «отпуска».

Когда приезжал к своим родителям, вынужден был давать им те же жалкие суммы, что и до моего обогащения.

Они говорили:

– Ах! Ох! Ты же учишься, не отнимай у себя деньги на кусок хлеба! Ты так похудел! ТАК похудел! И потемнел... Не болеешь ли, сынок?

Ну а я-то не могу сказать, что это африканский загар!

Мне так хотелось им помочь, но я был вынужден держать слово, данное моим Наставникам! Чувствовал себя отвратительно!

Но однажды я все-таки нарушил приказ Наставников и тогда чуть не потерял родного мне человека.

Слава Богу, эти испытания благополучно завершились для нас обоих, но речь сейчас о другом.

Когда мой «богатый отдых» закончился, в назначенный день я наконец-то вернулся к Учителям. Там меня ждал сюрприз.

Меня исключили из Школы! На пять лет!!!

За что-о?!

Они мне все по полочкам разложили: вот за это, потом за то. Если этого маловато – вот еще за что!

Целый список моих грехов показали! Ответеться я не мог, потому что это на самом деле было так. Ну как же все несправедливо! Раньше за такие поступки не наказывали!

И вот мне выдвинули условия: в течение пяти лет категорически запрещалось общение с Наставниками, а в придачу и с сокурсниками. В случае нарушения условий меня ожидало исключение из Школы навсегда.

Мне предложили выбрать город, где буду отбывать наказание, дали целый список мест. Все они находились за тридевять земель!

Увидев эти названия, я очень удивился – цивилизованные города, с точки зрения большинства людей.

Но чтобы я не радовался, Учителя прокомментировали:

– Сынок, эти места – ворота ада, выходящие на поверхность Земли. Там все человечество живет по законам зла.

На сборы и отъезд мне выделили три месяца. Пришлось объявить всем своим знакомым, друзьям, что останавливаю свою деятельность, в том числе отказываюсь от хобби – я тогда выступал как артист оригинального жанра – и уезжаю.

Ах, да… Совершенно забыл сказать – все мои денежки к этому времени были заморожены на много лет в пользу моих детей! Опять же по приказу Наставников.

А все коварство как раз и заключалось в том, что о своей ссылке на каторгу я узнал уже после этого приказа!

Разрешили оставить в кармане всего тысячу долларов. Ну конечно, я еще немножко прижучил. Может быть, они не заметили, а может, сделали вид, что не заметили.

Дни моего богатства закончились.

И здесь обнаружился один уж очень неожиданный момент – все мои новые друзья и непонятно откуда возникшие сродственники, которые объявились в дни моего богатства, вдруг мигом исчезли! За два месяца подготовки к отъезду я ни одного из них не видел!

Особенно когда я взял у одного знакомого пять тысяч рублей в долг и немножко прорекламировал свой поступок – чтобы до всех эта информация дошла!

Между прочим, впоследствии такое поведение я взял на железное вооружение и теперь регуля-я-рно, в разных интерпретациях использую.

А тех людей, которые попадаются на удочку и в этот период исчезают из моей жизни, потом на пушечный выстрел к себе не подпускаю!

Настоятельно рекомендую и вам применять такой метод – работает безотказно! Проверено.

Опять бреду к своим несобранным чемоданам. Помогите мне вещички в кучу собрать, а я по ходу дела буду рассказывать.

Начал думать, куда уехать.

В Нью-Йорк – не знаю английского языка. В Гонконг – совершенно незнакомая культура. В Канаду? Попу можно отморозить – а еще не время!

Где у меня есть знакомые, друзья? В Англии, в Лондоне... В Шанхае... Но вся беда в том, что эти страны и города мне неведомы!

И тут вспомнил об одном журналисте из России, с которым общался много лет назад, и он был первым, кто обо мне написал. Между прочим, с ним мы до сих пор являемся истинными друзьями!

Разрешите представить: Александр Крестников, талантливейший человек, которому я буду признателен до конца своей жизни. Именно благодаря его статье в газете «Комсомольская правда» я смог сделать свой выбор.

Так я оказался в Москве, в городе, где судьба свела меня со всеми формами лживости, жадности, предательства, расчетливости, желанием наживаться любыми способами за чужой счет...

В общем, если бы знал, чем для меня обернется встреча с Александром, я его еще в первую нашу встречу «задушил» бы от избытка чувств!

Стоп!

Кажется, опять не туда зашли – пока мы с вами все еще мои вещички собираем! Ох, кажется, готово! Все мое барахло влезло в одну-единственную невзрачную спортивную сумку.

Теперь проверим прикид. М-да-а!..

Одет по последнему писку моды каторжника.

В кармане – почти пусто. Припрятанные деньги оставил семье.

Наставники довольны! Я тоже был доволен ими. Наконец-то все встало на свои места.

Учителя учли все, что могло наилучшим образом отравить мне жизнь. Кроме одного!..

На дне сумки у меня лежала общая тетрадь с записями, надиктованными несколько лет тому назад моим старшим Наставником, обладавшим нешуточными сверхспособностями.

Коротко поясню, что это за бесценная вещь.

Однажды Мастер сказал:

– Сынок, принимая тебя к себе в ученики, я допустил ошибку – не учел своего возраста. В любой день, придя ко мне утром, ты можешь не застать меня в этом мире. Вот поэтому принеси мне самую толстую общую тетрадь.

И он время от времени диктовал, а я – записывал, что со мной произойдет в следующие месяцы, годы. Расписал все события на ближайшие десять лет.

С какими людьми встречусь, их внешность, даже примерно слова, которые они будут говорить. Пояснил, какие дороги будут расстилаться передо мной и какой из путей я должен буду выбирать.

Я изначально относился к тому, что он говорил, с огромной верой, знал, что все будет так, как он сказал. И все же…

Но когда ВСЕ, абсолютно ВСЕ стало случаться именно так, как он говорил, эта тетрадь превратилась для меня в одну из личных священных книг – настольный жизневодитель! А вернее – в машину времени.

Через несколько лет я принес еще несколько тетрадей и начал умолять:

– Устоз! Мастер! Пожалуйста, подиктуйте еще лет на двадцать! Прошу вас!

Сначала он отнекивался. А при повторной такой просьбе «подарил» мне пиалушку со всего размаха.

К сожалению, я не смог получить этот ценный презент, ибо пиала разбилась о находящуюся сзади меня стену.

Он кричал на меня:

– Ах ты… лентяй! Горе ты мое! Я и без этого до сих пор жалею, что взял на себя грех, рассказав тебе твое будущее! А ты хочешь в еще больший грех меня ввести, чтобы я потом еще и в могиле переворачивался?!

Вон отсюда и не показывайся мне на глаза до завтра!

Но потом, после моей фальшивенькой просьбы о прощении, он более спокойно объяснил:

– Сынок, дальше ты пойдешь своей дорогой. Да, она будет тернистой, так же, как и у всех нас. Но каждая шишка на лбу – это твой Наставник. Каждый фингал – это твой Учитель.

Так что желаю тебе побольше Учителей и Наставников!

Кажется, он пожелал мне это от всего сердца! Почему-то этих недобрых учителей и наставников у меня было раз в десять больше, чем я ожидал!!! И до сих пор конца и края им нет! Они все появляются и появляются!

Ну почему все достается мне? Неужели на свете так мало учеников?

Успокаиваю себя словами Мастера:

– Сынок, когда ты станешь плодоносящим деревом, черви в твоих плодах сами появятся и облепят тебя. Ты должен быть готов к этому и радоваться! И всегда помни: они пришли за мякотью, но зерно все равно останется внутри тебя.

Стоит печалиться, если такие паразиты не появятся. Это будет означать, что ты никому не нужен и что ты сорняк, а не плодоносящее дерево.

И хотя ко всему этому я был теоретически готов, но на практике это все равно оказалось очень болезненно!!!

Эх... Ну что, сумку на плечо – и вперед! В Москву, в Москву!

На двоих у нас с вами пять штук деревянных рублей. Устроим кутеж в Первопрестольной!..

Время летит незаметно, и вот уже около года, как я обитал в столице, доказывая разным научным кругам, что я – не верблюд. Но они все время пытались узреть во мне его сородича.

Обида на Наставников все возрастала. Во-первых, они запретили мне заниматься бизнесом, используя старые связи и возможности.

Я мог создавать что-то только с нуля, познавать ту среду, в которой оказался, а еще учиться, учиться, учиться и учиться.

Весь этот процесс довел меня до того, что бывший мультимиллионер почти год ночевал на Казанском вокзале!

Между прочим, с того момента я превратился в «круглую» сову.

Днем проводил исследовательскую работу, экспериментальные занятия, используя знания, которые получил в нашей Школе. Преподаванием заниматься не возбранялось.

Все эти пять лет я открывал новый для себя мир – учился общаться с разными людьми напрямую, без помощников.

Оказывается, за времена своего богатства я успел забыть о существовании плохого: об оскорблениях, унижениях и всем таком прочем. Как-никак, к хорошему привыкаешь мгновенно!

И тут вдруг – на тебе!

Чужой город, я один и все должен делать сам! Стирать, готовить, стоять в очереди, ездить в метро. Вся «шайка» жизненных мелочей окружила меня. В придачу ко всему я являлся лицом неместной национальности!

Поначалу очень часто ловил себя на мысли, что хочется обернуться и сказать своим телохранителям: «А ну разберитесь с этими гадами!»

Это все амбиции, родной мой, амбиции! Очень быстро привыкаешь к личному повару, помощнику, секретарям, прислуге... Это ТА-А-К разлагает!

Ты искренне начинаешь верить в то, что так и должно быть! И перестаешь замечать других, ты-то уверен, что у всех все точно так же!

Ужасно хотелось убежать от этой безысходности, но потом доходило: куда бы ни поехал, все равно везде буду без свиты – пять лет по-любому надо оттрубить!

Тогда понял, что если с грузом привычек к удобствам буду входить в этот муравейник, раскинувшийся под серым небом, то буду выглядеть откровенно тронувшимся.

Что-то надо было менять! Ну не город же.... Значит, себя.

Чтобы понять и прочувствовать суть жителей большого города, мне надо было превратиться в одного из них. И я стал разыгрывать все их интересы и ценности. Даже не так, как они, а в улучшенном варианте!

В этом, уверяю вас, я преуспел. Кого только перед ними не играл!

Когда люди верят, что ты необразованный, некультурный, полоумный, деревенщина и так далее – список огромный! – тут же начинают себя вести более откровенно, сразу выпуская наружу свою суЧность.

И вот однажды я проснулся и понял, что уже полностью растворился в собственноручно созданном образе!

Все, что было в прошлом, стер. Поставил на этом крест. По крайней мере, до лучших времен.

Впрочем, я здесь бахвалюсь! У меня начались поражения за поражениями!

Расскажу о парочке из них, чтобы вы мне не сказали:

– Да что ты ваще знаешь о жизни? Сделал какое-то изобретение, нахапал деньжищ и живешь припеваючи! А попробуй прожить от зарплаты до зарплаты, наскребая денег на кусок хлеба!

Дорогие мои!

Я тоже много раз начинал с нуля. А поскольку вы мудрец, мотайте на ус, учитесь на чужих ошибках!

Итак...

Первая работа в цивилизованной Европе.

Несколько упражнений из архивов нашей Школы по требованию Наставников я вынужден был выдать за свои и начать применять их на практике.

Ту-у-т же утащили, присвоили и юридически оформили на себя! Немедленно стали появляться Системы такие, Системы сякие, Системы Иванова-Сидорова, Кошкина-Мышкина, Тяпкина-Ляпкина!

Недоуменно на них смотрел:

– Ребята, что вы вытворяете? Эти знания ни вам, ни мне не принадлежат!

Они гордо отвечали:

– Извини, но можешь ли ты подтвердить свою правоту документально? Нет?! А я могу! Вот мои патенты и сертификаты!

Вначале был шок! Как это так?! Я допустил к святому этих крыс с больши-и-м грузом образования и ПЕРЕученными званиями?

Но потом понял: нечего мне выпендриваться. Со своим уставом в чужой город не ходят! Здесь – свои законы!

Здесь совесть не имеет никаких юридических прав.

Много времени мне понадобилось, чтобы постичь эту «истину»...

Я-то привык к другому!

На Востоке ученики до конца жизни остаются благодарными своим Наставникам за полученные знания. Наставничество для каждого из нас – это святое понятие.

Никому и в голову не приходит хвалиться тем, что ты достиг чего-то самостоятельно.

Это попросту неприлично! Это то же самое, что демонстрировать свой голый зад при всем честном народе на городской площади!

Есть даже такая поговорка: «Если в каком-то доме тебе дали кусок хлеба, ты должен сорок дней кланяться, проходя мимо этого места. Если ты получил от человека какое-то знание, ты должен сорок лет благодарить его».

А в Европе все – с точностью до наоборот! Я заметил, что «ученикам» претит сама мысль быть благодарными кому-то за полученную мудрость.

Каждый убежден, что он – природный талант, который рождается уже предельно умным. Поэтому и любое обучение воспринимается как должное.

Больше того, здесь действует «железное» правило: вместо того чтобы отблагодарить своих учителей, «ученики» инстинктивно пытаются «сожрать» их. Ну кому нужны конкуренты?!

Человека, у которого получили опыт и знания, начинают возвышать только после его преждевременной смерти!

Вот тогда сто-о-лько друзей, знакомых, учеников и бог знает каких уродственников со всех сторон появляется!

Но не на похоронах, а на страницах мемуаров, книг. Газет, на худой конец.

Я-то точно знаю, почему так происходит, но стоит ли вам разъяснять это прямо сейчас?..

Заканчиваю свое лирическое отступление и продолжаю исповедь о столичной жизни.

В то время ваш покорный слуга формально являлся странствующим бомжем.

Получить здесь прописку не составляло особого труда, но дело было в том, что я не собирался оставаться в этом городе!

Мечтал лишь об одном – свои законные наркомовские пять лет оттрубить – и вернуться к настоящей жизни!

Ох, как же я ошибался!

Судьба свела меня с одной организацией из двух человек, и я обратился к ним с предложением:

– Ребята, я собираюсь сделать вот это и это! Давайте так – вы обеспечиваете юридическую правильность дела и его чистоту перед законом, а я за это плачу вам двадцать пять процентов от прибыли.

Помню их слова, когда они держали в руках первые свои проценты:

– Мирза, мы тебе не верили, когда ты говорил о ТАКИХ суммах! Просто тогда сидели, работы нет... Думали, может, что-то получится!

Мы потихонечку начали развиваться.

И вот однажды мои партнеры отметили, что их доля маловата. Тогда они стали получать сорок процентов. Потом, ради справедливости, пятьдесят. В конце концов эта цифра достигла шестидесяти плюс воровство.

Вначале на телефонные звонки отвечали: «Центр Норбекова!»

А потом…

Потом стало звучать совсем другое название!

А начинали-то мы…

Наш офис был самым шикарным! Ни у кого такого не было! Мы заседали в одной из городских поликлиник в малюсенькой комнатушке в приятном соседстве со швабрами, вениками, половыми тряпками и ведрами.

Одним словом, в апартаментах с нами сопридседательствовала уборщица Марьиванна.

Прошло три года.

К этому времени команда наша разрослась. Появился собственный санаторий на берегу моря, газета с многотысячной подпиской, передача на Центральном телевидении… Одним словом, актив и пассив составлял больше четырех миллионов у.ё.

Но однажды меня смутил один факт…

У моих компаньонов были личные кабинеты и комнаты, а мне негде было даже повесить пальто!

И когда я занял одну комнату, на правах одного из руководителей, мои «хозяева» меня пригласили и томно-проникновенно сказали:

– С сегодняшнего дня мы в ваших услугах не нуждаемся.

Шутка была удачной, но, по-моему, не к месту. Когда понял, что они в этот бред, который несут, искренне верят, пришлось напомнить:

– Послушайте, ребята, у вас что, весеннее обострение началось?! Кто кого нанял? Кажется, вы на меня работаете!

И тут они, мило улыбаясь, показали ворох бумажек:

– Кто вы? И где вы? Вы нигде юридически не числитесь! Хозяевами организации являемся мы! Вы здесь – никто!

Оказалось, что у нас даже договора не было. Не буду же я сам с собой контракты заключать!

Итого: три года работы им под хвост!

Намек поняли?

Следите за документами!

Вот я опять оказался в своей колее – снова бомж, только теперь более опытный.

С твердой уверенностью, что такого больше не повторится, направился к одному своему знакомому. Круг общения у меня тогда был маленьким, поэтому я этого человека воспринимал как друга.

Выслушав мою историю, он сказал:

– Слушай, зачем тебе мучаться, собственное дело открывать? У меня на бумаге лежит мертвая организация! Бери и работай! Мне от тебя ничего не нужно, просто приятно, что эта компания будет жить. Когда-нибудь пузырек поставишь, и будем в расчете!

А чтобы таких гадостей с тобой не случилось больше, если надо, я тебя юридически прикрою!

И птица феникс опять начала подниматься из пепла.

Негр, как всегда, один – угадайте кто...

Грел мою душу тот факт, что до окончания каторги оставалось не так уж много времени. И вот здесь я получил от Наставников приказ: подготовить учеников.

Что из этого вышло, в одной из глав вам рассказал!

Когда работа пошла, этот мой «друг» вспомнил о моем существовании.

– Возьми мою супругу к себе бухгалтером! – попросил он. – Пусть хоть кто-то из нашей семьи работает!

Взял. Надо же как-то ответить на чуткость и людскую доброту.

Когда до него дошло, что я пошел в гору, он втихаря поговорил с некоторыми моими учениками, которых я взял к себе для исследований как редко встречающихся носителей особого характера.

И вот однажды мой Великий Друг появился на горизонте и объявил себя моим Господином, потребовав юридически причитающуюся ему власть.

Я долго сидел, смотрел на его необъятное тело с двумя маленькими пуговицами глаз и пытался обнаружить там признаки совести! Тщетно!

Когда понял, что невооруженным глазом я эту редко встречающуюся субстанцию не увижу, опять ушел в не совсем оплачиваемый отпуск.

И вот я опять в чистом поле! Конечно, прогресс есть, так как хотя бы формально уже не бомж!

Плата: еще полтора года жизни плюс истраченные душевные силы.

Еще раз повторяю: следите за документами! И не только...

Говоря о других горьких ошибках и разочарованиях, не хочу засорять вашу голову! И так, кажется, успел вас замучить!

Но, поверьте, все это рассказываю вам не для того, чтобы пожаловаться на судьбу или поплакаться в жилетку. Просто хочу, чтобы вы что-то для себя взяли из моего опыта!

На сегодняшний день, оглядываясь назад, на эту сумасшедшую практическую учебу, которую мне устроили Наставники, нашел некоторые закономерности.

1. Почти все компаньоны вначале появлялись в моей жизни как пациенты. Сидели в аудитории, выполняли требования, которые нужны были для их выздоровления.

2. Затем навязывались ко мне в помощники.

3. Потом становились моими сотрудниками.

4. Дальше превращались в соратников, соавторов, компаньонов.

5. Потихонечку начинали приходить к выводу, что, если бы не они, я бы пропал на фиг.

6. В один прекрасный день они объявляли себя уже моими учителями и даже духовными Наставниками.

7. Потом как-то незаметно это перерастало в практически неуправляемую потребность быть моими боссами.

И так почти каждый из них дошел до седьмого уровня!

В общем, мораль сей басни такова.

Когда собака идет по жизни, в каких-нибудь кустах может набрести на помирающую от голода блоху. Блоха из последних сил цепляется к лапе и начинает свой «карьерный рост».

Она прыгает все выше. Сначала добирается до подмышки, потом до спины, дальше подбирается к ушам и в конечном итоге садится на голову. И вот тут-то она начинает думать, что собака – ее личная телега...

И все же я сторонник того, чтобы у каждого из вас в начале пути блошки попили кровушки.

Если эти создания покусывают человека с младых ногтей, у него вырабатываются антитела. Место укуса почешется – и пройдет.

Но если вы, скажем, до тридцати лет дожили и ни разу с этими кровососами не сталкивались, а потом напоролись, то укусы могут превратиться в глубокие, труднозаживающие раны!

Так что побольше «блох» на вашу умную голову, уважаемые начинающие бизнесмены! Благодарите их за укусы!

Каждый раз, выкарабкиваясь из ямы, я говорил себе:

– Стольких людей вытаскиваю из проблем, почему сам-то туда попадаю? Получается сапожник без сапог?...

Ан не-е-т, секрет – в другом!

Главная причина: я не собирался оставаться в этой стране на всю жизнь, и мне было глубоко начхать на свою карьеру, равно как и на то, кем эти люди себя называют. Надо было пройти свою несчастную практику, и только лишь.

Однако когда вчерашние пациенты пытались отобрать единственное, что у меня оставалось – мою личную свободу, я уходил. Не хотел превращаться в их раба. Находясь на каторге, попасть еще и в рабство – это уж слишком!

Во-вторых...

У меня достаточно натренированная интуиция. Благодаря ей я могу многое предвидеть.

Но у всего есть свои плюсы и минусы. Получив возможность «видеть», я чуть не потерял друзей!

Вы согласны с тем, что даже самым близким человеком мы иногда бываем недовольны? Можем подумать про него что-то плохое, но потом тут же забыть. Такие мысли бывают кратковременными, они быстро стираются из памяти!

Точно так же и друзья могут быть недовольны нами – и это их законное право!

Но вслух-то мы то, что думаем, можем и не говорить! А вот когда у вас интуиция сильная, вы можете «читать» все невысказанные мысли подобного рода и иногда очень неадекватно на них реагировать!

Или же в вашей жизни появляется какой-то человек, а вы заранее видите, что в будущем он поступит с вами, скажем мягко, некрасиво...

И в какой-то момент я понял, что, если каждого буду «пропускать через интуицию», в конце концов останусь вообще один!

Жить с самим собой – это звучит, конечно, очень интересно, но...

А помните ту книгу-тетрадь в моей сумке?

Там было сказано, как, где и с кем встречусь, чем это обернется и какие выводы из этого сделать!

Эти люди находились в моей судьбе, и все это я должен был пережить. Так ваш покорный слуга оказался в роли катализатора, с одной стороны, и зрителя – с другой.

Я мог, но не имел права исправлять события в свою пользу – таков был приказ моего Наставника.

И хотя любой «первоклассник» нашей Школы может нейтрализовать зло, где бы оно ни проявлялось, на каком бы то ни было расстоянии, никогда практически не применяет этих умений.

-Почему? Потому что нельзя вмешиваться в Божий промысел. За каждый поступок в жизни придется отвечать! Никто из нас не имеет права судить кого бы то ни было!

Вмешательство в Божьи дела с точки зрения храма – грех, а по правилам нашей Школы – преступление. Мы имеем право только наблюдать за ходом событий, участвовать в них, запоминать и передавать накопленный опыт. И ни в коем случае не менять, боже упаси!

Даже если увидим занесенный над своей головой меч, все равно обязаны поступать как обычные люди.

Здесь я, конечно, показываю идеальный вариант решения.

Бывало так, что я и сам эти правила нарушал. Однако каждый раз, исправляя какую-то ситуацию, убеждался – Учителя правы! Эти улучшения частенько выходят таки-и-м боком!

Добрый поступок вроде спасения утопающего юного «Гитлера» сами знаете к чему может привести!

И хотя я изначально, даже после первой секунды встречи, чувствую, что человек в отношении меня или других может совершить какой-то несправедливый поступок, осознанно впускаю его в свою жизнь.

Бывали случаи, когда я даже записывал и оставлял в сейфе первые впечатления, подсказанные интуицией о ком-то, а потом сравнивал, и оказывалось – как предчувствовал, так и выходило.

Но тогда почему шел на осознанный контакт с таким человеком?

Да потому, что общение с ним – есть награда, назначенная мне в этом отрезке времени. Ведь он, этот человек, – мой Учитель!

Говорят же:

– У кого учился добру?
– У недоброго!
– У кого научился честности?
– У нечестного!
– Как достиг ты скромности?
– Был рядом с наглыми!

Общаясь с подлыми, познал порядочность! У бесстыжего учился стыду...

Всему хорошему мы учимся, соприкасаясь с противоположностью! А как можно познать добро, не научившись распознавать зло?..

Пользуясь моментом, на этих страницах хочу подвести некий итог. Эти «жирные» строчки предназначены тем, с кем я в жизни встретился.

Если вдруг кто-то из Ваших знакомых окажется одним из тех, кто меня лично знает, прошу вас, дайте прочесть ему этот текст:

То, что сейчас скажу, исходит из каждой фибры моей души.

У всех, кому я случайно, а может, и не случайно причинил боль, через эти страницы от всего сердца прошу ПРОЩЕНИЯ.

*А тех, кто обидел или пытается обидеть меня,
ПРОЩАЮ. Каждому из вас говорю «Спасибо!» за наставничество.*

*Прощаю все, что было в прошлом, прощаю все,
что будет в будущем.*

Дорогие мои! Самый легкий способ для вас и для меня –
набить друг другу морду. Всегда найдется за что! Это самый простой, самый гениальный путь – путь зла.

Каждый поступок, совершенный в гневе, означает открытие собственного лицевого счета в аду! Осуждая кого-то, говоря про кого-то плохое, мы становимся слугами
тьмы.

Самое тяжелое, то, что требует труда, усилий души,
разума, духа, – это простить. Понять и простить.

Иисус-то отдал свою единственную жизнь ради отпущения грехов людей! Давайте же и мы простим друг друга...

Человеку не дано права судить – это территория Господа Бога! А тот единственный, кто осуждал Божий промысел, впоследствии стал падшим ангелом!

А теперь сделайте мне одолжение, пройдитесь еще разок по этим страницам и посмотрите, сколько раз я сам
нарушил эту заповедь!

В свое оправдание могу сказать одно: когда я кого-то
«осуждаю», это говорит не мое сердце, это такие специальные литературные приемы! Ох какой я хитрый!

Ну что, дорогие мои! Не кажется ли вам, что мы опять
отошли в сторону? Но мы же решили с вами просто побеседовать!

Если вы еще не забыли – изначально речь шла о моей
ссылке в Россию.

Когда через пять лет наступил долгожданный день
и я вернулся туда, откуда был изгнан, все оказалось для
меня незнакомым и чужим.

На все я смотрел глазами обиженного второгодника.
Пять лет коту под хвост! Но главное – теперь я должен был
учиться с молодняком!

И тут вдруг увидел, что вокруг сидят мои прежние сокурсники! Только общаются друг с другом как-то настороженно.

Оказалось, пять лет тому назад абсолютно каждого из нас обвинили в каких-то грехах! И все мы были разбросаны по миру на практику!

Во-о-т почему Наставники запрещали нам встречаться и общаться друг с другом! Они добились того, чтобы каждый из нас оказался в отдельном государстве. Вот почему наши пути не пересекались и каждый поодиночке варился в собственной обиде.

И вот когда Старейшины взяли слово, я стал покрываться потом. Нам объявили, что половина учеников Школы не выдержали испытаний и оставлены на второй курс, обучение на котором продолжается десять лет!

Низко опустив голову, я сидел и ждал приговора. Думал, что не окажусь вообще ни в одной группе!

«Отчислят, на хрен!» – эта мысль бесконечно чирикала у меня в голове!

Волнение было таким сильным, что я даже не понял, что меня куда-то вызывают и все взоры обращены ко мне.

Оказалось, что из всей нашей группы отобрали троих, и теперь эти трое будут возглавлять очередную школьную реформу, которая проводится раз в пятьдесят лет.

Так я попал в число реформаторов и оказался в Совете Старейшин как представитель учеников! Но увы! Каторжник – есть каторжник...

Я стал «рецидивистом»! Меня тянуло назад в мегаполис!

Поначалу, когда я объявил Наставникам о своем желании вернуться, у них округлились глаза, но потом они сказали:

– У тебя есть пять минут. Если за это время убедишь нас в том, что этот поступок принесет людям пользу, пусть будет так!

Я уложился в три минуты. Просто назвал несколько причин, почему хочу назад.

За время «ссылки» в России у меня появились друзья – несколько людей, для которых я был просто Мирзой. С ними я могу оставаться самим собой, не надевая парадно-выходную маску.

Я знаю, что им от меня ничего не надо, точно так же, как и мне от них. Они – это и есть моя Родина, и та недостающая частичка сердца, которая раньше отсутствовала.

Иногда им говорю:

– Эх вы, га-а-ды! Тако-о-го странствующего романтика погубили!

Но я рад этому!

Есть и другие причины моего возращения в Россию.

Я влюбился в эту страну и ее жителей! Понял, что живущие здесь люди – родные для меня и что сам я гораздо более русский, чем написано у меня в паспорте. ***Это не красивые слова, это так!***

А еще я «подсел» на адреналин большого города.

Представьте сами, когда нервы напряженные, душа уставшая, тело тяжелое, а вам надо вставать и идти в бой, сражаться с бесконечными противниками, каждый из которых сильнее вас в своей цивилизованности...

И надо беспрестанно распознавать и предупреждать их приемы и блоки, выпады и удары, накапливать арсенал борьбы против зла.

Старейшины выслушали мои объяснения и... отпустили жить, куда хочу, в свободное от учебы время, разумеется.

Вот так я и осел (или осёл?) – ну в общем, один из них, русский язык-то плохо знаю!

Итак, после очередного провала я наконец-то поумнел! Понял: нужно искать не работников, а людей Чести и юридическую сторону вопроса контролировать самому.

Именно благодаря пережитому опыту встреч с теми людьми удалось за пять лет, практически с нуля создать организацию, которая работает в 28 странах и более чем в пятистах городах мира. И каждый месяц эти цифры растут, чего и вам от всей души желаю для ваших компаний!

Воин вы мой! Будьте готовы к учебной практике! К поражениям, предательству и тому, что вы будете неоднократно проданы за милую душу, но это все временно! Именно переживая опыт поражений и неудач, извлекая из него уроки, вы закладываете крепкий фундамент вашего будущего дома...

...Все, что начинается, когда-нибудь заканчивается.

Разрешите на посошок рассказать вам одну притчу.

Из самого сердца высокой горы родился родник.

Первое, что он увидел, – была утренняя заря. Радостно зажурчав от счастья, он начал прыгать с камешка на камешек, веселясь, ликуя и наслаждаясь чистотой солнечного света и всего, что его окружает.

Рядом переливался и радовался жизни другой такой же родничок. Они бежали, каждый по своему склону, и однажды встретились в прекрасном горном ущелье.

Роднички смеялись, обнимались, рассказывали друг другу о своем маленьком пути. И решили слиться в единое целое, чтобы дальше путешествовать вместе.

Соединившись, они почувствовали, что стали сильнее и больше. Они несли в себе морозное утро снежных вершин, простодушные улыбки утренних рос, легкое прикосновение крыльев бабочек. Они стремились к тому великому неизвестному, что ждало их за горизонтом.

Каждый раз, когда в их компанию вливался еще один ручеек, роднички искрились от счастья.

И вот наступил момент, когда они превратились в чистейшую горную речку – живую и прекрасную, как сама жизнь.

Вдруг на ее пути возникла другая река – мутная.

Чистый поток резко отпрянул:

– Кто ты? Почему ты такая грязная? Я не хочу с тобой сливаться, я не хочу с тобой дружить, я не хочу с тобой общаться! Ты не пропускаешь свет, ты не освещаешь дно. В тебе есть мгла!

...С высоты птичьего полета было видно, как рядом текли две реки. Одна была прозрачной, воды другой – несли в себе грязь. Но далеко за горизонтом обе реки все-таки сливались в одну...

Настал день, когда от былой красоты чистого потока не осталось и следа. Единственным, кто не смешался с темной водой, был горный родничок.

Он все плыл и плыл, грустно глядя на соседние грязные ручейки, рожденные в канализации.

С каждым годом он чувствовал, что становится тяжелее и опускается все ниже – и вот он уже еле перемещался по темному, склизкому илистому дну.

Он продолжал свое мрачное беспросветное путешествие, порой сам не понимая, что мешает ему раствориться в мутной воде, смешаться с вонючим илом.

Но родник знал, что никогда не станет одним из них! Ведь он родился на свободе, он помнил жизнь! И хранил в своей душе нежные прикосновения лучей утреннего солнца, бездонное небо, яркие радуги...

Он хранил в своей душе объятия бесчисленных цветов и влюбленных бабочек, с которыми встречался на своем пути. Он вспоминал, как бурлил в ритме танца под бездонным небом, неся на своей голове венок из радуги, о том, как Млечный Путь звенел и переливался в его ладошках...

Еле передвигаясь по камням, ручеек утешал себя: «Я был чист, и хоть чуть-чуть, но смог же внести в эту реку свою чистоту...»

Это – последние строчки нашей с Геннадием книги. Жаль, что о многом не успели поговорить.

После ее окончания даю себе заслуженные десять дней отдыха, и потом, по благословлению своих Наставников, наконец-то приступаю к первой из главных книг всей моей жизни, которая называется....

Которая пока еще никак не называется!

Она – о 495 сторонах жизни человека, которые мы за время своего земного бытия обязаны привести в порядок.

Огромнейшее спасибо за ваше терпение! Обнимаю, целую и жму ваши руки!

Вот и закончена последняя глава, и мы с вами расстаемся. Не знаю, как вам, а мне грустно. Пожалуйста, не теряйтесь!

Ну что ж, пока!

Жирная точка!

P.S.

С того момента, как в этой книге была поставлена последняя точка, прошло два с половиной месяца.

За это время со мной произошел удивительный случай, которым не могу с вами не поделиться, потому что это мистика – мистика реальной жизни.

Здесь, в Эпилоге, упомянут один из моих старших Наставников, который ушел в иной мир 17 лет тому назад.

Когда я был за рубежом, с Родины мне позвонил один из моих близких родственников и сказал, что меня срочно ищет один человек. Когда я услышал, кто именно, сразу же побежал ему звонить!

Меня разыскивал младший сын моего Учителя, с которым мы не виделись примерно столько же лет.

Можете представить мое состояние, когда он мне разъяснил, что у него в руках?! Он собирался передать мне письмо, надиктованное его отцом много лет тому назад.

В завещании Наставника было сказано: передать мне это письмо именно в этом году и в этом месяце. Я должен был получить это письмо месяц назад, но все это время он тщетно искал меня.

Можете представить мое состояние, когда я ждал самолет, доставлявший мне это письмо. Я минуты считал!!!

Как же давно я не плакал! Даже не помню, когда это последний раз было. А в тот день, заново перечитывая и перечитывая это письмо-тетрадь, плакал навзрыд до утра. Не стесняюсь сказать вам об этом.

Я снова себя почувствовал беззаботным юношей, который не является опорой и защитником других, а сам находится под защитой и у которого есть светлое право быть бесшабашным охламоном.

И мой Учитель, находясь на том свете, разъяснял суть всех тех своих приказов и тот единственный выбор, который я должен был делать по его указанию в каждом конкретном случае.

И когда я посмотрел хронологию, он ни в чем не ошибся. Оказывается, он не десять лет вперед расписал, а запланировал мое обучение на всю мою жизнь!

И на сегодняшний день, с жутким замиранием сердца, жду других писем, которые он оставил своему сыну.

Я было попросил: «Ну пожалуйста, не мучайте меня, дайте мне сейчас остальные письма», – но тут же осекся, когда он сказал:

– Завещание есть завещание. Это святое. Не наше с вами право его нарушать. Вы получите остальные письма строго в свое время.

И после этого, прочитав и пролив слезы над его письмом, я понял: встречи с «плохими» людьми, которые происходили в моей жизни, были «написаны» в моей судьбе.

Он знал это заранее и специально, незаметно, готовил меня к встрече с ними. Очень нежно он объяснил в письме, до чего это было мне необходимо и каких больших трудов ему стоило!

Одно-единственное меня обрадовало: к тому, что своих «доброжелателей» надо прощать, я пришел сам, без его приказа! Хотя... как знать?..

А вот теперь – ТОЧКА! Большая и жирная, как откормленный поросенок!

Тесты для самых умных

Дорогие читатели!

Прочитав нашу книгу, вы наверняка поняли, что если в вашей голове возник какой-либо вопрос – значит, и ответ там тоже есть!

Вот только распознать его порою нам не всегда удается из-за непонимания собственного Я.

Всякая человеческая голова подобна желудку: одна переваривает входящую в оную пищу, а другая от нее засоряется.

Козьма Прутков

Вот для того чтобы вы могли получше узнать себя и понять, мы предлагаем вам нехитрое народное средство: совсем не сложные тесты.

Поговорите с собою!

ТЕСТ 1
Характер и Деньги

1. Вы долго и целенаправленно копили деньги на двухколесный велосипед (доильный аппарат «Елочка» или новую яхту «звездного класса»...). Нужная сумма уже почти собралась...

И тут в каком-то проклятом магазине вы увидели Очень Прикольную Штучку! Которая вам в этой жизни совершенно не нужна...

Только все равно вы ее тут же возжелали страстно!

Ну и что вы будете делать?

а) Брать немедля! Живем один раз, и не стоит пренебрежительно относиться к своим желаниям – пусть даже спонтанным и сиюминутным.

б) А пройдем-ка мы мимо, испытывая глубочайшее удовлетворение от того, что еще один лишний соблазн успешно преодолен и все остальное в нашей жизни идет строго по намеченному многолетнему плану. Ну разве что исключая воскресные загулы...

в) Подумаем не торопясь: вы ведь вряд ли сможете купить эту штуку, потому что наверняка уже разбазарили все деньги раньше на другие не менее полезные приобретения...

2. Вы неожиданно получили крупную (по вашим меркам) сумму денег (размер и валюту выберите сами).

Что же произойдет между деньгами и вами на обозримом отрезке жизненных удовольствий?

а) Вы накупите себе всякой ненужной ерунды, о которой давно мечтали.

б) Вложите деньги в дело. Средства не должны гнить в кубышке, они обязаны работать!

Интересно, а о чем же вы раньше-то думали?..

в) Немедленно все потратите на гульбу и прочие кратковременные радости. Но это будет весело! Хотя и недолго...

3. Вы сидите в ресторане большой компанией. Приносят счет. Все складываются, вы тоже честно отстегиваете свою долю. При пересчете выясняется, что все равно не хватает приличной суммы. Повисает неловкая пауза...

а) Вы предложите «по-честному» разделить недостачу на всех и скинуться еще.

б) Начнете нудно и склочно выяснять, кто сколько съел.

в) Заплатите за все сами и будете утешаться по-простому: уже и то приятно, что хоть кто-то что-то дал! Ведь обычно в момент «расплаты» ваши приятели отсиживаются в туалете...

4. На рынке килограмм хурмы стоит пятьдесят рублей, а десять кило — четыреста пятьдесят. Выгодно ли закупать хурму оптом?

а) Наверное, да, но вы столько не съедите.

А если и съедите, то совсем охурмеете...

б) Нет. Это элементарная рекламная акция, заставляющая покупателей брать больше, чем им надо. Вы на такую ерунду вообще не клюете, а так — пробуете: а то вдруг эта хурма вообще не вяжет?

в) Да — при условии, что средство от расстройства желудка стоит не дороже пятидесяти рублей.

5. Знаете ли вы, каков остаток средств на вашем банковском счету?

а) Да, в общих чертах — плюс-минус сотня баксов.

б) Да, до последнего «евроцента».

в) Что, простите, у меня на чем?!

(А что, разве банк еще не лопнул, обожравшись вашим счетом?..)

6. Считаете ли вы, что мужчина должен тратить деньги на женщин?

а) Ну а для чего же еще нужны деньги?

б) Нет. Отношения не должны строиться на деньгах.

в) А для чего же еще нужны женщины?

7. Закончите фразу: «Деньги надо тратить...»

а) ...со вкусом.

б) ...с умом.

в) По-моему, фраза уже закончена!

(Вообще-то фраза излишне длинна. Достаточно было бы «Деньги надо!..»)

8. Какая из следующих игр вызывает в вас больше азарта?

а) Блэк-джек.

б) Покер на раздевание.

в) Рулетка.

(Русская...

...И на американских горках!..)

9. В идеале не стоит покупать автомобиль дороже, чем...

а) за свою годовую зарплату.

б) за свою полугодовую зарплату.

в) мог бы стоить целый замок.

(*То есть замо́к гаражу с «Роллс-Ройсом».*)

10. Вы записываете свои траты?

а) Нет.

б) Да.

в) Нет: я экономлю на бумаге и чернилах!

РЕЗУЛЬТАТЫ:

Большинство ваших ответов – из категории А

Ваши отношения с деньгами не слишком напряженны. Вы стараетесь получать от дензнаков максимум удовольствия, а они в благодарность не рвут ваших карманов, в неуправляемом темпе стремясь на свободу (и на ветер).

Большинство ответов – Б

Если станете мультимиллиардером, у ваших наследников будут кое-какие шансы получить по завещанию что-нибудь посущественней мемуаров на тему: «Как я повеселился в свое время».

И это, наверное, составит единственную вашу радость в этой жизни. Потому что в других жизненных радостях вы, похоже, зачем-то научились себе отказывать.

Большинство ответов – В

Вы, вероятно, умеете тратить деньги и любите это как процесс. Но при этом вы все-таки сможете остаться (а то даже и стать!) миллиардером...

Всего-то и делов, что каждый день придется зарабатывать по миллиону!

(*Хотя для мультимиллиардера и этого недостаточно. Считайте: всего-то 365 миллионов в год, то есть около пятнадцати миллиардов за сорок лет упорного труда без выходных и проходных... А жить когда?!*

Впрочем, если мы имеем в виду миллиарды лир или иен...)

ТЕСТ 2

Конфликтный ли вы человек

1. В общественном транспорте начался спор на повышенных тонах. Ну и как же вы отреагируете?

а) Не примете никакого участия – ни словесного, ни, упаси господь, физического.

б) Кротко выскажетесь в защиту стороны, которую сочтете правой.

в) Активно вмешаетесь, «вызвав огонь на себя».

(Все зависит от того, насколько далеко от места ссоры вы находитесь. Чем дальше, тем активнее можно выступать.)

2. Выступаете ли вы на собраниях с критикой руководства?

а) Нет.

б) Только если имеете для этого веские основания.

(А когда их нет?)

в) Критикуете по любому поводу не только начальство, но и тех, кто его защищает.

(Ну и что же – вы таки все еще работаете младшим ...ссенизатором?)

3. Часто ли вы спорите с друзьями?

а) Только если это люди необидчивые.

б) Лишь по принципиальным вопросам.

в) Споры – ваша стихия.

(А с кем еще спорить? Враги если сами несогласного не прибьют, то наймут кого-нибудь. А друзьям тоже хочется иногда с кем-то схлестнуться...)

4. Дома на обед подали недосоленное блюдо. Вы...

а) не станете бушевать из-за пустяков;

б) молча возьмете солонку;

(...И опрокинете ее в тарелку жены!)

в) не удержитесь от едких замечаний, либо демонстративно откажетесь от еды.

(А я бы поставил на обеденный стол набор для специй. И чтобы соль в нем всегда была!..)

5. На улице или в транспорте вам наступили на ногу. Вы...

а) с возмущением посмотрите на обидчика;

(Интересно, и куда же будет направлен ваш гордый взгляд в битком набитом вагоне в час пик?)

б) сухо сделаете замечание;

в) выскажетесь, не стесняясь в выражениях.

6. Кто-то из близких купил вещь, которая вам не понравилась. Что вы сделаете?

а) Промолчите.

б) Ограничитесь коротким тактичным комментарием.

в) Устроите скандал.

г) Перекупите ее и подарите злейшему врагу.

7. Не повезло в лотерее. Как вы к этому отнесетесь?

а) Сыграете равнодушие, но себе дадите слово никогда больше не участвовать ни в каких «лохотронах».

(*Можно подумать, это с вами впервые...*)

б) Не сможете скрыть досады, но отнесетесь к происшедшему с юмором, пообещав взять реванш.

(*Ну тогда «лохотрон» назван точно в вашу честь!*)

в) Проигрыш надолго испортит вам настроение.

(*А для поднятия тонуса тут же куплю сто билетов подряд и натравлю на распространителей ОМОН, СОБР и ОБЭП.*)

Оценка результатов:

Просуммируйте все полученное:

за ответ «а» – 4 балла,

за «б» – 2 балла,

за «в» – 0 баллов,

за «г» – наградите себя сами.

22–28 баллов:

Вы тактичны и миролюбивы, ловко уходите от споров и конфликтов, избегаете критических ситуаций не только на работе, но даже и дома...

Может быть, поэтому вас иногда называют приспособленцем? Или медузой в штанах (юбке)?

Наберитесь смелости, где сможете, и когда обстоятельства заставят вас высказать свое мнение (даже глупое) – сделайте это!

12–20 баллов:

Вы – человек в принципе конфликтный. Но в стычки вы вступаете лишь тогда, когда нет иного выхода, а другие средства напрочь исчерпаны. Вы готовы жестко отстаивать свое мнение, невзирая на свое служебное положение или отношения с приятелями.

Однако за рамки приличий не выходите, и это вызывает к вам уважение. Хотя успеха в делах и не приносит.

Впрочем, если вы уже начальник...

До 10 баллов:

Без споров и конфликтов вы просто жить не можете!

Критиковать, ругать и охаивать других вам привычно и приятно. Но не дай вам бог услышать хоть какое-то замечание в свой адрес!

Тем, кто рядом с вами, приходится очень трудно – и на работе, и дома. Потому что вы элементарно несдержанны и грубы. В общем, невежа, грубиян и хам – «три в одном»!

Вот и нет у вас настоящих друзей...

(Бесплатный совет: а попробуйте-ка пройти этот тест в нескольких разных эмоциональных состояниях! Например, в сауне за пивком с друзьями, наутро с дикого похмела, ночью после дефолта... Удивительно, как много разных личностей в вас скрывается!

От вас же самого...)

ТЕСТ 3
Грозит ли вам стать миллионером?

1. Чем для вас являются большие деньги?

Это море удовольствий – 2

Они дают огромную власть – 1

Это зависть для других людей – 0

2. Дружба и деньги – понятия совместимые?

Да, вполне – 1

Нет – 2

Почему бы и нет? – 0

(Конечно! Если эти понятия связывают вас с разными людьми...)

3. Льстит ли вам, когда о вас говорят?

Да, конечно – 0

(Как всем.)

Особенно не радуетесь – 2

(Потому что обо мне говорят ежедневно – ведь я же начальник!)

Вы к этому уже привыкли – 1

(Смотря кто и что говорит...)

4. Если вы уже достаточно обеспечены, будете ли и дальше стремиться к повышению своего благосостояния?

Если сделка сулит большую прибыль – 1

Конечно – 2

Нет, вас все вполне устраивает – 0

5. Если бы вы стали самым богатым человеком, вы наслаждались бы этим чувством?

Безусловно – 0

Да, особенно потому, что доказали свою уникальность тем, кто в вас не верил – 1

Нет – 2

6. В казино можно выиграть только:

рискуя по-крупному – 0

не играя – 1

подкупив крупье – 2

(Перекупив казино у хозяина...)

7. Какой способ зарабатывания денег вы считаете надежным?

Работать, вкладывать деньги и рисковать – 2

Играть в казино или покупать лотерейные билеты – 0

Постепенно подниматься по служебной лестнице – 1

Быть депутатом. (Ответ не оценивается.)

8. Во что бы вы вложили свой капитал?

В недвижимость, культурные ценности – 1

(Например, купил бы Пушкинский музей оптом. А картинки распродал бы в розницу...)

В ценные бумаги – 2

(По тысяче баксов между соседними акциями в пачке.)

Куда посоветуют специалисты – 0

(В...: куда-нибудь подальше от родного отечества.)

9. Если бы вы были богатейшим человеком, какие бы вы стали заключать сделки?

Не меньше миллиона – 0

На пару десятков миллионов – 1

На сотни миллионов – 2

(В нашей стране – на тридцать рублей до получки...)

10. Какой профессией надо овладеть для того, чтобы быстро разбогатеть?

Актер или художник – 0

Юрист – 1

Руководитель фирмы – 2

Абрамович, Чубайс, Черномырдин – 100

РЕЗУЛЬТАТЫ:

От 0 до 7 баллов: Для вас лучший способ разбогатеть – выиграть в лотерею или унаследовать бабкины драгоценности.

Вы, случаем, не Киса ли Воробьянинов?

От 7 до 15 баллов: Любые деньги даются вам огромным трудом, а коммерческий риск вам не по плечу. Только ваши целеустремленность и работоспособность могут принести свои результаты!

«Пилите, Шура, пилите! Эти гири – золотые!» (Рецепт обогащения имени Паниковского.)

От 15 до 20 баллов: Вы – настоящий бизнесмен. Вы не любите сорить деньгами, но способны приумножать свой капитал. У вас есть реальный шанс стать милли…ером.

Только не забывайте: милли-метр – это вовсе не миллион метров, а всего лишь тысячная доля одного-единственного метра!..

ТЕСТ 4
Уровень ЛЕНИ в крови

За каждый ответ «Да» поставьте себе по одному баллу. За «Нет» – никаких баллов.

1. Если дома есть кто-то еще, кроме меня, я никогда не снимаю телефонную трубку – надеюсь, что это сделают другие.

Если же я один, то выжидаю три-четыре звонка, прежде чем ответить.

(А я сначала дожидаюсь, когда сработает мой автоответчик.)

2. Часто опаздываю на работу или встречу, поскольку встаю с постели в последний момент.

(Поэтому стараюсь ночевать у кого-то поближе к работе!)

3. В поисках самого удобного места для парковки объезжаю стоянку по нескольку раз, лишь бы не идти пешком.

(Обхожу стоянку пешком, чтобы лишний раз баранку не крутить.)

4. Я не бегаю, не хожу пешком, не езжу на велосипеде, не занимаюсь спортом. Мои физические нагрузки очень ограничены.

(А еще я не пью, не курю, не интересуюсь женщинами, не ем… и не дышу! К чему мне все это в моей-то могилке?)

5. Люблю смотреть телевизор и читать, лежа на диване в любимой позе.

6. Посвящаю «ничегонеделанию» хотя бы два часа в день. В это время я о чем-нибудь размышляю или мечтаю.

7. После работы редко ищу дополнительное занятие.

Разве что в транспорте по дороге домой:

– Извините, что к вам обращаюсь! Сами мы не местные...

8. Если поблизости нет урны, иногда бросаю мусор прямо на землю.

(Теперь бросаю всегда: после беспощадной борьбы с терроризмом урны покинули места общественного присутствия.)

9. Никогда не подметаю под кроватью или за мебелью.

(Все выметешь – так целую неделю придется посуду сдавать!)

10. Если работаю вместе с кем-то, стараюсь, чтобы напарник сделал как можно больше. Не вижу причины напрягаться, если итог все равно запишется на общий счет.

(Работу разделили поровну: пока она чистила картошку, он вскипятил воду.)

РЕЗУЛЬТАТЫ

8–10 баллов

Вы – воплощение самой лени.

А автору тоже лень описывать какие-либо меры по ее устранению...

Вероятно, вам стоит еще разок прочесть главу про лень (это где-то в начале книги).

3–7 баллов

Как и большинство людей, вы склонны к лени. Но это ваше качество находится в пределах нормального отечественного малоделания. Скажем так: вы тратите силы в режиме «разумной экономии».

А если она неразумная – то какая же это экономия?..

0–2 балла

«Суперэнерджайзер» вы наш!

В вас нет даже намека на лень. А крайности, как говорят, вредны. Может быть, стоит хотя бы какое-нибудь время проводить в бездействии или хотя бы на отдыхе?

А вдруг это окажется полезным?

По крайней мере, и окружающие отдохнут от кипучих выбросов вашей неуемной энергии...

ТЕСТ 5

Состояние счастья

1. Видя себя в зеркале, вы считаете, что:

время вас не пощадило — 2

не так уж и страшно — 1

все отлично — 0

(...зеркало надо почистить.)

2. Что вы думаете, узнав о катастрофах или терактах?

Сейчас пронесло, а что будет в следующий раз? — 2

Слава богу, обошлось без меня — 1

Ерунда, все запугивают — 0

(А не было ли среди жертв моих кредиторов?..)

3. Подводя итоги дня перед сном, вы:

даете отрицательную оценку своей деятельности — 2

думаете, что могло быть и лучше — 1

довольны собой — 0

(Соображаете, кому не успели навредить.)

4. При пробуждении вы обычно:

не хотите ничем забивать себе голову — 2

строите планы на день — 1

радуетесь новому дню и ждете встречи с неожиданностями — 0

(Смотрите на часы.)

5. Ваши мысли при известии о крупном выигрыше кого-то из знакомых:

со мной так никогда не будет — 2

а ведь это мог быть и я — 1

в следующий раз повезет мне — 0

(Чтоб он с лестницы скатился!..)

6. Сравнивая себя с окружающими, вы думаете:

меня явно недооценивают — 2

я ни в чем не уступаю другим — 1

вряд ли кто-то поспорит с тем, что я — лидер — 0

(Есть два мнения: одно — мое, а другое — глупое!)

7. Какого вы мнения о своих знакомых?

Они могли бы быть отзывчивей и интересней — 2

А кто из нас без недостатков? — 1

Мне очень повезло с ними — 0

(А я с ними не знаком! — минус 2)

8. Если вы расстроены, то:

проклинаете все на свете – 2

считаете, что все пройдет – 1

думаете, как бы вам переключить внимание на что-то другое – 0

(Ищете виноватого и наказываете.)

9. Если вы поправились на несколько килограммов, то:

считаете, что это ужасно – 0

относитесь к этому спокойно – 1

сразу прибегаете к диете и к активным физическим занятиям – 2

(Звоните портному, чтобы тот внес поправки в цифры последней примерки.)

10. Оглядывая пройденный путь, вы думаете:

было больше плохого, чем хорошего – 2

было больше хорошего, чем плохого – 1

все всегда было прекрасно – 0

(А чего там такого было-то?..)

РЕЗУЛЬТАТЫ

От 16 до 20 баллов

К сожалению, вы для себя уже все решили – вам не везет, и это непоправимо.

Попробуйте больше времени проводить в обществе людей, настроенных более радужно. Тогда и в жизни может появиться просветление, а «безвыходные тупики» неприметно растворятся...

(...И жизнь покатится радостно и беспрепятственно! Прямо под уклон... Ведь не везет же!)

От 10 до 15 баллов

В такой жизни удачи чередуются с неудачами.

Конечно, неплохо бы поменять это соотношение в свою пользу...

Но никакого нового рецепта не будет. Вы и сами знаете, как поступать, только вот почему-то ни хрена для этого не делаете!..

От 5 до 9 баллов

Вы достигли равновесия с окружающим миром.

Находите многочисленные радости в жизни, стараетесь не акцентировать внимание на негативных моментах. Здраво оцениваете обстоятельства и сохраняете спокойствие в любой ситуации...

(Ну и как вам отдыхается в вашей психушке?..)

От 0 до 4 баллов

И почему ж ты не миллионер, если ты такой умный?!..

(Ах, так ты уже миллионер?! Ну чего ж ты так счастлив со своим одиноким миллионом?!)

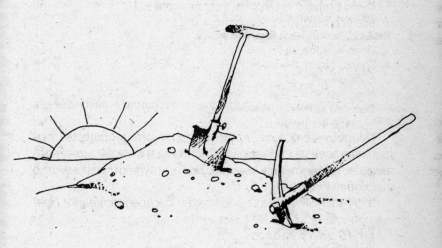

Оглавление

ИНСТИТУТ САМОВОССТАНОВЛЕНИЯ ЧЕЛОВЕКА

«Человек не имеет права быть
больным, некрасивым и бедным!»
М. С. Норбеков

Институт академика Норбекова предлагает комплексную программу для самопознания и самосовершенствования.

Основной принцип обучения — это активная позиция человека по отношению к своему душевному и физическому состоянию.

Изменить свое здоровье, внутреннее состояние, судьбу может каждый — сам, своими стараниями, волей, силой духа.

Глубоко в основе предлагаемых систем самосовершенствования лежат древние восточные знания, которые на протяжении многих веков передаются из поколения в поколение, от Наставников к ученикам.

Самые простые и доступные из них легли в основу предлагаемых курсов.

На сегодняшний день миллионы людей в России, странах СНГ, Балтии, а также в США, Германии, Израиле и других странах мира, благодаря полученным в Институте знаниям и навыкам, стали здоровыми и успешными людьми.

Около тридцати лет совершенствовались программы первой и второй ступеней Учебно-оздоровительного и Основного учебно-тренировочного курсов.

В последние годы была создана «Мастерская успеха». Это специальный продвинутый курс для слушателей, которые достигли наиболее значительных результатов в работе над собой.

• Учебно-оздоровительный курс. I часть

Курс направлен на обучение саморегуляции организма для реализации духовного и физического потенциала, заложенного в человеке Природой. Слушатели курса сами, без постороннего воздействия и вмешательства, учатся справляться со своими проблемами.

Основные темы: восстановление способности организма к саморегуляции и самовосстановлению (омолаживанию); запуск механизмов, направленных на восстановление здоровья; укрепление сердечно-сосудистой, нервной, эндокринной, мочеполовой, иммунной, лимфатической систем; нормализация обмена веществ;

коррекция зрения, слуха и других органов чувств; устранение последствий перенесенных травм, операций; нормализация функций органов дыхания, восстановление функций опорно-двигательного аппарата; гармонизация интимных отношений; коррекция лица и фигуры.

А также устранение рубцов, шрамов, спаек, грыж, стрий (подкожных разрывов) и других дефектов кожи.

Продолжительность курса — 10 дней по 4,5 часа.

• Учебно-оздоровительный курс. II часть

Курс направлен на закрепление навыков, полученных на первой ступени, устранение глубинных причин заболеваний. Для завершения этапа оздоровления ведется специальная работа с конкретными заболеваниями, а также целенаправленная работа с чертами характера. Продолжается тренировка по совершенствованию тела, формированию личностных качеств и укреплению духа. Происходит раскрытие уникальных способностей человека, в том числе пробуждение интуиции.

Продолжительность курса — 10 дней по 4,5 часа.

• Детский учебно-оздоровительный курс

Программа первой части Учебно-оздоровительного курса, адаптированная для детского восприятия.

• Детский ОСНОВНОЙ КУРС

Цель курса: развитие лидерских качеств, уверенности в себе, тренировка интуиции, умения ставить цели и достигать их.

Продолжительность каждого детского курса: 7 дней по 2,5—3 часа с переменами, в легкой игровой форме.

• Основной учебно-тренировочный курс
Ноу-хау академика М. С. Норбекова

Курс помогает пробудить интуитивную способность восприятия мира, учит мыслить путем озарения и формировать события своей жизни.

Основные темы: развитие способности предвидеть будущее, планировать и влиять на течение жизни, избегать стрессовых ситуаций, а также усиление лучших черт характера, из которых складывается облик Человека-Победителя. Как приятный побочный эффект — биологическое омоложение, повышение чувственности, а также гармонизация межличностных отношений.

Продолжительность курса — 10 дней по 4,5 часа.

• VIP-программа

Элитные занятия для успешных людей. Обучение ведется в малых группах — 25—30 человек. Строгий предварительный отбор, повышенное внимание и контроль.

Занятия проводят ведущие преподаватели Института — ученики М. С. Норбекова.

VIP-оздоровительный курс подготовлен на основе программы первой части учебно-оздоровительного курса, содержит элементы второго учебно-оздоровительного и основного курсов.

VIP-основной курс включает в себя программу основного курса с элементами психологии.

Продолжительность каждого курса — 10 дней по 4 часа.

«Мастерская успеха»

Авторский курс М. С. Норбекова

В программу входит работа над устранением слабых сторон личности по 495 параметрам жизни: повышение эффективности бизнеса; раскрытие внутреннего потенциала; тренировка духа; гармонизация отношений с окружающим миром; укрепление семейных отношений; совершенствование сильных качеств характера; развитие способности формировать события своей жизни и мн. др.

«Мастерская успеха» содержит элементы Основного курса. Занятия проводит автор программы М. С. Норбеков и лучшие ученики Мастера.

Продолжительность курса — 10 занятий по 4 часа.

После прохождения курса у вас появится уникальная возможность стать членом закрытого Клуба миллионеров «Global MSN Club».

- **«Global MSN Club»**

Членом клуба может стать любой сильный человек, стремящийся к совершенству.

Основные темы: дальнейшая тренировка тела и духа; расширение рамок сознания; накопление и увеличение внутренней силы; развитие устойчивости к стрессам; формирование способности ставить цели и качественно их достигать; развитие способности выбора оптимальных решений, создания благоприятных ситуаций и мн. др.

Продолжительность обучения: 1 год, 2 раза в неделю, по 2 часа в день.

Занятия проводят ведущие преподаватели Института самовосстановления человека, лучшие ученики М.С. Норбекова, а также те специалисты, которых вы выбираете сами.

- **Дополнительный курс «Восстановление зрения»**

Цель: выявить и устранить причины ухудшения зрения, освоить коррекцию зрения, основанную на древневосточных методах улучшения и восстановления зрения, провести дополнительную работу со всеми внутренними органами и системами организма.

Основные темы: атрофия зрительного и слухового нерва, близорукость и дальнозоркость, катаракта и глаукома, астигматизм и т. д. А также гипертония и гипотония, варикозное расширение вен, остеохондроз и мн. др. заболевания органов и систем.

Продолжительность курса — 5 дней по 4 часа.

- **Дополнительный курс «Восстановление слуха»**

Цель: выявить и устранить причины, приводящие к ухудшению и потере слуха, освоить коррекцию слуха, провести дополнительную работу со всем организмом.

Основные темы: неврит слухового нерва, нейросенсорная тугоухость, болезнь Миньера, снижение (потеря) слуха после перенесенных инфекционных заболеваний и травм и мн. др.

Продолжительность курса — 7 дней по 4 часа.

- **Курс «Восстановление семейных отношений»**

Основан на лекциях М.С. Норбекова о семейных отношениях

Цель: создать в семье атмосферу искренности, взаимной поддержки, уважительного общения.

Основные темы: мужское самолюбие, лидерство в семье, интимные отношения, воспитание детей; прощение родителей, близких, самого себя.

Курс помогает мужчинам и женщинам понять потребности друг друга, узнать различия в восприятии мира, приводящие к непониманию и разногласиям; обучает уважительному общению друг с другом. Незамужним и неженатым помогает вступить в брак и создать гармоничные отношения в семье.

Продолжительность курса — 10 дней по 4 часа.

Для обучения в нашем Институте не важен возраст. Двери Института открыты для всех, кто молод душой, кто верит в реальность мечты и готов воспользоваться мудростью, накопленной тысячелетиями.

Обращаясь в любой учебно-оздоровительный центр, работающий по системе академика М. С. Норбекова, убедитесь в том, что преподаватели и организаторвы имеют личное письменное подтверждение академика М. С. Норбекова о праве работы по его авторской системе.

ВНИМАНИЕ! НОВЫЙ ПРОЕКТ!

- **Интернет-Институт**

**Уникальная возможность пройти обучение
по системе академика М. С. Норбекова через Интернет**

Специальная авторская программа дистанционного обучения, по эффективности не уступающая занятиям в аудитории. Основные акценты в ней сделаны на индивидуальный подход к каждому слушателю. Вы сможете общаться напрямую с ведущими преподавателями системы и лично с Мастером в аудиоконференциях, на закрытом форуме группы, по электронной почте и ICQ (индивидуальная переписка).

Курс содержит: • Учебно-методические материалы, специально адаптированные для Интернет-обучения • Аудиозаписи с основными техниками курса • Видеоматериалы для обучения, выступления М. С. Норбекова.

В нашем Интернет-Институте проводятся те же курсы, что и в аудиториях Института. Информацию вы можете получить по электронной почте: **internet@norbekov.com**

Подробности на сайте Интернет-Института **www.i-institut.ru.**

• **Кинокомпания MSN Hollywood pictures productions corporation (USA, California)**

Кинокомпания MSN Hollywood pictures productions corporation (США, Калифорния) была основана М. С. Норбековым в сентябре 2003 года. В декабре 2003 года в Москве зарегистрировано Представительство кинокомпании.

Цель проекта: производство художественных, анимационных, телевизионных, документальных, научно-популярных, музыкальных и рекламных фильмов.

Стратегия развития компании основана на выпуске конкурентноспособной кино- и видеопродукции, удовлетворяющей всем требованиям, предъявляемым мировым рынком.

Приобрести видеокассеты и DVD-диски с фильмами по системе М. С. Норбекова, а также CD-диски с учебными материалами по оздоровительному курсу и философскими выступлениями М. С. Норбекова по темам основного курса и «Мастерской успеха» (совместный проект с «Радио России») вы можете, сделав предварительную заявку по адресу: **msn-pictures@norbekov.com.**

Вам будет выслан каталог предлагаемой продукции и прайслист со способами оплаты.

Подробности на сайте Кинокомпании: **www.msn-pictures.com**

КНИГА – ПОЧТОЙ 109559, Москва, а/я 72
Свои отзывы и предложения о книгах М. Норбекова вы можете отправить по адресу: 109044, г. Москва, ул. Мельникова, д. 7.

Благотворительный фонд

Родимый мой!

Желаете ли Вы путем малюсенького поступка сделать величайшее добро?

Думаю, что да.

Желаете ли, чтобы посаженное Вами дерево и после Вас давало плоды?

Я в этом уверен!

Желаете ли Вы принять участие в строительстве храма, открытии благотворительной столовой для бездомных или помочь детям-сиротам, чтоб они хоть на один миг почувствовали себя лучше?

Конечно!

Тогда давайте объединимся в одну команду и будем воплощать в жизнь только светлые идеи — идеи, приносящие радость, улыбку, любовь, благодарность. Я знаю, у Вас, как и у нас, есть это стремление! Мы глубоко признательны Вам за любую поддержку, за доброе слово и любое участие.

Искренне Ваш, Мирзакарим Норбеков

Реквизиты для перечисления:

Получатель:

Благотворительный фонд академика Норбекова

В рублях:

ИНН 7710432390

Расчетный счет № 40703810700000000119

В АБ «Собинбанк», г. Москва,

кор. /счет 30101810400000000487, БИК 044525487

Наименование: благотворительное пожертвование

В валюте (доллар США):

(59:\) «Norbekov Academic Charity Foundation»

ACCOUNT № 40703840800005000026 WITH

(57:\) JSB «SOBINBANK», MOSCOW, RUSSIA;

SWIFT: SBBA RU MM

(56:\) UBS AG, STAMFORD, UNITED STATES;

SWIFT: UBSW US 33

Планируется строительство

Учебно-оздоровительного Центра академика М.С. Норбекова

Рассматриваются эффективные предложения заинтересованных сторон.

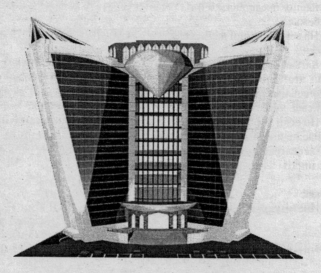

Многоэтажный корпус Бизнес-класса архитектуры будущего:
- Более 6000 кв. м. офисных площадей включая два конференцзала (на 500 и 150 чел./ мест)
- Транспортная доступность
- Гостиничный комплекс на 150 мест
- Инфраструктура и сервисные службы
- Фитнес-центр, спортзалы и магазины
- Подземная и гостевая парковки, охрана.

Координатор Проекта В.Д. Черных
(095) 270 88 79
E-mail: r.center@mtu-net.ru